Harald Fricke/Rüdiger Zymner

Einübung in die
Literaturwissenschaft

Parodieren geht über Studieren

4., korrigierte Auflage

Ferdinand Schöningh

Paderborn · München · Wien · Zürich

Die Deutsche Bibliothek – CIP-Einheitsaufnahme

Fricke, Harald:
Einübung in die Literaturwissenschaft: Parodieren geht über Studieren/Harald
Fricke/Rüdiger Zymner. – 4., korrigierte Aufl. – Paderborn; München; Wien;
Zürich; Schöningh, 2000
(UTB für Wissenschaft: Uni-Taschenbücher; 1616)
ISBN 3-8252-1616-0 (UTB)
ISBN 3-506-99441-7

NE: Zymner, Rüdiger: UTB für Wissenschaft:/Uni-Taschenbücher

Gedruckt auf umweltfreundlichem, chlorfrei gebleichtem
und alterungsbeständigem Papier ⊚ ISO 9706

4., korrigierte Auflage 2000

© 1991 Ferdinand Schöningh, Paderborn
(Verlag Ferdinand Schöningh GmbH, Jühenplatz 1, D-33098 Paderborn)
ISBN 3-506-99441-7

Printed in Germany.
Herstellung: Ferdinand Schöningh, Paderborn
Einbandgestaltung: Atelier Reichert, Stuttgart

UTB-Bestellnummer: ISBN 3-8252-1616-0

INHALTSVERZEICHNIS

1. ZU DIESEM BUCH

1.1. Das Konzept: ‚learning by doing‘

Das Erforschliche in Worte sieben;
das Unerforschliche ruhig veralbern...

ARNO SCHMIDT:
Seelandschaft mit Pocahontas

Muß ein Literaturwissenschaftler dichten können? Eine solche
Annahme scheint ja hinter zwei ebenso geläufigen wie gegensätzlichen Klischeevorstellungen zu stecken – einerseits hinter dem Bild
vom Interpreten als ‚verhindertem Dichter‘, der von der Poesie so
poetisch wie möglich zu reden bemüht ist; andererseits hinter dem
Spott von Dichtern über die Philologen als ‚Eunuchen der Poesie‘
(sie wissen, wie's geht, aber selber können sie's nicht). In beiden
Fällen jedoch liegt eine Verwechslung zugrunde; die gleiche Verwechslung nämlich wie in der Annahme, ein guter Ornithologe
müsse zur Not auch Eier legen können.

Dichten also braucht ein Literaturwissenschaftler nicht zu können – wohl aber parodieren. Damit ist hier nicht gleich das Herstellen selbständiger Kreationen im Rahmen der eingeführten literarischen Gattung ‚Parodie‘ mit künstlerischem Eigenwert gemeint,
sondern Parodieren einfach als ‚Nachsingen‘, als verfremdendes
Imitieren literarischer Schreibweisen und Darstellungsverfahren.
Denn wie ein Mediziner, ein Naturforscher, ein empirischer Sozialwissenschaftler mit seinen Forschungsgegenständen experimentieren muß, so sollte auch ein Literaturwissenschaftler in der Lage
sein, seine Forschungsobjekte zu Erkenntniszwecken fachkundig
und gezielt zu verändern. Kaum etwas macht ja eine literaturwissenschaftliche Argumentation so durchsichtig und überzeugend wie
der sachverständige Einsatz von ‚Variantentests‘: jene ‚Weglaß-,
Ersetzungs- und Verschiebeproben‘, die die Sprachwissenschaftler
schon längst zur Funktionsbestimmung sprachlicher Elemente
durch ‚Kommutation‘ und ‚Permutation‘ anwenden, bieten auch
bei literarischen Texten die Möglichkeit zu sehen, was sich eigentlich ändert, wenn man eine bestimmte Versform, eine Erzähltech-

nik oder ein Element der Handlungsführung als ersetzbare und versetzbare Variante behandelt. Die handwerklichen Fähigkeiten dazu erwirbt man sich beim Schreiben von Parodien.

Muß, wer Literaturwissenschaft lernen will, also das Parodieren lernen? Das ist nicht das Ziel der Sache; aber es ist ein möglicher Weg – und ein Weg, der bislang zu wenig beschritten wird. In den meisten literaturwissenschaftlichen Lehrveranstaltungen werden literarische Texte lediglich analysiert und besprochen oder ex cathedra interpretiert. Man hat aber einen Versbau erst wirklich durchschaut, wenn man Verse von entsprechender Art selber bauen kann; man hat einen literarischen Stil erst gründlich analysiert, wenn man ihn parodistisch imitieren kann; man hat das Komödiantische einer Komödie erst hinreichend erkannt, wenn man zu erproben vermag, wie das entsprechende Stück als Tragödie aussähe. In diesem Sinne geht Parodieren über Studieren, oder genauer: Das Studieren von Literatur geht am besten übers Parodieren von Literatur.

Dies ist eine rein praktische Erfahrung und nicht gebunden an überzogene literaturtheoretische Vorstellungen von einer ,Generativen Poetik'. Das, was anhand dieses Buches eingeübt werden kann, betrifft nicht mehr (aber auch nicht weniger) als das Handwerkliche am Dichterischen – und mit dessen Anwendung allein generiert man eben nicht ,Literatur', sondern im besten Falle Parodien von Literatur.

In diesem Sinne lernt man in Kapitel 2. dieses Buches zunächst, wie man einzelne Stilelemente von der rhetorischen Figur über das Wortspiel bis zur Uneigentlichen Rede in Texte ganz unterschiedlicher Art wirkungsvoll einbaut – und wie sich daraus auf verallgemeinerter Stufe dann grundlegend differenzierte Stilarten ergeben können. Das Kapitel 3. bringt neben dem Kleinen Einmaleins von Reim und Vers auch Übungen im aktiven Umgang mit größeren Zusammenhängen lyrischer Sprachformung. Erzähltechniken und Erzählhaltungen werden in Kapitel 4. variiert und parodiert; entsprechend in Kapitel 5. dann Bausteine und Bauformen von Theaterstücken. Jedes dieser Kapitel beginnt mit einer Einführungsaufgabe zur Vergegenwärtigung der im folgenden angesteuerten Probleme (nach dem Grundsatz, niemals Antworten zu geben, zu denen die Fragen noch gar nicht aufgetaucht sind); im Gegensatz zu den folgenden Aufgaben haben wir hier jeweils ein eigenes Lösungsbeispiel angeboten, das sich natürlich (ebenso wie alle vorgeschlagenen Mustertexte) durch eine Fülle von alternativen

Möglichkeiten ersetzen ließe. Die weiteren Aufgaben steigern sich dann kapitelweise von der Parodie einzelner Komponenten bis zu ganzen Komplexen parodistischer Imitation. Jeweils am Schluß folgen gestufte Angebote zur Selbstkontrolle oder auch zur förmlichen Leistungskontrolle derjenigen Kenntnisse und Fertigkeiten, die in dem jeweiligen Kapitel zu erwerben waren.

Nach einigem Zögern haben wir uns entschlossen, jeder einzelnen Aufgabe einen kleinen Abschnitt mit „Terminologischen Hinweisen" beizugeben. Als unumgänglich erwies sich das wegen des bekannten Elends mit dem terminologischen Wirrwarr einer akademischen Disziplin, bei der die gängigen literaturwissenschaftlichen Wörterbücher häufig genug die Verwirrung nur noch vermehren; eine Verbesserung in großem Stil ist mit der Neubearbeitung des ‚Reallexikons der deutschen Literaturwissenschaft' zwar in Angriff genommen, ihr Abschluß wird aber noch eine Weile auf sich warten lassen (vgl. dazu allg.: Wagenknecht 1988). Für die zu einer parodistischen Aufgabe gehörigen literarischen Kategorien geben wir deshalb jeweils knappe und knapp exemplifizierte ‚Explikationen', d.h. operationale Präzisierungen branchenüblicher Sprachverwendungen mit dem Ziel, praktisch arbeitsfähige Begriffe zur Verfügung zu stellen. Insgesamt ergibt sich daraus ein ebenso knappes wie möglichst flächendeckendes Grundinventar von etwa 300 literaturwissenschaftlichen Analysebegriffen, das in Sachfeldern (wie z.B. Reimtypen) vernetzt ist und für die hier angestrebten Zwecke brauchbarer sein dürfte als dickleibige Lexika der leider handelsüblichen Güte. Es versteht sich von selbst, daß dadurch die Freiheit der Leser und Benutzer, abweichende eigene Definitionen zu entwickeln und zu befolgen, in keiner Weise eingeschränkt wird; Explikationen sind nämlich keine Normierungen, sondern Verwendungsvorschläge, an die sich niemand zu halten braucht als derjenige, der sie macht.

Ein etwas anderes Ziel als die eigentlich parodistischen Abschnitte verfolgt das Kapitel 6., aber mit einem ähnlichen Verfahren. Auch hier wird aktives Umgehen mit Sprache eingeübt; nun aber mit literaturwissenschaftlichem Sprechen, wie zuvor mit literarischem. Denn auch die vorausgehenden parodistischen Übungen dienen ja nicht der Ausbildung besserer Dichter, sondern besserer (und vielleicht: fröhlicherer) Literaturwissenschaftler; deshalb sollte literaturwissenschaftlich angemesssene Sprachverwendung auch ausdrücklich thematisiert – und z.B. trainiert werden, wie man etwa eine These, einen hypothetischen Zusammenhang oder eine

Beweisführung unmißverständlich formuliert; wie man Behauptungen anderer gezielt widersprechen bzw. sie widerlegen kann; wie man Definitionen präzisiert oder kritisiert, kurz: wie man die Argumentationen anderer überprüfen und seine eigenen Argumente verbessern kann. Dem wird in der üblichen literaturwissenschaftlichen Ausbildung nur selten ausdrückliche Aufmerksamkeit gewidmet; andererseits nehmen die gängigen Logik-Kurse (z.B. an philosophischen Instituten) kaum einmal Rücksicht auf die spezifischen Probleme historisch-humanwissenschaftlicher Disziplinen im allgemeinen oder gar der Literaturwissenschaft im besonderen. Insofern kann das Kapitel 6. auch ganz unabhängig vom Konzept der übrigen parodistischen Übungen verwendet und als Arbeitsbuch für einen ‚Grundkurs im literaturwissenschaftlichen Argumentieren‘ im Rahmen der allgemeinen Einübung in die Literaturwissenschaft eingesetzt werden; als ein solcher selbständiger Grundkurs für zukünftige Deutschlehrer war die Konzeption dieses Abschnittes ursprünglich auch von Göttinger Philosophen und Germanisten gemeinsam entwickelt worden (vgl. Bericht in: Fricke 1975).

Spätestens damit sollte ein möglicherweise naheliegendes Mißverständnis ausdrücklich ausgeräumt sein: Daß nämlich Literaturwissenschaft hier auf eine vergnügliche Weise eingeübt wird, soll in keiner Weise bedeuten, daß Literatur bzw. der Umgang damit als ein bloßer ‚Jokus‘ angesehen würde. Im Gegenteil entspringt die hier entwickelte Konzeption der Auffassung, daß es gilt, sich der speziellen Verantwortung des Literaturwissenschaftlers bewußt zu werden und in aktiver Weise zu stellen.

Denn eine grundlegende Aufgabe des Literaturwissenschaftlers ist das reflektierte Erkunden und Einordnen von literarischen Werken samt ihrer historischen Bezüge; das Ziel dieser Tätigkeit ließe sich als ‚Entmythologisierung der Literatur‘ zusammenfassen. ‚Entmythologisierung‘ als handlungsleitendes Prinzip kann im günstigen Falle zum mündigen und intersubjektiv gleichberechtigten Umgang mit Literatur führen. Mündig wird der Umgang mit Literatur, wenn der literaturwissenschaftlich aufgeklärte Leser einen literarischen Text in seiner Gemachtheit offenlegen, sachkundig verändern und dadurch frei von undurchschauten Wirkungen auf ihn reagieren kann. Gleichberechtigt wird der Umgang mit Literatur, wenn es in der literaturwissenschaftlichen Auseinandersetzung mit ihr nicht auf seherische Empfindsamkeit eines überlegenen Interpreten ankommt, sondern auf das allen Diskursteilnehmern zugängliche und kritisierbare Argument. In diesem Sinne dienen die hier vorgeschlagenen parodistischen und die argumentationskritischen Übungen gleichermaßen dem Ziel einer Entmythologisierung der Literatur wie der Literaturwissenschaft.

Eine so verstandene literaturwissenschaftliche Verantwortung steht jedoch keineswegs im Gegensatz zum Spaß an der Arbeit; lustvolles Parodieren hilft vielmehr entmythologisieren. Die Lust an der Literatur gehört einfach zur Sache, sollte also auch in der Literaturwissenschaft – unbeschadet ihrer etwas anderen Zielsetzung – nicht verloren gehen dürfen. Die zwei größten Fehler einer literaturwissenschaftlichen Ausbildung (komplementär, aber leider durchaus kompatibel) wären es deshalb: einerseits den Beteiligten die spontane Freude am Umgang mit Literatur zu nehmen – und sie andererseits vor dieser Literatur begriffslos mit offenem Munde stehen zu lassen.

1.2. Zur Benutzung in Unterricht und Selbststudium

> Es wird jedoch nicht nur vorteilhaft sein, Fremdes umzuschreiben, sondern auch Eigenes auf verschiedene Art und Weise zu bearbeiten, indem wir gezielt einige Sätze auswählen und sie möglichst vielfältig gestalten, so wie aus dem gleichen Wachs bald diese, bald jene Formen gebildet werden. Die größte Gewandtheit aber erwirbt man sich nach meinem Dafürhalten an der anspruchslosesten Materie.
>
> QUINTILIAN:
> *Institutio oratoria*

Für den praktischen Einsatz dieses Buches wäre – wenn wir einmal absehen von der ,Nebenfunktion' als terminologisches oder poetologisches Nachschlagewerk, was mit Hilfe des Sachregisters gleichfalls möglich ist – hauptsächlich an drei unterschiedliche Verwendungszusammenhänge zu denken:

(1) Als durchstrukturierte Anleitung zum Selbststudium, bei dem man sich je nach den eigenen Interessen und Bedürfnissen die geeigneten Aufgabenbereiche auswählt und bearbeitet. Dies kann

also, obwohl das Buch insgesamt einen stufenartigen Gesamtablauf anbietet, durchaus auch in bezug auf einzelne Teilkapitel geschehen, mit denen man z.B. bestimmte Lücken im eigenen Studiengang gezielt ausfüllen möchte; allgemeiner dann zur partiellen oder globalen Repetition in der Examensvorbereitung oder auch zur Auffrischung früherer Studieninhalte bei Deutschlehrern. Natürlich geht so etwas noch besser mit Austauschpartnern zum Gegenlesen und Diskutieren der eigenen parodistischen Versuche (etwa im ‚Tandem-Verfahren‘ stabiler Zweierbeziehungen oder auch fester Arbeitsgruppen).

(2) Als allgemeines Schreibtraining, besonders zum Einsatz in der neuerdings erfreulich anwachsenden ‚Schreibbewegung‘; bevor man hier den Mut und die Kompetenz zu ganz freien eigenen Texten findet, könnte man zunächst einmal mit dem Parodieren fremder Texte zu Übungszwecken anfangen. (Dabei werden naturgemäß die literaturwissenschaftlich-terminologischen Aspekte der einzelnen Aufgabenstellungen in den Hintergrund treten.)

(3) Als Arbeitsbuch und Textgrundlage für Lehrveranstaltungen verschiedener Art. Auch hier ließen sich wohl wieder drei differenzierte Einsatzbereiche unterscheiden:

(a) In der Erwachsenenbildung als Quelle vielfältiger Anregungen für solche Menschen, die gern spielerisch und intelligent mit literarischen Texten umgehen möchten, ohne deshalb gleich akademische Vollständigkeit anzustreben.

(b) In geeigneten Klassen oder auch Leistungskursen der gymnasialen Oberstufe, in denen sich durch entsprechende Auswahl und Anpassung von Aufgaben erste Schritte zu einem ‚entmythologisierten‘ Umgang mit Literatur auf vergnügliche Weise einüben lassen.

(c) Schließlich und in allererster Linie natürlich als Arbeitsprogramm für Proseminare im literaturwissenschaftlichen Grundstudium der Universitäten. In diesem praktischen akademischen Zusammenhang entstand auch die gesamte Konzeption, als 1981 an der Universität Göttingen zum ersten Mal ein Proseminar ‚Stilparodien‘ von Harald Fricke angeboten wurde; zu dessen allerersten Teilnehmern gehörte Rüdiger Zymner, der die Kurse also auch aus der ‚Benutzerperspektive‘ kennt und sie aufgrund dieser Erfahrungen später in seinen eigenen Lehrveranstaltungen an der Universität Fribourg weiterentwickelt hat.

Einige praktische Erfahrungen aus bisher einem guten Dutzend solcher Seminare lohnen vielleicht die Mitteilung. Alle Aufgaben des Buches zusammen entsprechen etwa dem Umfang eines kom-

pletten literaturwissenschaftlichen Grundstudiums von vier Proseminaren; im einzelnen könnte man also jeweils ein Parodien-Kapi-
tel als Grundlage für ein Semester wählen (in einem längeren
Wintersemester u.U. zwei Kapitel, ggf. mit einer etwas dezimierten
Folge von Aufgaben); neben überwiegend arbeitsgleichem ist
teilweise auch arbeitsteiliges Verfahren naheliegend, besonders
natürlich durch Verlosung der zu parodierenden Gattungen in den
Kapiteln 2.23., 3.8., 4.8. und 5.8. Die argumentationskritischen
Übungen des Kapitels 6. könnten ausführlich als eigener Kurs, aber
auch als geschlossener Block innerhalb z.B. eines Methodensemi-
nars oder einer allgemeinen Studieneinführung angeboten werden
(zu erwägen wäre in geeigneten Fällen die Kooperation mit linguistischen Proseminaren).

Die spezifische Anlage solcher Kurse bringt im praktischen
Ablauf einige Unterschiede zu rein textanalytisch vorgehenden
Seminaren mit sich. Auf der einen Seite werden die üblichen und
allerorten beklagten ‚Motivationsprobleme' germanistischer Lehrveranstaltungen hier so gut wie vollständig vermieden (wer das
‚learning by doing' nicht mag, kommt gar nicht erst oder scheidet
frühzeitig aus; die anderen schreiben sich in zunehmendem Engage-
ment die Finger wund). Auf der anderen Seite setzt dieses Verfahren aber auch die Bereitschaft zu ständiger aktiver Mitarbeit geradezu voraus – und vor allem die Bereitschaft, laufend eigene Texte
zu verfassen und die Ergebnisse von anderen Teilnehmern diskutieren zu lassen. Da das Vorlesen eigener Elaborate manchem peinlich ist (und umgekehrt bei einigen, extrovertierter veranlagten
Naturen übertrieben beliebt), hat sich folgendes Vorgehen recht
gut bewährt: Die parodistischen Resultate werden nach unsystema-
tisch wechselndem Verfahren unter den Teilnehmern ausgetauscht,
kritisch annotiert und in lohnenden Fällen vorgelesen – seien dies
besonders gelungene Parodien, seien es unklare Fälle, die einer
literaturwissenschaftlichen Erörterung bedürfen.

Sehr zu empfehlen ist darüber hinaus, daß die verfaßten Texte
regelmäßig auch noch von der verantwortlichen Lehrkraft selber
durchgesehen und ggf. kommentiert werden; das macht zwar viel
Arbeit, aber auch unerhört viel Spaß – und ermöglicht im übrigen
ein weitaus besseres persönliches Kennenlernen der Teilnehmer.
Wichtiger noch erscheinen uns, im Interesse der Teilnehmer selbst,
kapitelweise zusammenfassende Lernzielkontrollen am jeweiligen
Semesterende. Gerade bei einer Lehrveranstaltung dieser Art
wollen und sollten die Beteiligten wissen, was sie über die verschie-

denen Erfahrungen und Lust/Unlust-Erlebnisse hinaus denn doch alles positiv gelernt haben. Für die terminologisch präzisierbaren – und nach Bedarf beliebig abwandelbaren – Tests haben wir hier jeweils ein Modell ausgearbeitet und im Anhang durch das Morse-Alphabet verschlüsselte Lösungen angegeben (sodaß eine Eigenkontrolle möglich, aber auch nicht gar zu leicht gemacht wird); darüber hinaus sollte die Anwendung des Gelernten aber auch gelegentlich in selbständigen Hausarbeiten erfolgen, die zugleich zu historisch vielfältiger Lektüre als unabdingbarer Ergänzung zum punktuellen Intensivstudium des Parodierens anregen können. Einige Beispiele für integrierte textanalytische Aufgaben an möglichst vielfältigen Untersuchungsgegenständen haben wir im Kapitel 7. angeführt und mit einem ausführlichen Lösungsbeispiel anhand von Lessings ‚Ringparabel' versehen.

Als Anregung am Rande möchten wir auch unsere Erfahrung nicht verschweigen, daß sich speziell die dramatischen Genre-Parodien des Abschnitts 5.8. teilweise bestens zu szenischer Darbietung (etwa im Rahmen von Seminarfesten) eignen; es muß ja nicht immer Kafka sein...

Zur Auswahl der Beispieltexte sei ausdrücklich angemerkt, daß sie zwar nirgends beliebig, aber auch nirgends zwangsläufig ausgefallen ist; in einzelnen Fällen sind hier sogar unsere eigenen Möglichkeiten durch Verweigerung von Abdruckrechten (z.B. im Falle von Zeitungsglossen) oder durch überhöhte Lizenzgebühren für Kurzzitate eingeschränkt worden. Den zahlreichen Verlagen bzw. Einzelpersonen, die uns die Wiedergabe noch urheberrechtlich geschützter Texte erlaubt haben (vielfach sogar unentgeltlich), möchten wir an dieser Stelle ausdrücklich danken; da es uns nicht in jedem Einzelfall gelungen ist, die Inhaber von Urheberrechten zu ermitteln, bitten wir die Betroffenen darum, sich ggf. mit ihren Ansprüchen an den Verlag zu wenden.

Doch wie die Textauswahl, so will überhaupt nichts an diesem Buch als ‚sakrosankt' betrachtet sein: das Buch sollte selber unter dem Prinzip seiner ‚Entmythologisierung' benutzt werden. Wer damit arbeitet, sollte es für sich verändern – also nicht nur die Auswahl nach Geschmack und Bedarf abwandeln, sondern auch eigene Variationen hinzufügen: durch Ersetzen einzelner Texte, einzelner Aufgaben, einzelner Definitionen von literaturwissenschaftlichen Begriffen. Viele Wege führen durch dieses Buch; wer unter all diesen Möglichkeiten seinen eigenen Weg nicht findet, dem würde der hier in jedem Kapitel wieder auftretende Schutzmann Kafkas wohl lachend raten: Gibs auf, gibs auf...

2. STIL-PARODIEN

2.1. Aufgabe zur Einführung: Stilistische Aspekte von Texten

TEXT (1) :

Bildungspolitik – auch das noch?

Äh. – ja.[1] Denn anders als in der freien Wildnis? nö – Wirtschaft ist der Arbeitsplatz des Deutschlehrers, die Schule, ein Teil der staatlichen Institutionen. Die Beschäftigung im Staatsdienst ist abhängig von und bestimmt durch mehr oder minder offene politische Anforderungen. Allgemein und persönlich betroffen ist mensch zunächst mal vom Beamtenrecht und der Eidleistung auf unser Grundgesetz.

---

[1] Die Erwartung hier 'ne Fußnote zu finden, – ein notabene unverzichtbarer Bestandteil jeder großen und artigen wissenschaftlichen Arbeit –, ist ganz und voll berechtigt. Und dann noch solch eine wie diese: (. . .)

[aus: DEUTSCHLÄHRÄRAUSBILDUNG. In: LINKS DRUCK – EXTRA. zeitschrift der BasisGruppe germanistik, Göttingen 1981, S. 14.]

TEXT (2) :

Notiz über Geisteswissenschaft und Bildung

(. . .) Nicht nur die Fachausbildung, sondern auch Bildung selber bildet nicht mehr. Sie polarisiert sich nach den Momenten des Methodischen und des Informatorischen. Der gebildete Geist wäre demgegenüber ebenso eine unwillkürliche Reaktionsform wie seiner selbst mächtig. Nichts steht dem mehr im Bildungswesen bei, auch die hohen Schulen nicht. Verfemt die unreflektierte Verwissenschaftlichung zunehmend den Geist als eine Art von Allotria, dann verstrickt sie sich tiefer stets in den Widerspruch zum Gehalt dessen, womit sie sich befaßt, und zu dem, was sie für ihre Aufgabe hält. (. . .)

[aus: Theodor W. Adorno: Eingriffe. Neun kritische Modelle, (c) Suhrkamp Verlag, Frankfurt a.M. 1963, S. 54–58, hier S. 58.]

AUFGABE:

Schreiben Sie jeden dieser beiden akademischen Texte zu bildungstheoretischen Problemen in den Stil des jeweils anderen um (d.h. Text (1) auf ‚Adornitisch' und Text (2) auf ‚Basisgruppendeutsch'). Machen Sie sich dabei gleich Notizen darüber, auf welche Aspekte der jeweiligen sprachlichen Besonderheiten Sie dabei Rücksicht genommen haben.

2.1.1. Lösungsbeispiel

TEXT (1) auf ‚Adornitisch':

VON DER FRAGLICHKEIT
DES POLITISCHEN IN DER BILDUNG

Mißgönnt Wildwuchs spätkapitalistischen[1] Wirtschaftslebens dem Individuum freies Entwickeln seiner selbst durch unbeschränkte Konkurrenz, so verstrickt den Erzieher jugendlichen und insonderheit literarischen Geistes die Autorität des vermeintlich sozialen Amtes in enge Beschränkung seines Tuns. Macht tritt sowohl offen wie, mächtiger noch, unter der Hand als das entgegen, was ihn als seinem Selbst entfremdet sich fühlen läßt. Solchem entfremdeten Recht des Amtes verschworen, schwört der dem Geistigen Verbundene statt auf Geistesfreiheit höchst unfrei auf das, was durchaus geistlos als Freiheitlich-Demokratische Grundordnung verfaßt ward.

---

[1] Tieferer Einsicht wird dessen Strukturgesetz erst sich öffnen, wenn die grundlegenden denkerischen Ausarbeitungen jenes Verhältnisses unverlierbarer geistiger Besitz geworden sind.

TEXT(2) auf ‚Basisgruppendeutsch':

BROTLOSE KÜNSTE – MUSS DAS SEIN?

Na klar doch. (Blöde Frage, oder?) Aber selbstredend nicht nach herrschendem Muster – 'tschuldigung: nach dem Muster der Herrschenden! Kreuzbrav und lendenlahm soll man/frau entweder Verfahrensrituale bimsen – oder mausetotes Wissen

22

büffeln. Hilft nur: ausflippen oder aber seinen eigenen Uni-Pfad finden, ob die Profs und Assis das nu goutieren oder nich. Die etablierten und garantiert wertfreien bürgerlichen Bildungsinstitutionen helfen dir da keine Spur. Und die hehre, absolut objektive Wissenschaft erreicht exakt das Gegenteil von dem, wofür sie Steuergelder abkassiert: statt glasklarem Durchblick glasklare Leere im Kopf.

2.2. Rhetorische Figuren der Wiederholung

TEXT (1) :

Zarathustra aber sahe das Volk an und wunderte sich. Dann sprach er also:

Der Mensch ist ein Seil, geknüpft zwischen Thier und Übermensch, – ein Seil über einem Abgrunde.

Ein gefährliches Hinüber, ein gefährliches Auf-dem-Wege, ein gefährliches Zurückblicken, ein gefährliches Schaudern und Stehenbleiben.

Was gross ist am Menschen, das ist, dass er eine Brücke und kein Zweck ist: was geliebt werden kann am Menschen, das ist, dass er ein Übergang und ein Untergang ist.

Ich liebe Die, welche nicht zu leben wissen, es sei denn als Untergehende, denn es sind die Hinübergehenden.

Ich liebe die grossen Verachtenden, weil sie die grossen Verehrenden sind und Pfeile der Sehnsucht nach dem andern Ufer.

Ich liebe Die, welche nicht erst hinter den Sternen einen Grund suchen, unterzugehen und Opfer zu sein: sondern die sich der Erde opfern, dass die Erde einst des Übermenschen werde.

Ich liebe Den, welcher lebt, damit er erkenne, und welcher erkennen will, damit einst der Übermensch lebe. Und so will er seinen Untergang.

Ich liebe Den, welcher arbeitet und erfindet, dass er dem Übermenschen das Haus baue und zu ihm Erde, Thier und Pflanze vorbereite: denn so will er seinen Untergang.

[aus: Friedrich Nietzsche: Also sprach Zarathustra. In: Ders.: Sämtliche Werke. Krit. Studienausgabe, hrsg. v. G. Colli u. M. Montinari, Bd. 4, München 1980, S. 16f.]

TEXT (2) :

EINEN PUNKT AUS HAMBURG ENTFÜHRT

**Kurz vor dem Schlußpfiff der Borussia-Ausgleich
Hrubesch verfehlt das leere Tor**

Seit Samstag wissen 53 000 norddeutsche Fußballanhänger, weshalb Borussia Mönchengladbach die derzeit beste Bundesliga-Auswärtsmannschaft stellt. Die Elf von Trainer Jupp Heynckes holte sich nämlich einen Punkt beim Hamburger SV. Dieser Punktgewinn war ohne jede Frage verdient, auch wenn der Ausgleich erst zwei Minuten vor dem Ende durch den eingewechselten Pinkall fiel.

Die Hamburger hatten zwar wieder ihren etatmäßigen Mittelstürmer Horst Hrubesch zur Stelle, dafür jedoch mußten sie auf die verletzten Hieronymus und Beckenbauer verzichten. Es ist müßig,. darüber zu rätseln, ob mit diesen beiden mehr für den HSV herausgekommen wäre.

Gladbachs Abwehr – von Hannes blendend organisiert – erwies sich im Volksparkstadion als kompakter Block, das Mittelfeld wurde im Grunde genommen aufgegeben, und vorne waren die Sturmspitzen Mill und Wuttke alleine auf Konter ausgerichtet.

[aus: Süddeutsche Zeitung, 19.10.1981, S. 48; Abdruck mit freundlicher Genehmigung des Süddeutschen Verlages.]

AUFGABEN:

Übertragen Sie Text (1) in den Stil eines knapp informierenden alltagssprachlichen Zeitungsartikels nach Art von Text (2). Vermeiden Sie dabei insbesondere alle rhetorischen Figuren der Wiederholung.

Übertragen Sie Text (2) in den Stil des Nietzsche-Textes und bauen Sie dabei alle unten genannten rhetorischen Figuren der Wiederholung ein.

ERLÄUTERUNGEN ZUR TERMINOLOGIE:

Wiederholungen oder partielle ‚Äquivalenzen' können einen Text gliedern und einen strukturellen oder semantischen Zusammenhang zwischen einzelnen Teilen eines Textes herstellen (in der Textlinguistik spricht man von „semantischer Kohärenz" und „syntaktischer/struktureller Kohäsion"; vgl. 2.15.). Um Formen und Funktionen der Wiederholung beschreiben zu können, ist es nützlich, fünf ‚W'-Fragen an den Text zu stellen: (1) Was wird wiederholt? (2) Wieviel wird wiederholt? (3) Wo wird wiederholt? (4) Wie oft wird wiederholt? (5) Wozu wird wiederholt?
Wir nennen einige häufig vorkommende Wiederholungsfiguren.

ANAPHER [griech. anaphora: Rückbeziehung, Wiederaufnahme]: Übereinstimmung eines oder mehrerer Wörter an den Anfängen mindestens zweier Teilsätze oder Sätze oder Absätze.

> Zur Typologie: Finden sich die Übereinstimmungen des Wortmaterials nicht – wie in der Regel – in unmittelbar aufeinander folgenden Teilsätzen, Sätzen oder Absätzen (oder nicht überall unmittelbar am Anfang), so sollte etwa durch eine Weglaß- oder Ersetzungsprobe überprüft werden, ob die übereinstimmenden Wörter gleichwohl eine (semantisch oder syntaktisch) textstrukturierende Funktion haben.

> Beispiel: <u>Wir haben immer schon gesagt</u>, daß diese Politik in den Ruin führt. <u>Wir haben schon immer gesagt</u>, daß Sie, Herr Bundeskanzler, unverantwortlich handeln. Das tun Sie ja seit Jahren. Und <u>wir haben schon immer gesagt</u>, daß wir in der Not zu Ihnen stehen werden.

> Schema: <u>a+b</u>+c+l+m.<u>a+b</u>+n+o. (x+y). (z+) <u>a+b</u> + p+q.

EPIPHER [griech. epiphora: Zugabe] : Übereinstimmung eines oder mehrerer Wörter an den Schlüssen mindestens zweier Teilsätze oder Sätze oder Absätze.

> Zur Typologie: alle Ausführungen zur Anapher gelten entsprechend auch hier.
> Beispiel: Auch Penthesilea lebt <u>doppelt</u>, begreift sich <u>doppelt</u>.
> Schema: l+m+n+<u>a+b</u>. q+r+s+<u>a+b</u>. x+y+z+<u>a+b</u>.

SYMPLOKE [griech.: Verflechtung; Betonung auf der 3. Silbe] : Verbindung von Anapher und Epipher; Übereinstimmung eines oder mehrerer Wörter an den Anfängen und an den

Schlüssen mindestens zweier Teilsätze oder Sätze oder Absätze.

Zur Typologie: Alle Ausführungen zur Anapher gelten entsprechend auch hier.

Beispiel: Die Weißwürste sind im Sommer so gut, die Weißwürste sind auch im Herbst so gut, die Weißwürste sind im Winter immer noch so gut.

Schema: a+b+l+m+n+c+d. a+b+o+p+q+r+c+d. a+b+s+t+c+d.

EPANALEPSE [griech.: Wiederholung] : Übereinstimmung eines oder mehrerer Wörter am Anfang, im Inneren oder am Ende eines Satzes.

Beispiel: (a) Dich, dich strömt mein Lied...; (b) Die Blätter fallen nieder, fallen nieder wie von weit...; (c) Singet das Lied, leise, leise.

Schema: (a) a+a+x+y+z. (b) x+y+a+a+z+n. (c) x+y+z+a+a.

ANADIPLOSE [griech.: Wiederholung, Verdopplung] : Übereinstimmung eines oder mehrerer Wörter am Schluß eines Teilsatzes, Satzes oder Absatzes mit dem Anfang des unmittelbar folgenden.

Beispiel: Sauerkraut bekommt mir immer gut. Gut vertrage ich es auch, wenn man mir Erbsen mit Speck zubereitet.

Schema: x+y+z+a. a+b+c.

KYKLOS [griech.: Kreis] : Übereinstimmung eines oder mehrerer Wörter am Anfang und am Ende desselben Teilsatzes, Satzes, Absatzes oder Ganztextes.

Beispiel: Schnaps ist und bleibt einfach Schnaps.

Schema: a+b+c+d+e+a.

ALLITERATION [lat. alliteratio: Lautverbindung] : Übereinstimmung im Anlaut syntaktisch verbundener und benachbarter Wörter. In der Prosa alliterieren nur ,Autosemantika', also Verben, Substantive und Adjektive/Adverbien – im Gegensatz zum ,Stabreim' in Versen, der sich auf alle und nur die metrisch akzentuierten Anlaut-Silben erstrecken kann (vgl. 3.2.). Beim altgermanischen Stabreim geht man davon aus, daß vokalischer Wortanfang mit einem Knacklaut (Glottisschlag) und mithin auch konsonantisch anlautet, weshalb alle Vokale untereinander ,staben'. Hier soll demgegenüber festgesetzt werden, daß in Prosa nur gleiche Vokale an Wortanfängen alliterieren können.

Beispiel: (a) Daß aus Liebe oft Leid werden kann, ist altbekannt. (b) Alberne Amalie, was bist du so schön.

REIMFORMEL: Eine Wendung aus zwei durch Konjunktion koordinierten Wörtern, die durch Endreim (s. 3.2.) oder auch Alliteration (s.o.) partiell übereinstimmen.

Beispiel: (a) Mann und Maus. (b) Leben statt Streben.

PARALLELISMUS [griech. parallelos: gleichlaufend; lat. parallelismus membrorum: Gleichlauf der Satzglieder] : Gleiche Anordnung von syntaktisch korrespondierendem Wortmaterial auf der Ebene der Satzfolge, des Satzes, des Teilsatzes oder des Satzteils.

Beispiel: (a) Herbert frisiert Köpfe, Karl repariert Autos und Hans fegt Straßen. (b) Heiß ist die Liebe, kalt ist der Schnee.

Schema: a+b+c, a'+b'+c'.

CHIASMUS [lat.: in der Kreuzform des griech. Buchstaben ,Chi' (χ); weitgehend synonym mit „Antimetabole" = Vertauschung] : Überkreuzte syntaktische Anordnung von semantisch korrespondierenden Wortpaaren zweier aufeinander bezogener Satzteile, Teilsätze oder Sätze.

Beispiel Eng ist die Welt und das Gehirn ist weit.

Schema: a+b, b'+a'.

2.3. Rhetorische Figuren des Kontrastes (I)

TEXT (1) :

> Annabelle, ach Annabelle,
> Du bist so herrlich unkonventionell,
> Du bist so wunderbar negativ

Und so erfrischend destruktiv.
Annabelle, ach Annabelle,
Du bist so herrlich intellektuell.
Ich bitte dich: komm, sei so gut,
Mach meine heile Welt kaputt!

(...) Früher hab ich oft ein eignes Auto benutzt,
Hab mir zweimal täglich die Zähne geputzt,
Hatte zwei bis drei Hosen und ein paar Mark in bar,
Ich erröte, wenn ich denke, was für ein Spießer ich war.
Seit ich Annabelle hab', sind die Schuhe unbesohlt,
Meine Kleider hab' ich nicht mehr von der Reinigung abgeholt,
Und seit jenem Tag gehör' ich nicht mehr zur Norm:
Denn ich trag' ja die Nonkonformisten-Uniform!

Früher, als ich noch ein Spießer war,
Ging ich gern ins Kino, in Konzerte sogar.
Doch mit diesem passiv-kulinarischen Genuß
Machte Annabelle kurzentschlossen Schluß.
Wenn wir heut' ausgeh'n, dann geschieht das allein,
Um gesellschaftspolitisch auf dem laufenden zu sein.
Heut' bitt' ich, Annabelle, erhör' mein Fleh'n!
Laß uns zu einem Diskussionsabend geh'n!

Früher hab' ich manchen Tag und manche Nacht
Auf dem Fußballplatz und in der Kneipe zugebracht,
Mit Freunden geplaudert, meine Zeit verdöst,
Doch dann hat Annabelle mich von dem Übel erlöst.
Heut' sitz' ich vor ihr und hör' mit off'nem Mund,
Wenn sie für mich doziert, Theorien aufstellt und
Ich wünschte, diese Stunden würden nie vergehen,
Ich könnt' ihr tagelang zuhör'n, ohne ein Wort zu verstehen.

Früher dachte ich korruptes Spießerschwein,
Wer was schaffen will, müßte fröhlich sein.
Doch jetzt weiß ich, im Gegenteil,
Im Pessimismus liegt das Heil! (...)
Wenn ich zu ihren Füßen lieg',
Dann üb' ich an mir Selbstkritik,
Und zum Zeichen ihrer Sympathie
Nennt sie mich „süßer Auswuchs kranker Bourgeoisie".

Annabelle, ach Annabelle,
Du bist so herrlich unkonventionell,
Du bist so herrlich emanzipiert
Und hast mich wie ein Meerschweinchen dressiert.
Annabelle, ach Annabelle,
Du bist so herrlich intellektuell,
Und zum Zeichen deiner Emanzipation
Beginnt bei dir der Bartwuchs schon.

[aus: Reinhard Mey: Annabelle, ach Annabelle. In: Ders.: ...alle meine Lieder, Berlin 1986, S. 222–224; Abdruck mit freundlicher Genehmigung der Maikäfer Musik Verlagsgesellschaft.]

AUFGABE:

Geben Sie diesen Text ohne die zahlreich verwendeten rhetorischen Figuren des Kontrastes (vgl. 2.4.) wieder – am einfachsten in Prosa.

2.4. Rhetorische Figuren des Kontrastes (II)

TEXT (1) :

Büchners Dichtung ist die Tragödie des Revolutionärs. Denn nicht als Märtyrer der Revolution stirbt Danton, er fällt ihr zum Opfer, vernichtet doch die Revolution selbst den Revolutionär, der zu verhindern sucht, daß sie sich in Tyrannei verkehre. Ihr Verhältnis, das Schöpfung und Zerstörung tragisch eint, gemahnt an jenes zwischen Vater und Sohn, das dem *König Ödipus* zugrunde liegt. (...) Der Umschlag von Heil in Unheil, der auch den historischen Vorgang kennzeichnet, ist angelegt in der antithetischen Struktur der Revolution selbst. Sie beruht auf Liebe und Haß zugleich. Da die Tugend den Schrecken in den Dienst nehmen muß, verkehrt sie sich notwendig in ihr Gegenteil. Die Revolution, die am Anfang vernichtet hat, um helfen zu können, vernichtet schließlich, weil sie nicht helfen kann. (...)

Doch begleiten die Umkehr Dantons auf dem Weg von rettender Vernichtung in vernichtende Rettung zwei Momente, die seine Tragik entscheidend verändern. (...) Im Gegensatz zu Phädra, Hamlet, Demetrius, deren Tod die Überschriften nicht zu nennen brauchen, charakterisiert Danton nicht sowohl, daß er sterben muß, als daß er nicht sterben kann, weil er schon gestorben ist. Aus einem Leben, das sich als Gestorbensein erfährt, führt kein Weg hinaus: sein Abschluß ist das Fallbeil, das den Körper des Helden so reglos antrifft, als hätte dieser den Tod schon erlitten. Unter der Guillotine kommt Büchners Held zum gesteigerten Ausdruck seiner selbst: Dantons Tod ist das Leben Dantons.

[aus: Peter Szondi: Büchner: „Dantons Tod", in: Interpretationen 2, hrsg. v. J. Schillemeit, (c) Suhrkamp Verlag, Frankfurt a.M. 1965, S. 253–257.]

TEXT (2) :

Dieses Grundgesetz verliert seine Gültigkeit an dem Tage, an dem eine Verfassung in Kraft tritt, die von dem deutschen Volke in freier Entscheidung beschlossen worden ist.

Wer die Freiheit der Meinungsäußerung, insbesondere die Pressefreiheit (Artikel 5 Absatz 1), die Lehrfreiheit (Artikel 5 Absatz 3), die Versammlungsfreiheit (Artikel 8), die Vereinigungsfreiheit (Artikel 9), das Brief-, Post- und Fernmeldegeheimnis (Artikel 10), das Eigentum (Artikel 14) oder das Asylrecht (Artikel 16 Absatz 2) zum Kampfe gegen die freiheitliche demokratische Grundordnung mißbraucht, verwirkt diese Grundrechte. Die Verwirkung und ihr Ausmaß werden durch das Bundesverfassungsgericht ausgesprochen.

Parteien, die nach ihren Zielen oder nach dem Verhalten ihrer Anhänger darauf ausgehen, die freiheitliche demokratische Grundordnung zu beeinträchtigen oder zu beseitigen oder den Bestand der Bundesrepublik Deutschland zu gefährden, sind verfassungswidrig. Über die Frage der Verfassungswidrigkeit entscheidet das Bundesverfassungsgericht.

[aus: Grundgesetz für die Bundesrepublik Deutschland, Artikel 146 bzw. Art. 18 bzw. Art. 21 Abs. 2.]

AUFGABE:

Übertragen Sie diese Ausschnitte des Grundgesetzes (unter besonderer Berücksichtigung der Spannung zwischen verfassungskonformer Ablösung des Grundgesetzes durch eine neue Verfassung und verfassungswidrigem Kampf gegen die in der Verfassung niedergelegte freiheitliche Grundordnung) in den die Gegensätze sprachlich pointierenden Stil des Szondi-Textes. Bauen Sie dabei folgende rhetorische Figuren des Kontrastes ein: Antithese, Paradoxon, Oxymoron (einmal in einem zusammengesetzten Wort, einmal als ‚contradictio in adiecto‘), Pointe (als Stilfigur am Satzschluß), Hysteron proteron, Klimax, Antiklimax.

ERLÄUTERUNGEN ZUR TERMINOLOGIE:

Wie die Figuren der Wiederholung schaffen auch die rhetorischen Figuren des Kontrastes einen Zusammenhang im Text. Nur geschieht dies hier durch den demonstrativen Aufbau von ‚Oppositionen‘ statt von ‚Äquivalenzen‘. Das kann als abwägendes Aufzählen der Argumente und Gegenargumente zu einer größeren Klarheit in der Sache führen, es kann aber auch – wie hier bei Szondi – zu einem Schwelgen in Dunkelheiten und Verblüffungseffekten, zu einem gleichsam mystischen Raunen geraten und so das genaue Verständnis des Textes erschweren.

ANTITHESE [griech. antithesis: Entgegensetzung] : Direkte Konfrontation gegensätzlicher Begriffe oder Gedanken in einem Satz oder einer Satzfolge ohne logischen Widerspruch. Näher kann nach der lexikalischen Füllung der A. unterschieden werden (z.B. Antonymie: geben/nehmen; oder Polarität: groß/klein); schließlich kann auch die syntaktische Anordnung als Kriterium herangezogen werden (A. häufig als Parallelismus oder auch als Chiasmus, s. 2.3.).

Beispiel:
(a) Was dieser heute baut, reißt jener morgen ein.
(b) Hier Freund, da Feind: so zeigt sich uns das Bild.
(c) Die Mühen der Gebirge liegen hinter uns.
    Vor uns liegen die Mühen der Ebenen.

PARADOXON [griech.: das Unerwartete] : Logischer Widerspruch durch Herstellung eines polaren oder kontradiktorischen Ge-

31

gensatzes (vgl. 6.1.) zwischen zwei Satzteilen eines Teilsatzes oder Satzes oder zwischen zwei Sätzen einer Satzfolge. In vielen Fällen kann und soll der Widerspruch vom Leser/Hörer durch die ‚uneigentliche' Interpretation mindestens eines der beiden Teile aufgehoben werden.

Beispiel:
Der Tod ist das wahre Leben.
Meine Antwort lautet: Ja und Nein.

OXYMORON [griech. oxys: scharf; moros: dumm; ‚scharfsinnige Dummheit'] : Logischer Widerspruch durch Herstellung eines polaren oder kontradiktorischen Gegensatzes (vgl. 6.1.) (a) zwischen Substantiv und Attribut (‚contradictio in adiecto') oder (b) zwischen den Gliedern eines Kompositums oder (c) zwischen Verb und Adverb.

Beispiel:
(a) lebendiger Tod; wacher Schlaf.
(b) dummklug; traurigfroh.
(c) stumm sprechen; unschuldig verschulden.

HYSTERON PROTERON [griech.: das Spätere als Früheres] : Verkehrung der sachlich oder chronologisch korrekten Folge aufeinanderfolgender Aussagen im Text.

Beispiel:
Ihr Mann ist tot und läßt Sie grüßen.
Karl wurde geboren und gezeugt in Wien.
Die Fakultät sollte sofort darüber beschließen und diskutieren.

KLIMAX [griech.: Steigleiter] : Anordnung einer mindestens dreiteiligen Wort- oder Satzreihe nach stufenweiser Steigerung (a) des Aussageinhalts (vom weniger Bedeutenden zum Wichtigen) oder (b) der Aussagekraft (vom ‚schwachen' zum ‚starken' Wort).

Beispiel:
(a) Dieser Betrüger, dieser Posträuber, dieser Witwenmörder!
(b) Wie habe ich ihn gebeten, angefleht, beschworen...

ANTIKLIMAX [griech.: Gegen-Leiter] : Anordnung einer mindestens dreiteiligen Wort- oder Satzreihe in absteigender Folge in bezug auf Aussageintensität oder Aussageinhalt.

Beispiel: Meine Löwin, mein Kätzchen, mein Mäuschen bist du.

POINTE [i.S.v. Schlußpointe] : Gegensatz zwischen Vorbereitung und Abschluß; semantische ‚Kippfigur‘, bei der eine zuvor aufgebaute Lesererwartung schlagartig enttäuscht wird (z.B. als semantische Zuspitzung der Aussage).

Beispiel: Wer andern eine Grube gräbt, ist Bauarbeiter. (Statt: Bauarbeiter ist, wer andern eine Grube gräbt. Oder: Wer andern eine Grube gräbt, fällt selbst hinein.)
Alle Menschen sind gleich – mir jedenfalls.

2.5. Wortschatz-Auswahl

Mit vertrauten Personen reden wir anders als mit fremden, am Arbeitsplatz anders als in der Freizeit. Wir verfügen über viele ‚Register‘ der Sprachverwendung, die wir je nach Redeanlaß und Redepartner unterschiedlich einsetzen können. Und manchmal spielt dabei auch unsere Erwartung eine Rolle, welches Register der Gesprächspartner von uns erwartet. Das zeigt u.a. Büchners Dialog (und zu Experimenten mit den Registern könnten Lotte und die anderen anregen).

TEXT (1):

DOKTOR: Ich hab's gesehn, Woyzeck; Er hat auf die Straß gepißt, an die Wand gepißt wie ein Hund! Und doch drei Groschen täglich. Woyzeck das ist schlecht. Die Welt wird schlecht, sehr schlecht!

WOYZECK: Aber, Herr Doktor, wenn einem die Natur kommt.

DOKTOR: Die Natur kommt, die Natur kommt! Die Natur! Hab' ich nicht nachgewiesen, daß der musculus constrictor vesicae dem Willen unterworfen ist? Die Natur! Woyzeck, der Mensch ist frei, in dem Menschen verklärt sich die Individualität zur Freiheit. (...) Aber Er hätte doch nicht an die Wand pissen sollen –

WOYZECK: Sehn Sie Herr Doktor, manchmal hat einer so'n'en Charakter, so'n'e Struktur. – Aber mit der Natur (...) *(er kracht mit den Fingern)*, das is so was, wie soll ich doch sagen, zum Beispiel...

DOKTOR: Woyzeck, Er philosophiert wieder.

[aus: Georg Büchner: Woyzeck. In: Ders.: Werke und Briefe, nach der hist.-krit. Ausgabe v. Werner R. Lehmann, komment. v. Karl Pörnbacher u.a., Darmstadt 1980, S.167f.]

AUFGABE:

Schreiben Sie den Dialog stilistisch um, indem Sie den Doktor so reden lassen wie Woyzeck und umgekehrt.

TEXT (2) :

Was sagen Lotte und Lene zu Franz?

1. Paß auf, daß du dir keine heißen Ohren einfängst
2. Zisch ab
3. Was ziehst du für 'ne Show ab
4. Auf den Typ fahr ich voll ab
5. Du hängst ganz schön durch
6. Logo!
7. Ich geh nur in die Frauenkneipe
8. Immer schön cool bleiben
9. Wen willst du denn angraben?
10. Mann, guck mir nicht in die Nieren
11. Echt chaotisch
12. Leg dich gern mit meinem Typ an
13. Du bist echt der Größte
14. Mach mich nicht an
15. Ätzend!

Was sagt Franz zu den Mädchen?

16. Da kann ich nicht drauf
17. Mach keinen Terror
18. Hab' ich Schlag bei dir?
19. Tierisch!
20. Da hab' ich keinen Bock drauf
21. Einsam, wie ihr euch aufgemotzt habt
22. Haut nicht so aufs Blech
23. Bleibt sauber!
24. Da läuft bei mir nichts
25. Heiß!

[„Psychologischer Test", aus: „Brigitte" 14/1979, S. 158.]

Franz   Lotte   Lene

AUFGABE:

Übersetzen Sie mindestens eine dieser Äußerungen in 5 Gruppen-
oder Sondersprachen Ihrer Wahl (mit skizzenhafter Angabe des
situativen Kontextes wie „Da geruhte der Herr Hofrat zu meinen:...").

2.6. Wortschatz-Konnotationen

TEXT :

Wir werden, meine Damen und Herren, wirtschaftlich eine
Politik der Vernunft und der Wirklichkeit betreiben; finanziell
eine Politik der Solidität und der Sparsamkeit betreiben;
bildungspolitisch eine Politik der Leistung und des Fort-
schritts; gesellschaftspolitisch eine Politik der Freiheit; außen-
politisch eine Politik, die sich an deutschen Interessen orientiert und die sich der deutschen Geschichte verpflichtet fühlt
und sich nicht dauernd ihretwegen entschuldigt. (Beifall)
Wir werden mit der Schwarmgeisterei und Traumtänzerei
der deutschen Politik ein Ende machen. An ihre Stelle, meine
Damen und Herren, wird wieder die Leistung treten, der
Fortschritt treten, das Können treten. An ihre Stelle, meine
Damen und Herren, wird endlich wieder eine Politik treten,
die das Vertrauen des Volkes verdient; und die auch in der
Lage ist, verlorengegangenes Vertrauen wieder herbeizufüh-
ren und zu festigen. (Beifall)
(...) Wir werden nie und nimmer die liebedienerische
Unterwürfigkeit, das sich anbiedernde Verhalten der Herren
Bahr* und Konsorten gegenüber kommunistischen Machtha-
bern uns zueigen machen. (Anhaltender Beifall)

(* gemeint: Egon Bahr, führender SPD-Politiker der BRD, der in den
siebziger Jahren als Chef-Unterhändler Willy Brandts und Helmut
Schmidts aussöhnende Grundlagenverträge mit der UDSSR, Polen und
der DDR vorbereitete)

[aus: Wahlkampfrede von Franz Josef Strauß im Bundestagswahlkampf
1976, gehalten am 26.9.1976 in München; eigene Texttranskription.]

AUFGABE:

Ersetzen Sie in diesem Textausschnitt alle verwendeten Euphemismen durch Pejorative und alle verwendeten Pejorative durch Euphemismen (z.B. aus der Perspektive eines liberalen oder sozialdemokratischen oder linksradikalen Kritikers).

– Nebenbei: Beachten und bewahren Sie in Ihrer Neufassung des Textes die hier wiederum reichlich und suggestiv eingesetzten rhetorischen Figuren der Wiederholung. Was würde sich ändern, wenn man sie komplett wegließe?

ERLÄUTERUNGEN ZUR TERMINOLOGIE:

Durch die Wortschatzauswahl können wir nicht nur etwas über unsere Herkunft, unsere Gruppenzugehörigkeit oder unsere Erwartungen der Erwartungen anderer signalisieren, sondern wir können Sachverhalte auch in ein beschönigendes oder in ein verunglimpfendes Licht rücken, je nach dem, welche ‚Konnotationen‘ (d.h. konventionellen Nebenbedeutungen) die von uns benutzten Wörter bei gleicher ‚Denotation‘ (d.h. gleichem Objektbereich) haben.

EUPHEMISMUS [griech. euphemia: Sprechen guter Worte] : Beschönigender Ausdruck (‚Glimpfwort‘, ‚Schönfärberei‘). Wortwahlfigur, bei der ein Sachverhalt, der im allgemeinen (a) neutral oder (b) negativ eingeschätzt wird, unter Verwendung eines Ausdrucks formuliert wird, der den Sachverhalt verharmlost, beschönigt oder aufwertet.

Beispiel:
(a) in die Geborgenheit des Herrn eingehen (statt: sterben).
(b) organisieren (statt: stehlen).

PEJORATIV [lat. peior (Komparativ zu malus): schlechter] : Herabsetzender Ausdruck (‚Schimpfwort‘). Wortwahlfigur, bei der ein Sachverhalt, der im allgemeinen (a) neutral oder (b) positiv eingeschätzt wird, unter Verwendung eines Ausdrucks formuliert wird, der den Sachverhalt herabsetzt, verunglimpft oder abwertet.

Beispiel:
(a) krepieren (statt: sterben).
(b) Sozialfimmel (statt: Hilfsbereitschaft).

2.7. Wortschatz-Figuren

TEXT :

Nach Feierabend ißt Peter Müller immer kräftig, sieht dann fern und geht anschließend mit seiner Freundin ins Bett.

AUFGABEN:

Schreiben Sie den Satz über Peter Müllers Feierabend auf die folgenden drei Weisen um:

(a) unter Verwendung zweier Archaismen sowie zweier Neologismen (davon je einer regulär gebildeten Wortverbindung bzw. -ableitung und einer neuartigen, abweichend gebildeten);

(b) unter Verwendung eines Elativs, einer Hyperbel, einer Litotes und eines Understatements;

(c) unter Verwendung eines Epitheton ornans, eines Pleonasmus, eines Hendiadyoins und einer Tautologie.

ERLÄUTERUNGEN ZUR TERMINOLOGIE:

EPITHETON ORNANS [griech. epitheton: Zusatz, Beiwort (Betonung auf dem kurzen i); lat. ornans: schmückend] : Das einem Substantiv oder Namen stereotyp beigefügte Attribut. Es wird weitgehend redundant benutzt und bildet zusammen mit dem so geschmückten Namen oder Substantiv einen immer wieder in dieser stehenden Verbindung auftretenden Ausdruck. Dabei kann es sich (a) um einen kulturell vermittelten oder (b) um einen neu gebildeten festen Ausdruck handeln. Im Falle (b) muß derselbe Ausdruck in einem kurzen Text mindestens zweimal, in einem längeren Text mehrfach wiederkehrend vorkommen, um als Epitheton ornans gelten zu können.

Beispiel:

(a) die goldenen Sternlein; der silberne Mond; der liebe Gott; die überwiegende Mehrheit.

(b) Der flotte Franz ißt zwar meistens Unmengen, aber der flotte Franz bleibt dabei auch Mensch, denn der Mensch lebt nicht vom Brot allein und der flotte Franz schon gar nicht, nein, denn anschließend legt der flotte Franz Stirn und Bauch in Falten und ist für den Rest des Tages nicht nur Mensch, sondern geradezu Gemütsmensch.

HYPERBEL [griech. hyperbole: Übermaß] : Extreme, offensichtlich unglaubwürdige Übertreibung. Entweder wird dabei ein Gegenstand oder Sachverhalt unangemessen vergrößert oder verkleinert.

Beispiel:
Ein Schneidergeselle, so dünn, daß die Sterne durchschimmern konnten.
Die Zuschauer kamen zahlreich wie Sand am Meer.

ELATIV: [lat. elatus: erhaben, hoch] : Superlativischer Ausdruck ohne komparativen Aussagewert; im Deutschen oft durch Fehlen des bestimmten Artikels kenntlich. Es kann sich hierbei um einen Ausdruck handeln, der
(a) in der Form mit dem Superlativ übereinstimmt oder
(b) mit Hilfe eines Modaladverbes wie: unendlich, überaus, höchst usw. gebildet wird.

Beispiel:
(a) liebste Mutter; in tiefster Trauer (nicht: in der tiefsten Trauer).
(b) über alle Maßen erfreut; ewig lange her.

ARCHAISMUS [zu griech. archaios: alt] : Ausdruck, der (a) nicht mehr zum aktiven Wortschatz gehört, (b) eine veraltete Bedeutung aktiviert oder (c) veraltete syntaktische Formen aufweist (z.B. Flexion).

Beispiel:
(a) Buhlin (statt Freundin);
(b) zu höherem Beruf;
(c) Goethens Werk, das er in wenig Tagen gedichtet, ward sofort aufgeführt.

NEOLOGISMUS [griech. neos: neu; logos: Wort] : Sprachliche Neubildung. Diese kann (a) mit den geltenden Wortbildungsregeln übereinstimmen oder (b) von den geltenden Wortbildungsregeln abweichen bzw. darüber hinausgehen.

Beispiel:
(a) der Wünschenswert
(b) die Er- und Sieziehung

PLEONASMUS [griech.-lat.: Überfluß]: Redundanter Zusatz (Attribut, Adverb) zu einem Wort innerhalb eines Satzgliedes.
Beispiel: neu renoviert; bereits schon; vollständige Totalität.

TAUTOLOGIE [griech. tautos: dasselbe; logos: Wort] : Wiedergabe eines Begriffes oder Sachverhaltes durch mindestens zwei bedeutungsgleiche Ausdrücke in getrennten oder gleichartigen Satzgliedern.

Beispiel: Ganz und total und völlig. Die Totalität war vollständig.

HENDIADYOIN [griech.: eins durch zwei] : Wiedergabe eines Begriffes durch zwei mit ,und' verbundene, bedeutungsgleiche Wörter.

Beispiel: immer und ewig; voll und ganz; verbrauchen und konsumieren.

LITOTES [griech. litotes: Schlichtheit] : Figur der Emphase durch Verneinung des polaren Gegenteils (s. 6.1.) z. B. eines superlativischen oder elativischen Ausdrucks.

Beispiel: Das war keine leichte Aufgabe (statt: eine sehr schwierige Aufgabe).

UNDERSTATEMENT [engl.: Untertreibung] : Figur der Emphase durch Ersetzung des kontextuell erwarteten intensiven (evtl. mit starken emotionalen Konnotationen verbundenen) Ausdrucks durch einen schwachen, ,untertreibenden'.

Beispiel: Die Banken haben bei diesem Milliardengeschäft gewiß auch die eine oder andere Mark verdient.

2.8. Wortspiel-Typen

TEXT (1) :

Die Deutschen – das Volk der Richter und Henker.

[aus: Karl Kraus: Beim Wort genommen, Neudruck München 1955, S. 159.]

Dieses Coswig muß ein wahres Eldorado sein; in so verlockenden Farben werden jetzt seine Vorzüge geschildert. Oder in so bestechenden?

[aus: Karl Kraus: Die Fackel Nr. 159, 12. April 1904, S. 17.]

Von Rache sprech' ich, will die Sprache rächen
an allen jenen, die die Sprache sprechen.

[aus: Karl Kraus: Die Fackel Nr. 443–444, 16. November 1916, S. 28.]

Literaturhysteriker, die sich von ihresgleichen abzuheben
wünschen (...)

[aus: Karl Kraus: Die Fackel Nr. 917–922, Februar 1936, S. 106.]

(...) die Actionäre der Bank und die Reactionäre desMiniste-
riums haben sich noch allzeit gefunden.

[aus: Karl Kraus: Die Fackel Nr. 17, November 1899, S. 9.]

AUFGABE:

Identifizieren und eliminieren Sie in diesen fünf Zitaten von Karl
Kraus die fünf unten erläuterten Typen des Wortspiels.

TEXT (2) :

Im deutschen Unterricht sollen die Schüler lernen, deutsch zu
reden und zu schreiben, deutsch zu fühlen, zu denken und zu
wollen. Sie sollen geführt werden zu sicherer Beherrschung
ihrer Muttersprache und zu lebendiger Erfassung der Bil-
dungswerte, die aus der Sprache selbst, aus Literatur und
Kunst und aus den Kräften des lebendigen Volkstums ent-
springen. Voraussetzung für das Erlebnis geistiger Werte ist
ernste geistige Arbeit. Der deutsche Unterricht muß daher
ebenso vom Geiste der Wissenschaftlichkeit getragen sein, wie
er sein überwissenschaftliches Ziel, die Erziehung zu vergei-
stigtem, willensstarkem und freudigem Deutschtum, nicht aus
den Augen verlieren darf.

[aus: Richtlinien für die Lehrpläne in den höheren Schulen Preußens, 6.
Aufl. Berlin 1927, S. 134.]

TEXT (3) :

Lieber Fisch! Es wird Dir guttun, daß die chemische Industrie
die organische Belastung der Gewässer in den letzten Jahren

um mehr als 90% gesenkt hat. Es gibt nichts zu beschönigen. Wir haben alle miteinander noch genug zu tun, die Abwasser-Sünden der Vergangenheit aufzuarbeiten. Aber es wäre unredlich, zu übersehen, wieviel wir gemeinsam schon geschafft haben... Die Belastung des Rheins z.B. mit Schwermetallen wie Chrom, Blei, Kupfer, Nickel und Zink ging in diesem Zeitraum um 50% bis 80% zurück. Er hat heute bereits wieder einen höheren Sauerstoffgehalt als in den 50er Jahren. Und das alles wurde erreicht, während gleichzeitig die Produktion der chemischen Industrie ganz erheblich gesteigert wurde.

[zitiert nach: DIE ZEIT, 14.10.1986, S. 36.]

AUFGABE:

Formulieren Sie einen der beiden Texte im wortspielenden Stil von Karl Kraus um und bringen Sie dabei jeweils mindestens ein Beispiel für die folgenden Wortspieltypen unter:
(a) Paronomasie
(b) Polyptoton
(c) Kontamination
(d) Amphibolie
(e) Anspielung
(Ironie ist nicht nur erlaubt, sondern in gegebenem Zusammenhang und im Rahmen einer Parodie nach dem Muster von Karl Kraus vermutlich gar nicht zu umgehen.)

ERLÄUTERUNGEN ZUR TERMINOLOGIE:

PARONOMASIE [griech. Wortumbildung]: Partielle morphologische Übereinstimmung von mindestens zwei Wörtern bei gleichzeitiger semantisch akzentuierter Differenz. Die betreffenden Wörter müssen nacheinander explizit genannt werden.

Beispiel: ein mehr gunst- als kunstbeflissener Routinier.

POLYPTOTON [griech. polys: viel; ptosis: Fall] : Wiederholung desselben Wortes in verschiedenen Flexionsformen. Ein Sonderfall des P. ist (b) die ‚figura etymologica‘, die zwei stammverwandte Wörter syntaktisch subordiniert (z.B. Nomen u. Verb; Adjektiv und Nomen).

Beispiel:
(a) Das Sein des Seins ist kein Seiendes.
(b) Das Nichts nichtet das seiende Sein.

KONTAMINATION [lat. contaminare: vermischen, verschmelzen; auch „Schachtelwort", „portmanteau-word"] : Kompositum aus mindestens zwei sich morphologisch überlappenden Wörtern.

Beispiel: Apokalyptusbonbon (aus Eukalyptusbonbon / Apokalypse).

AMPHIBOLIE [griech.: Doppeldeutigkeit] : Semantisch akzentuierte Verwendung mehrdeutiger Ausdrücke.

Beispiel: Wie fatal, daß er seine Gefangenen fast so schlecht zu hüten versteht wie das ärztliche Berufsgeheimnis.

ANSPIELUNG [hier im Sinne von ‚Allusion‘, nicht von ‚Andeutung‘] : Aktivierung gemeinsamen Hintergrundwissens durch partielle, variierende Zitierung (a) bekannter Ausdrücke oder (b) literarischer Formulierungen.

Beispiel:
(a) „Erste Allgemeine Verunsicherung" (statt: „Erste Allgemeine Versicherung" in Wien).
(b) Das also ist des Löwen Kern (statt Fausts „Pudel").

2.9. Uneigentliche Redeformen (I): Metaphern

TEXT :

Germanistische Lehrbücher sind der Beweis dafür, daß die Bildungsreform der 70er Jahre gescheitert ist.

AUFGABE:

Drücken Sie diesen Gedanken auf 10 verschiedene Weisen metaphorisch aus, und zwar (in dieser Reihenfolge!):
– als Verbalmetapher
– als metaphorische Ersetzung

- als metaphorische Prädikation
- als Genitivmetapher
- als verblaßte Metapher
- als kühne Metapher
- als pathetische oder schwülstige oder witzige Metapher
- als Konkretisierung des Abstrakten
- als Belebung des Unbelebten, ggf. als Anthropomorphisierung
- als Synästhesie

ERLÄUTERUNGEN ZUR TERMINOLOGIE:

Seit Aristoteles' Zeiten hat eine Figur der sog. „tropischen Substitution" – die Ersetzung eines ‚eigentlichen' Ausdrucks durch einen ‚uneigentlichen' (einen ‚Tropus') – alle rhetorikreformierenden Stürme überstanden: die Metapher. Nach wie vor gilt sie als die wichtigste ‚uneigentliche' Figur. Zur besseren Orientierung bieten wir hier eine differenzierende Typologie der Metapher an und exemplifizieren sie an Varianten des Satzes: „Bei den Universitäten von heute sind die Gebäude genauso langweilig wie das Studium."

METAPHER [griech. metaphora: Übertragung] : Auseinanderklaffen von Äußerungsbedeutung und Wort- bzw. Satzbedeutung bei der Verwendung eines Ausdrucks in einem konterdeterminierenden Kontext (Verstoß gegen semantische Kombinationsregeln, die bei normgerechter Sprachverwendung gelten), wodurch zugleich die Möglichkeit zu oft überraschenden Äquivalenzbeziehungen zwischen dem metaphorischen Ausdruck und anderen semantischen Bereichen eröffnet wird. Diese anderen semantischen Bereiche werden durch die Textumgebung, ersatzweise auch durch den situativen Kontext bestimmt („Du bist ein Esel"). Je nach Analyseperspektive lassen sich vielfältige Typen der Metapher unterscheiden.

VERBALMETAPHER: Typ der Metapher, bei dem ein verbaler ‚eigentlicher' Ausdruck durch ein metaphorisch gebrauchtes Verb ersetzt wird.

Beispiel: Gemartert wird der heutige Student durch langweilige Uni-Gebäude wie durch langweilige Studien.

METAPHORISCHE ERSETZUNG: Typ der Nominalmetapher, bei dem ein nominaler ‚eigentlicher‘ Ausdruck durch eine Metapher variierend ersetzt wird.

Beispiel: Die Universitäten von heute sehen nicht nur langweilig aus; diese Geistestempel bieten auch kein interessantes Studium.

METAPHORISCHE PRÄDIKATION: Typ der definitorischen Metapher, bei dem ein ‚eigentlicher‘ Subjekt-Ausdruck A durch Kopula mit dem metaphorischen Ausdruck B verbunden wird. Die Kühnheit der Prädikation kann durch die Verwendung von Verben wie ‚scheinen‘, ‚bedeuten‘ oder ‚genannt werden‘ statt der Kopula ‚sein‘ gemildert werden.

Beispiel: Die Universitäten von heute sind puritanische Gebetshäuser: langweilig bis unter das Dach.

GENITIVMETAPHER: Genitivische Konstruktion des metaphorischen Ausdrucks, und zwar als (a) explikativer Genitiv (Identität von B und C) oder als (b) possessiver Genitiv (B zugehörig zu C).

Beispiel:
(a) Das Schneckenhaus der Wissenschaft sieht heutzutage so langweilig aus wie sein Inhalt.
(b) Die Brunftplätze der Musen wirken heutzutage von außen so langweilig wie von innen.

VERBLASSTE METAPHER: Metaphorischer Ausdruck, der einen so hohen Grad an Verwendungsgeläufigkeit erreicht hat, daß sein metaphorischer Charakter in alltäglicher Sprachverwendung nicht auffällt und unzweideutig verstanden wird. Er ist lexikalisiert und verzeichnet feste ‚lexikalische Solidaritäten‘.

Beispiel: In den öden Universitätsgebäuden von heute kann der Wissensdurst von Studierenden kaum gestillt werden.

KÜHNE METAPHER: Metaphorischer Ausdruck, der sich durch die Vereinigung entlegener bzw. gesucht spezieller Bildbereiche als neuartig, dunkel und gewagt auszeichnet.

Beispiel: Die Ausdünstungen der Hochschulbauer und der Stuhlgang der Kultusminister charakterisieren die Universitäten von heute.

PATHETISCHE METAPHER: Metaphorischer Ausdruck, der z.B. durch eine mit starken emotionalen Konnotationen behaftete Wortwahl auf hoher Stilebene oder auch durch archaisierende syntaktische Konstruktion peinlich oder unangemessen hochtrabend erscheint – nach Maßgabe kulturell vermittelter Adäquatheitskriterien.

Kulturell vermittelte Angemessenheitskriterien sind ähnlich auch für die (b) SCHWÜLSTIGE METAPHER und die (c) WITZIGE METAPHER ausschlaggebend.

Beispiel:
(a) Der Olymp des reinen Geistes ward längst schon außen platt und innen hohl.
(b) Der Musen holder Liebestempel – wohin sind die Wonnestunden seiner Belehrung, wohin die lieblichen Reize seiner Baukunst entschwunden?
(c) Die Unis von heute halten leider, was schon ihr Anblick verspricht.

KONKRETISIERUNG DES ABSTRAKTEN: Metaphorischer Ausdruck, der einem Abstraktum die Semantik eines konkreten Gegenstandes zuordnet.

Beispiel: An den Universitäten von heute tragen Bauten und Studien wollene Unterhosen.

BELEBUNG DES UNBELEBTEN: Metaphorischer Ausdruck, der einem unbelebten Gegenstand die Semantik von Belebtem zuordnet, ihn ‚animiert'.

Beispiel: Gähnend reißen die Universitäten die Mäuler auf, um genormte Studenten zu verdauen und als grauen Schleim wieder auszuscheiden.

ANTHROPOMORPHISIERUNG [griech. anthropos: Mensch] : Spezialfall der Belebung, bei dem einem unbelebten oder tierischen/pflanzlichen Gegenstand menschliche Züge verliehen werden.

Beispiel: Die Universitäten von heute lächeln nicht mehr – weder ihre Bauten noch ihre Studienordnungen.

SYNÄSTHESIE [griech. synaisthesis: Zusammen-Wahrnehmung] : Metaphorischer Ausdruck, der die Wahrnehmungsbereiche verschiedener Sinnesorgane verbindet, und zwar

(a) visuell-akustisch: Farben hören, Töne sehen;
(b) visuell-taktil: Helligkeit anfassen, vom Licht geküsst werden;
(c) visuell-olfaktorisch: Dunkelheit riechen, Gestank sehen;
(d) akustisch-taktil: Töne streicheln;
(e) akustisch-geschmacklich: Musik kosten.
(Es handelt sich hier lediglich um einige wichtige Kombinationen; andere können leicht selbst zusammengestellt werden.)

Beispiel: Heutige Universitätsgebäude gleichen den Lehrveranstaltungen: beide riechen grau und kalt.

2.10. Uneigentliche Redeformen (II) : Im Umfeld der Metapher

TEXT (1) :

Der Künstler ist zwar der Sohn seiner Zeit, aber schlimm für ihn, wenn er zugleich ihr Zögling oder gar noch ihr Günstling ist. Eine wohlthätige Gottheit reiße den Säugling bey Zeiten von seiner Mutter Brust, nähre ihn mit der Milch eines bessern Alters, und lasse ihn unter fernem griechischem Himmel zur Mündigkeit reifen. Wenn er dann Mann geworden ist, so kehre er, eine fremde Gestalt, in sein Jahrhundert zurück; aber nicht, um es mit seiner Erscheinung zu erfreuen, sondern furchtbar wie Agamemnons Sohn, um es zu reinigen. Den Stoff zwar wird er von der Gegenwart nehmen, aber die Form von einer edleren Zeit, ja jenseits aller Zeit, von der absoluten unwandelbaren Einheit seines Wesens entlehnen. Hier aus dem reinen Aether seiner dämonischen Natur rinnt die Quelle der Schönheit herab, unangesteckt von der Verderbniß der Geschlechter und Zeiten, welche tief unter ihr in trüben Strudeln sich wälzen.

[aus: Friedrich Schiller: Über die ästhetische Erziehung des Menschen in einer Reihe von Briefen, Neunter Brief. In: Schillers Werke, Nationalausgabe, hrsg. v. H. Koopmann und B. v. Wiese, Bd. 20, Weimar 1962, S. 309–412, hier S. 333.]

TEXT (2) :

VIEL CHIC. VIEL PLATZ.
VIEL KOMFORT FÜR WENIG GELD. TRABAULT 007.

Wenn Sie den wirtschaftlichen TRABAULT 007 fahren, merken Sie schnell, daß er ein außerordentlich genügsamer, aber enorm vielseitiger Gefährte ist. Er läßt noch soviel in Ihrem Portemonnaie drin, daß Sie sich auch noch andere Dinge anlachen können.

Und er bietet Ihnen soviel große Türen und Ladeplatz, daß diese Dinge auch einmal groß sein dürfen. Doch so groß und bequem er innen ist, so kompakt und übersichtlich ist er außen. Ideal zum Wenden und Parken. Sein moderner, zuverlässiger Motor macht ihn zu einem robusten, leistungsstarken Wagen, der immer dann gut und schnell ankommt, wenn problemlose Technik und automobile Persönlichkeit gefragt sind.

Und das Schönste am TRABAULT 007: Er trinkt nur ganz wenig. Halten Sie beim TRABAULT-Vertragshändler mal nach ihm an.

[nach einer Auto-Reklame von 1982; Produktname geändert.]

AUFGABEN:

Identifizieren und eliminieren Sie mit Hilfe der Erläuterungen zur Terminologie die in Text (1) auftretenden uneigentlichen Redefiguren.

Formulieren Sie Text (2) im metaphernreichen Stil von Text (1). Bringen Sie dabei mindestens je ein Beispiel für die unten genannten Formen der uneigentlichen Rede.

ERLÄUTERUNGEN ZUR TERMINOLOGIE:

(BILDGLEICHER) METAPHERNKOMPLEX [auch „compound metaphor"] :
 Verbindung mehrerer, jedoch mindestens zweier metaphorischer Ausdrücke aus *einem* Bildbereich (‚Isotopie'). (In älte-

ren Handbüchern wird hierfür gelegentlich und leicht irreführend auch der Ausdruck „Allegorie" benutzt – vgl. dazu unten.)

Beispiel: Der Zahn der Zeit nagt an deinem Leben, und selbst wenn er sich als kariös herausstellen sollte, dürfte er dich kleines Würstchen allemal zerkleinern.

KATACHRESE [griech. katachresis: Mißbrauch] : Verbindung mehrerer, jedoch mindestens zweier metaphorischer Ausdrücke aus unvereinbaren Bildbereichen – als (a) ungewollte Stilblüte oder als (b) gewollter komischer Effekt.

Beispiel:
(a) Ihr habt euch diese Suppe eingebrockt – nun müßt ihr sie auch selber ausbaden!
(b) Gnädige Frau, dieser Herr ist aus jenem Holze, aus dem man Waschlappen schnitzt.

PERSONIFIKATION: Spezialfall der Anthropomorphisierung: Punktuelle Darstellung abstrakter Begriffe (Welt, Liebe), von Kollektiva (Städte, Länder), von Naturerscheinungen oder Ereignissen (Regen, Neujahr) als redende und handelnde menschliche Gestalten.

Beispiel: Die Revolution frißt ihre Kinder.

ALLEGORIE [griech. allo agoreuein: etwas anders sagen] : Flächendeckende Ausdehnung einer Personifikation über einen ganzen Text oder zumindest einen ganzen Textabschnitt hinweg; globale Ersetzung eines primären Sinnzusammenhanges durch einen analogen, episch fiktionalen sekundären Sinnzusammenhang. Unterschieden wird zwischen der *allegoria tota,* die dem Primärzusammenhang einen geschlossenen Sekundärzusammenhang entgegenstellt, und der *allegoria permixta,* in der die sekundäre Sinnebene durch Verweise auf die primäre Sinnebene durchbrochen wird.

Beispiel: Die Liebe ging auf dunkler Bahn
              Vom Monde nur erblickt,
              Das Schattenreich war aufgetan
              Und seltsam aufgeschmückt.

SYMBOL [griech. symbolon: ‚Zusammengeworfenes‘, Kennzeichen] :
Real vorhandenes (also nicht, wie bei Allegorie oder Chiffre,
erst ad hoc konstruiertes) Sinnbild für einen gemeinten Bereich, das in einem (a) naturhaften oder (b) kulturell vermittelten Verweisungsverhältnis zum Gemeinten steht.

Beispiel:
(a) Es war die Nachtigall und nicht die Lerche. (statt: Es ist noch
(Liebes-)Nacht, nicht schon (trennender) Morgen.)
(b) Gewogen, gewogen und zu leicht befunden. (statt: Auf Gerechtigkeit geprüft und für ungerecht befunden.)

CHIFFRE [frz.: Ziffer, ‚Geheimzeichen‘] : Typ des uneigentlichen
Wortgebrauchs, bei dem ein Ausdruck und ein konterdetermi-
nierender Kontext autorspezifisch so miteinander verbunden
sind, daß ohne Hintergrundinformationen zwischen dem ‚uneigentlichen‘ Ausdruck und einem ‚eigentlich‘ gemeinten Bereich allein in einem Einzeltext keine hinreichend klaren
Äquivalenzbeziehungen hergestellt werden können (‚Analo-
giedefekt‘). Manche Kommentatoren sprechen in solchen
Fällen, nicht ganz unproblematisch, auch von „absoluter
Metapher".

Beispiel: Diese Musik, ein Sternträger schwieliger Schwärze, wird uns
noch lange verfolgen.
(vgl. „Engel" bei Rilke; „blau" bei Lasker-Schüler.)

EMBLEM [griech. emblema: das Eingesetzte; Mosaik- oder Intar-
sienarbeit] : Textsorte, die Bild und Text verbindet. Das
Emblem ist dreiteilig und setzt sich zusammen aus:
(1) Pictura (allegorische Bilddarstellung, die Motive aus der
Natur, der Mythologie oder der Geschichte aufnimmt);
(2) Inscriptio (Titel – häufig ein prägnantes ‚Klassikerzitat‘ –
über dem Bild);
(3) Subscriptio (poetische Erläuterung des im Bild allegorisch
dargestellten Sinnes, der sich auf moralische, religiöse, eroti-
sche, politische Themen beziehen kann oder eine allgemeine
Lebensweisheit enthält).

Beispiel:

1649

JOHANN VOGEL

Fiunt, quae posse negabas.

Posse negas an adhuc per acum transire camelum?
Germanam pacem quando redire vides.

Was du nit glaubtest / das geschiht.

Wie? sol nicht ein Camel durch eine Nadel gehn?
Wann du den Teütschen Fried jetzt wider sihst entstehn.

[aus: Epochen der deutschen Lyrik, Bd.4, hrsg. v. Chr. Wagenknecht,
München 1969, S. 171.]

2.11. Uneigentliche Redeformen (III) : Figuren der Indirektheit

TEXT:

Moderne Dichtung ist verrückt.

AUFGABE:

Drücken Sie diesen Gedanken auf 5 verschiedene Weisen aus, und zwar (in dieser Reihenfolge):
– als Periphrase
– als Vergleich
– als partikularisierende Synekdoche / pars pro toto
– als Antonomasie
– als Metonymie

ERLÄUTERUNGEN ZUR TERMINOLOGIE:

Nicht jeder, der indirekt spricht, redet auch uneigentlich (und umgekehrt), und oft hängt die Unterscheidung von eigentlicher Rede und uneigentlicher Rede am seidenen Faden eines einzigen Wortes. Der ‚Vergleich' ist hierfür ein guter Testfall.

VERGLEICH [i.S. bildlich überzogener ‚Tropen'] : Syntaktische Verbindung einer eigentlichen Prädikation mit einer zweiten – häufig (a) nach der Basisformel: „x ist so p wie y". ‚Uneigentlich' wird der Vergleich u.a. dann, wenn (b) die Basisformel ohne explizites ‚tertium comparationis' vorliegt.

Beispiel:
(a) Eine Frau ohne Mann ist so komplett wie ein Fisch ohne Fahrrad.
(b) Eine Frau ohne Mann ist wie ein Fisch ohne Fahrrad.

PERIPHRASE [griech. periphrasis: Umschreibung; ‚Drumherumreden' – nicht zu verwechseln mit „Paraphrase"] . Ersetzung der unerwünschten unmittelbaren Bezeichnung durch eine umschreibende, die in der Regel zur Amplifikation (s.u. 2.15.) des Textes führt.

Beispiel: das Geheimnis der Liebeserfüllung (statt: Koitus)

SYNEKDOCHE [griech. (Betonung auf langem Schlußvokal): Mitver-
stehen; häufig mit unter die Metonymien gerechnet] : Bei der
(a) generalisierenden Synekdoche wird ein semantisch engerer
Ausdruck durch einen semantisch umfassenderen Ausdruck
ersetzt, der jenen repräsentiert. Bei der (b) partikularisieren-
den Synekdoche wird ein semantisch weiterer Ausdruck durch
einen semantisch engeren ersetzt, der jenen repräsentiert
(‚pars pro toto‘).

Beispiel:
(a) Amerika gewann den Leichtathletik-Länderkampf (statt: die Mann-
schaft der USA).
(b) Ich kehre an den heimischen Herd zurück (statt: in mein Heim).

METONYMIE [griech.: Umbenennung] : Ersetzung des eigentlich
gemeinten Ausdrucks durch einen, der in einer ‚realen Beziehung‘ zu ihm steht. Diese Beziehung läßt sich nach Substitu-
tionstypen ordnen:
(a) Ursache statt Wirkung:
  1. Erzeuger statt Erzeugnis (einen Ford kaufen);
  2. Autor statt Werk (Brecht lesen);
  3. Gottheit statt Funktionsbereich (der Venus huldigen);
  4. Rohstoff statt Fertigprodukt (Holz statt Kegel).
(b) Raum statt Rauminhalt:
  1. Ort statt Bewohner (ganz Fribourg steht kopf);
  2. Gefäß statt Inhalt (ein Glas trinken);
  3. Körperteil statt Eigenschaft (Köpfchen haben).
(c) Objekt statt komplexem Sachverhalt:
  das Buch verlängern (statt: die Leihfrist)
  . . . .
  . . . .

ANTONOMASIE [griech.: Gegenbenennung] : Wechselseitige Ersetzung von Namen und Begriffen: (a) Umschreibung eines
Eigennamens durch besondere Merkmale, z.B.:
  1. nach dem Namen des Vaters: der Atride = Agamemnon, Sohn
    des Atreus;
  2. nach der Volkszugehörigkeit: der Korse = Napoleon;
  3. nach der Tätigkeit: philosophus = Aristoteles;
  4. nach Eigenschaften: die Göttliche = Greta Garbo;
  5. Rückübersetzung eines Eigennamens: mein Pferdefreund =
    Philipp.

(b) Umschreibung eines Merkmals durch den Eigennamen eines seiner typischen Vertreter, z.B.:
1. „Pampers" für Höschenwindeln aller Marken;
2. „ein Judas" für Verräter;
3. „die kleinen Hitler" für Naziverbrecher.

2.12. Uneigentliche Redeformen (IV): Ironie

TEXT (1) :

Mein erster Eindruck davon ((sc. von H. Schuberts ‚Grundlegung der Arithmetik')) war ungünstig; aber allmählich heiterte mein Gemüt sich auf. Was ich als Mangel, als Gebrechen, ja als tödliche Krankheit angesehen hatte, lernte ich als eigentümliche Stärke schätzen. War ich doch anfänglich noch allzusehr in der früher üblichen Überbewertung des Denkens befangen. Nur langsam vermochte ich mich zu einem freieren Standpunkte durchzuarbeiten. In der Tat! ist das Denken nicht vielleicht öfter ein Hemmnis für die Wissenschaft als eine vorwärts treibende Kraft? Wieviel lästige Neben- und Querfragen, wieviel Zweifel werden durch das Denken aufgeworfen, die ohne es einfach nicht vorhanden wären!

(...) Wenn man bei einer wissenschaftlichen Untersuchung auf Schwierigkeiten stößt, so sehe man von ihnen ab, und man hat sie überwunden. Dies ist die leichteste und gefahrloseste Art des wissenschaftlichen Arbeitens (...) Man hat das noch längst nicht genügend ausgenutzt. Einige Andeutungen für weitere Verwertungen mögen daher nicht unerwünscht sein. Anwendungen können davon gemacht werden in der Metallurgie (Entphosphorung des Eisens), Pädagogik (Erziehung von Musterknaben), Medizin (Vermeidung störender Nebenwirkungen von Heilmitteln), Politik (Unschädlichmachung widerstrebender Parteien und feindlicher Mächte)[1] und gewiß noch auf vielen anderen Gebieten.

---

[1] Dieser Gedanke möchte indessen nicht neu sein; schon der Vogel Strauß soll einen ähnlichen gehabt haben.

[aus: Gottlob Frege: Über die Zahlen des Herrn H. Schubert (1899). In: Ders.: Logische Untersuchungen, hrsg.u.eingel. v. G. Patzig, 3. Aufl. Göttingen 1986, S. 113–138, hier S. 113f. bzw. S. 117f.; Abdruck mit freundlicher Genehmigung der Vandenhoeck & Ruprecht Verlagsbuchhandlung.]

AUFGABE:

Geben Sie diese Kritik des Mathematikers (und Begründers der modernen Logik) Gottlob Frege ohne ironische Verstellung in knappem ,Klartext' wieder.

TEXT (2) :

An Meine Völker

Es war Mein sehnlichster Wunsch, die Jahre, die Mir durch Gottes Gnaden noch beschieden sind, Werken des Friedens zu weihen und Meine Völker vor den schweren Opfern und Lasten des Krieges zu bewahren.

Im Rate der Vorsehung ward es anders beschlossen.

Die Umtriebe eines hasserfüllten Gegners zwingen Mich, zur Wahrung der Ehre Meiner Monarchie, zum Schutze ihres Ansehens und ihrer Machtstellung, zur Sicherung ihres Besitzstandes nach langen Jahren des Friedens zum Schwerte zu greifen. (…)

Als Ich nach drei Jahrzehnten segensvoller Friedensarbeit in Bosnien und der Herzegowina Meine Herrscherrechte auf diese Länder erstreckte, hat diese meine Verfügung im Königreiche Serbien, dessen Rechte in keiner Weise verletzt wurden, Ausbrüche zügelloser Leidenschaft und erbittertsten Hasses hervorgerufen. (…)

So muss Ich denn daran schreiten, mit Waffengewalt die unerlässlichen Bürgschaften zu schaffen, die Meinen Staaten die Ruhe im Innern und den dauernden Frieden nach aussen sichern sollen.

In dieser ernsten Stunde bin Ich mir der ganzen Tragweite Meines Entschlusses und Meiner Verantwortung vor dem Allmächtigen voll bewusst.

Ich habe alles geprüft und erwogen.

Mit ruhigem Gewissen betrete Ich den Weg, den die Pflicht Mir weist.

Ich vertraue auf Meine Völker, die sich in allen Stürmen stets in Einigkeit und Treue um Meinen Thron geschart haben und für die Ehre, Grösse und Macht des Vaterlandes zu schwersten Opfern immer bereit waren.

Ich vertraue auf Österreich-Ungarns tapfere und von hingebungsvoller Begeisterung erfüllte Wehrmacht, und Ich vertraue auf den Allmächtigen, dass er Unseren Waffen den Sieg verleihen werde.

[aus: Textentwurf Kaiser Franz Josephs I. anläßlich der Kriegserklärung Österreich-Ungarns an Serbien vom 28.7.1914; Haus-, Hof- und Staatsarchiv Wien, Kabinettskanzlei K.Z. 1886/1914.]

AUFGABE:

Parodieren Sie Freges sprachliches Verfahren der Kritik, indem Sie diesen Entwurf zur Kriegserklärung Österreich-Ungarns an Serbien in ähnlicher Weise ironisch umformulieren. Verwenden Sie dabei u.a. die Techniken des ironischen Lobs, des ironischen Tadels, der ironischen Empfehlung und des Sarkasmus.

ERLÄUTERUNGEN ZUR TERMINOLOGIE:

IRONIE [griech. eironeia: Verstellung; hier im engsten Sinne als Wort-Tropus] : Wort oder Ausdruck, dessen Kontextsignale seine Semantik auf eines seiner polaren Gegenteile (s. 6.1.) ausrichten: die Äußerungsbedeutung ist hier ein polares Gegenteil der oberflächlichen Ausdrucksbedeutung. Je stärker die Ironiesignale, desto stärker die Form der Ironie (bis hin zum Sarkasmus).

Beispiel:
(a) eine schöne Bescherung (statt: Mißgeschick)
(b) Orden für Nichtarier (statt: Judenstern)

2.13. Syntax-Typen

Die besondere ‚Handschrift' eines Autors zeigt sich häufig schon an der Art und Weise, wie er seine Sätze baut. In vielen Fällen können wir anhand des Satzbaus bereits sagen, wer der Verfasser eines Textes ist (oder zumindest, in welche Zeit der Text gehört).

TEXT (1) :

Seit den Brüdern Mann aber weiß die Welt endgültig, daß die
Deutschen des Romans mächtig sind. Des politischen sogar.
Des großen politischen Romans. In dem es um die Macht
geht, des Romans, der die herrschende Macht zum welthistori-
schen Duell fordert. Auf Leben und Tod.
(...) Nach der großen Alternative unserer Epoche hat
Heinrich Mann gesucht. Unbeugsam, unablässig, unbeirrbar.
Und um dieser Unbeugsamkeit willen wurde er ihrer gewahr.
Mehr noch. Er hat sich entschieden. Um der Gestaltung
willen. Um der Gestaltung der Welt und der Menschen willen.
Darum ist er Beispiel. Auch für die kommenden Geschlechter.

[aus: Wilhelm Girnus: Geist und Macht im Werk Heinrich Manns. In:
Weimarer Beiträge 17 (1971), S. 39–57, hier S. 46 bzw. 57.]

TEXT (2) :

Indem ich die Feder ergreife, um in völliger Muße und Zu-
rückgezogenheit – gesund übrigens, wenn auch müde, sehr
müde (so daß ich wohl nur in kleinen Etappen und unter
häufigem Ausruhen werde vorwärtsschreiten können), indem
ich mich also anschicke, meine Geständnisse in der sauberen
und gefälligen Handschrift, die mir eigen ist, dem geduldigen
Papier anzuvertrauen, beschleicht mich das flüchtige Bedenken, ob ich diesem geistigen Unternehmen nach Vorbildung
und Schule denn auch gewachsen bin. Allein, da alles, was ich
mitzuteilen habe, sich aus meinen eigensten und unmittelbar-
sten Erfahrungen, Irrtümern und Leidenschaften zusammen-
setzt und ich also meinen Stoff vollkommen beherrsche, so
könnte jener Zweifel höchstens den mir zu Gebote stehenden
Takt und Anstand des Ausdrucks betreffen, und in diesen
Dingen geben regelmäßige und wohlbeendete Studien nach
meiner Meinung weit weniger den Ausschlag, als natürliche
Begabung und eine gute Kinderstube.

[Dies sind die ersten beiden Sätze eines berühmten Romans aus der
deutschen Literatur des 20. Jhs.; der Stil ist für den Autor so bezeich-
nend, daß Sie ihn leicht erraten und das betreffende Werk, ggf. in der
nächstgelegenen Bibliothek, ermitteln können. Bitte zur Einübung ganz
korrekte bibliographische Angaben zur Fundstelle!]

TEXT (3) :

Herzog Wilhelm von Breysach, der, seit seiner heimlichen
Verbindung mit einer Gräfin, namens Katharina von Heers-
bruck, aus dem Hause Alt-Hüningen, die unter seinem Range
zu sein schien, mit seinem Halbbruder, dem Grafen Jakob
dem Rotbart, in Feindschaft lebte, kam gegen das Ende des
vierzehnten Jahrhunderts, da die Nacht des heiligen Remigius
zu dämmern begann, von einer in Worms mit dem deutschen
Kaiser abgehaltenen Zusammenkunft zurück, worin er sich
von diesem Herrn, in Ermangelung ehelicher Kinder, die ihm
gestorben waren, die Legitimation eines, mit seiner Gemahlin
vor der Ehe erzeugten, natürlichen Sohnes, des Grafen Philipp
von Hüningen, ausgewirkt hatte.

[Dies ist der erste Satz einer weniger bekannten Erzählung eines der
berühmtesten deutschen Dramatiker und Novellisten, geschrieben im
frühen 19. Jh.; auch diesen Verfasser können Sie aufgrund seines
unverwechselbaren Stils selbst herausfinden und den betreffenden Text,
ggf. in der nächstgelegenen Bibliothek, ermitteln. Wiederum bitte
korrekte bibliographische Angaben zur Fundstelle! (Hinweis: Hilfen
zur Kontrolle der Auflösung im Anhang.)]

AUFGABE:

Parodieren Sie den Stil dieser drei Textausschnitte durch Vertau-
schung ihrer syntaktischen Charakteristika. Geben Sie das Gesagte
in folgender Weise wieder:
– Text (1) im Satzbau von Text (2)
– Text (2) im Satzbau von Text (3)
– Text (3) im Satzbaus von Text (1)
Achten Sie dabei besonders sorgfältig auf syntaktische Aspekte wie
Satzlänge, parataktische und hypotaktische Gliederung, Einbettun-
gen durch Attribute, Partizipien, koordinierte oder subordinierte
Nebensätze, Parenthesen, Inversionen, ggf. Einsatz von Aktiv/
Passiv oder Indikativ/Konjunktiv, Interpunktion.
   Das jeweils verwendete Vokabular eines Textes sollte nicht ohne
Not verändert werden (sondern nur seine syntaktische Verwen-
dung). Weglassungen und Anreicherungen könnten allerdings hier
und da erforderlich werden.

ERLÄUTERUNGEN ZUR TERMINOLOGIE:

PARATAKTISCHER STIL: Statistisch signifikante Häufung von Parataxen, d.h. eines nebenordnenden Satzbaus, der mindestens
zwei einfache Sätze oder Teilsätze miteinander verbindet.

Beispiel:
(a) Karl hatte Masern, und Peter fuhr ans Meer.
(b) Er war hungrig, weil er lange gegangen war und weil seine letzte
Mahlzeit drei Tage zurücklag und weil...

HYPOTAKTISCHER STIL: Statistisch signifikante Häufung von Satzver-
knüpfungen durch Unterordnung, besonders durch mehrfache
‚Einbettung‘ von Gliedsätzen.

Beispiel: Gute Staatsbürger sind die, die die, die die, die rauben, und
die, die morden, verfolgen, unterstützen.

Nur für sich genommen, sind die Begriffe ‚Parataxe‘ und ‚Hypo-
taxe‘ wenig aussagekräftige Begriffe in einer Stilanalyse. Von
Bedeutung kann die Analyse ihrer Häufung oder von einzelnen,
auffälligen Parataxen oder Hypotaxen sein, wenn ihre jeweilige
Konstruktion genauer beschrieben wird und diese spezielle Konstruktion auch eine poetische/stilistische Funktion erfüllt.

PARENTHESE [griech. para: neben; enthesis: Einfügen] : Unterbrechung einer geschlossenen Satzkonstruktion durch eine selb-
ständige syntaktische Einheit, die interpunktionell durch Gedankenstriche oder auch durch Kommata bzw. Klammern vom
übrigen Text abgesondert wird.

Beispiel: Eduard – so nennen wir einen reichen Baron im besten
Mannesalter – hatte in seiner Baumschule die schönste Stunde eines
Aprilnachmittags zugebracht...

INVERSION [lat. inversio: Umkehrung] : Umordnung der sprachübli-
chen Satzgliedstellung, z.B. (a) Umkehrung der Subjekt-Prädi-
kat-Folge, (b) Nachstellung eines Attributs, (c) Voranstellung
des Objekts vor das Prädikat im Hauptsatz.

Beispiel:
(a) Sah ein Knab' ein Röslein stehn...
(b) Röslein rot, Blümlein fein...
(c) Erst einen Sohn mir schenket, Götter...

2.14. Syntax-Figuren

TEXT:

(1) Es war sehr früh am Morgen.
(2) Die Straßen waren rein und leer.
(3) Ich ging zum Bahnhof.
(4) Ich verglich die Turmuhr mit meiner Uhr.
(5) Es war schon viel später als ich geglaubt hatte.
(6) Ich mußte mich beeilen.
(7) Diese Entdeckung jagte mir einen Schrecken ein.
(8) Ich wurde im Weg unsicher.
(9) Ich kannte mich in dieser Stadt noch nicht sehr gut aus.
(10) Ein Schutzmann war glücklicherweise in der Nähe.
(11) Ich lief zu ihm.
(12) Ich fragte ihn atemlos nach dem Weg.
(13) Er lächelte.
(14) Er sagte: „Von mir willst du den Weg erfahren?"
(15) Ich sagte: „Ja, da ich ihn selbst nicht finden kann."
(16) Er sagte: „Gib's auf, gib's auf."
(17) Er wandte sich mit einem großen Schwunge ab.
(18) Dies tun auch Leute, die mit ihrem Lachen allein sein wollen.

[nach: Franz Kafka: Gibs auf! Vgl. 2.23.]

AUFGABE:

Formen Sie bitte aus den Sätzen 1–18 eine eigene Erzählung. Bauen Sie dabei alle unten erläuterten Syntax-Figuren in Ihren Text ein.

ERLÄUTERUNGEN ZUR TERMINOLOGIE:

ASYNDETON [griech.: Unverbundenheit] : Reihung von mindestens drei syntaktisch gleichartigen Elementen ohne koordinierende Konjunktionen.

Beispiel: Er liebt Wurst, Käse, Wein, Weib, Gesang.

POLYSYNDETON [griech.: vielfach Verbundenes] : Reihung von mindestens drei syntaktisch parallelen Elementen, die durch gleichlautende Konjunktionen miteinander verbunden sind.

Beispiel: Es donnert und regnet und stürmt und schneit.

APOSIOPESE [griech. aposiopesis: Verstummen] : Abbruch der Rede vor der entscheidenden Aussage.

Beispiel: Was, ich soll...? (aus dem Kontext zu ergänzen z.B. „meine Erbtante vergiftet haben?").

ANAKOLUTH [griech. an-akoluthos: nicht folgerichtig] : Grammatisch konstruktionswidrige Satzfortführung.

Beipiel: Es geschieht oft, daß, je freundlicher man ist, nur Undank wird einem zuteil.

ZEUGMA [griech.: Zusammengefügtes, Joch] : Zuordnung eines Satzgliedes zu zwei (a) syntaktisch oder auch (b) semantisch inkongruenten Satzteilen. (Für (a) findet man z.T. auch den Ausdruck „Syllepse".)

Beispiel:
(a) Josefine hatte den Schnupfen und ihre Schwestern [hatten] den Husten.
(b) Josefine ging ins Kloster und dort zu weit.

TMESIS [griech.: Zerschneidung] : Sperrung zusammengehöriger Wortteile.

Beipiel: Ja was denn nun – ent oder weder?

HYPERBATON [griech.: Umgestelltes, Sperrung] : Trennung syntaktisch eng zusammengehöriger Satzglieder oder Gliedsätze durch eingeschobene Satzteile.

Beispiel: Schön ist im Mondenscheine und sanft die Ruh.

PROLEPSE [griech.: Vorwegnahme] : Konstruktionskonforme Wiederaufnahme des Satzanfanges.

Beispiel: Die Feuerwehr, mit großem Lärm kommt sie daher.

ELLIPSE: Auslassung mindestens eines (zum Verständnis nicht unbedingt nötigen, aber in vollständiger schriftsprachlicher Syntax erforderlichen) Satzgliedes.

Beispiel: (am Telefon) „Hier Müller".

RHETORISCHE FRAGE: Auseinanderklaffen von Äußerungsfunktion und Satzform: in der grammatischen Form der Frage wird eine Behauptung vorgetragen. Die ‚Antwort' auf die (Schein-) Frage ist (a) durch verbale Signale oder (b) durch den Kontext vorweggenommen.

Beispiel:
(a) Liebe Gemeinde, sind wir nicht alle Sünder?
(b) Sind wir Weiber, daß wir so handeln?

EXCLAMATIO: Emphatischer Ausruf.

Beispiel: Daß ich zu ewger Nacht versinken könnte!

2.15. Vom Satz zum Text

TEXT (1) :

Käse ist Milch auf dem Sprung zur Unsterblichkeit.

Die Metapher ist der Lippenstift des Stils.

Die Phrase ist das gestärkte Vorhemd vor einer Normalgesinnung, die nie gewechselt wird.

Fürs Leben gern wüßt' ich: was fangen die vielen Leute nur mit dem erweiterten Horizont an?

Um einen Gedanken haben zu können, müssen wir uns viele aus dem Kopf geschlagen haben.

Die Antithese. Die Antithese ist die enge Pforte, durch welche sich am liebsten der Irrtum zur Wahrheit schleicht.

Die Katzen halten keinen für eloquent, der nicht miauen kann.

Alberne Leute sagen Dummheiten, gescheite Leute machen sie.

Die wahren Führer der Welt sind in den Gräbern zu Haus.

Wo man von Gerechtigkeiten und Freiheiten redet, soll man durchaus nicht von Gerechtigkeit und Freiheit sprechen.

Große Worte sollten plötzlich zu pfeifen beginnen, wie Teekessel, in denen Wasser erhitzt wird, als Warnung.

[aus diversen Aphorismus-Sammlungen]

TEXT (2) :

DIE DISPENSORISCHE ERZIEHUNGSTHEORIE

Was den denkenden Menschen von anderen unterscheidet, ist seine Kritikfähigkeit. Kulturen entstehen und gehen unter. Dies ist ein Gesetz allen biologischen Lebens. Eine strukturelle Dialektik zwischen Innovation und Stagnation ist allumfassend konstatierbar. Schon die griechischen Philosophen, und dort vor allem Euklyptos, haben auf diesen Sachverhalt hingewiesen. Dies gilt sogar für das Klima und die Folge der Jahreszeiten. Die menschliche Gesellschaft gleicht so einem Garten, in dem die prächtigsten Pflanzen neben häßlichem Unkraut gedeihen. Um einen Eisschrank zu erwerben, muß ein Arbeiter in England zehn Stunden arbeiten, in Argentinien etwa zehnmal soviel. Demgegenüber gibt es kaum ein Dorf in Afrika, in dem nicht ein Transistorradio anzutreffen wäre. Die Erziehung in Afrika unterscheidet sich von der Erziehung in Amerika oder Europa. Die Gültigkeit einer mathematischen Formel ist nicht durch Kontinente begrenzt. Gegenstand der Naturwissenschaft ist die Natur. Wenn Naturwissenschaft alles ist, so ist auch alles Gegenstand der Naturwissenschaft. Feld, Wald, Transistorradios und Menschen bilden so eine Einheit im Ganzen. Im Boxsport kommt es darauf an, den Gegner k.o. zu schlagen. Der Stärkere gewinnt gegen den Schwächeren. Schönheit als Kategorie der Natur spielt im Boxsport keine Rolle. Die Phänomene der Welt müssen beschrieben und geordnet werden, bevor sie in eine Theorie gebracht werden können. Nichts anderes ist die Grundlage der dispensorischen Theorie, die den Anspruch erhebt, die Phänomene der Welt in ihrer Totalität zu erfassen. Versucht man diese

Theorie auf die Erziehung anzuwenden, so heißt dies, eine allumfassende Theorie der Erziehung zu begründen, die ihre Bestätigung letztlich in der Praxis erfährt, wobei Praxis im einfachen Sinne als individuelles und gesellschaftliches Handeln verstanden werden soll. Die dispensorische Erziehungstheorie ist somit nicht nur erkenntnistheoretisches Prinzip, sondern bedeutet vor allem Handlungsorientierung zur Veränderung und Verbesserung individueller und sozialer Lebensbedingungen, die die kulturellen und gesellschaftlichen Unterschiede tendenziell aufzuheben vermag.

[aus: DIE ZEIT, 30.10.1981; nach: W. Reyem, Dispensorische Theorie und kritische Gesellschaft, Oldenburg 1980, S. 33.]

AUFGABEN:

Informieren Sie sich unten über Techniken der Herstellung syntaktischer Kohäsion, struktureller Kohäsion und semantischer Kohärenz.
(1) Machen Sie aus den unter Text (1) genannten Aphorismen einen kohärenten und kohäsiven Text (Amplifikation wo nötig, Disposition nach eigenem Ermessen).
(2) Analysieren Sie die Kohäsion/Kohärenz in Text (2). Welche Sätze lassen sich als Aphorismen herauslösen?

ERLÄUTERUNGEN ZUR TERMINOLOGIE:

SYNTAKTISCHE KOHÄSION: Explizite Verknüpfung eines Satzes mit dem vorhergehenden oder folgenden.

Beispiele:
– (Pronominalisierung:) Der Tisch ist stabil. Er ist aus Eichenholz.
– (Adverbialisierung:) Der Tisch steht in der Küche. Dort steht er gut.
– (Junktionen:) Der Tisch steht in der Küche, außerdem ein Stuhl und eine Bank.
– Erläuterungen [„das heißt"], Folgerungen [„also", „somit"], Kontrastierungen [„aber", „indessen"], Reihenbildungen [„ebenso", „gleichermaßen"] u.ä.

STRUKTURELLE KOHÄSION: Nicht explizite, aber an analogen Strukturmerkmalen ablesbare Textverknüpfung.

Beispiele: Vgl. Rhetorische Figuren der Wiederholung, Kap. 2.2. (Anapher, Epipher, Symploke usw.), und Rhetorische Figuren des Kontrastes, Kap. 2.3. und 2.4. (Antithese, Klimax usw.).

SEMANTISCHE KOHÄRENZ: Implizite gedankliche Fortführung (a) durch argumentative ‚Kontinuität', (b) durch ‚Kontiguität' (Nachbarschaft im Bedeutungsfeld) oder auch (c) durch ‚Fokussierung' (auf ein Detail des Themas).

(a) Der Tisch ist stabil. Eichenholz hält viel aus!
(b) Der Tisch ist stabil. Wie steht es mit dem Stuhl?
(c) Der Tisch ist stabil. An den Beinen gibt es Verzierungen.

AMPLIFIKATION [lat. amplificatio: Verbreiterung] : Erweiterung des Textumfangs durch z.B. zergliedernde Aufspaltung eines Themas in seine Aspekte (distributio), Aufzählungen (enumeratio), Definitionen (definitio), Differenzierung verschiedener Bedeutungen eines Wortes (distinctio), Verdeutlichung von unentschiedenen Alternativen (dilemma), Selbstkorrekturen (correctio), Beschreibungen (descriptio), Abschweifungen (digressio) u.v.m.

DISPOSITION [lat. dispositio: Anordnung] : Kunst der wirksamen Anordnung der Stoffmomente im Ganzen eines Textes (vgl. 2.16.).

2.16. Prinzipien des Textaufbaus

TEXT (1) :

1. Meine Neigung zu Dir ist unverändert.
2. Du stehst heute abend, 7½ Uhr, am zweiten Ausgang des Zoologischen Gartens, wie gehabt.
3. Anzug: Grünes Kleid, grüner Hut, braune Schuhe. Die Mitnahme eines Regenschirms empfiehlt sich.
4. Abendessen im Gambrinus. 8.10 Uhr.
5. Es wird nachher in meiner Wohnung voraussichtlich zu Zärtlichkeiten kommen.

[aus: Kurt Tucholsky: Zeitungsdeutsch und Briefstil. In: Ders.: Gesammelte Werke, Bd. 3, (c) Rowohlt Verlag, Reinbek 1960, S. 274f.]

AUFGABE:

Wandeln Sie diesen ‚Liebesbrief‘ von Tucholsky in die traditionelle Briefform mit vollständiger fünfteiliger ‚dispositio‘ um. Diese umfaßt die Punkte:
(a) salutatio = Begrüßung
(b) captatio benevolentiae = Gewinnung der Gunst des Lesers
(c) narratio = Erzählung, Darstellung des Sachverhaltes
(d) petitio = Gesuch, Bitte
(e) peroratio = Schluß

TEXT (2) :

> ankomme freitag den dreizehnten um vierzehn uhr christine

> [nach: Reinhard Mey:... alle meine Lieder, Berlin 1986, S. 160f.]

AUFGABE:

Wandeln Sie dieses literarische Telegramm von Reinhard Mey in eine ausführliche klassische Rede mit vollständiger vierteiliger ‚dispositio‘ um. Diese umfaßt:
(a) exordium = Einleitung
(b) narratio = Erzählung, Darstellung des Sachverhaltes
(c) argumentatio = Begründung (ggf. incl. ‚refutatio‘ = Widerlegung gegnerischer Argumente)
(d) peroratio = Schluß

2.17. Verallgemeinerung (I): Stilzüge

TEXT (1) :

Passion

> Wenn silbern Orpheus die Laute rührt,
> Beklagend ein Totes im Abendgarten –
> Wer bist du Ruhendes unter hohen Bäumen?
> Es rauscht die Klage das herbstliche Rohr,
> Der blaue Teich.

Weh, der schmalen Gestalt des Knaben,
Die purpurn erglüht,
Schmerzlicher Mutter, in blauem Mantel
Verhüllend ihre heilige Schmach.
(…)
Blaue Monde
Versanken die Augen des Blinden in härener Höhle.
(…)
Über seufzende Wasser geneigt
Sieh dein Gemahl: Antlitz starrend von Aussatz
Und ihr Haar flattert wild in der Nacht.
(…)
Ein Wild äugend aus eiternder Wunde,
(…)
Da in dorniger Kammer
Das aussätzige Antlitz von dir fiel.
(…)
Und an dorniger Hecke knospet der blaue Frühling.

[aus: Georg Trakl: Passion. In: Ders.: Dichtungen und Briefe. Hist.-krit. Ausg., hrsg. v. W. Killy u. H. Szklenar, Bd. 1, Salzburg 1969, S. 392–394.]

TEXT (2) :

So hat Orpheus bei Goethe die steinerne Stadt schön errichtet, eine andere gewiß, als die bei Trakl berufene, welche nicht auf Ordnung, sondern auf Fremde weist. Aber es ist bemerkenswert, wie sich das Geschick des Orpheus mit diesem unbelebtesten Stoff der Natur von alters verbindet. Auf dem kahlen Fels, am Rande der Unterwelt saß er und beklagte die zum zweiten Male verlorene Geliebte (…) Die Steine bewegte sein Gesang, daß sie wie Lebendiges sich ordneten, wie das gezähmte Getier lagerten sie sich um ihn; unter dem Hagel der Steine, von liebestollen Weibern verfolgt, starb er. Hier klingt sein Lied in der steinernen Stadt, und wenn Orpheus auch der Dichter ist, so fließt sein Blut über den steinernen Acker.

[aus: Walther Killy: Strukturen des Gedichts: Über Trakls „Passion". In: Ders.: Über Georg Trakl. 3., erw. Aufl., Göttingen 1967, S. 21–37, hier S. 30; Abdruck mit freundlicher Genehmigung der Vandenhoeck & Ruprecht Verlagsbuchhandlung.]

AUFGABE:

Elision des Artikels und Substantivierung von Adjektiven (sowie funktional entsprechenden Partizipien) treten bei Trakl als durchgehende Stilzüge, bei Killy nur als punktuelle Stilelemente auf. Neutralisieren Sie diese Stilzüge bei Trakl und arbeiten Sie sie, wo immer möglich, bei Killy ein.

ERLÄUTERUNGEN ZUR TERMINOLOGIE:

STILELEMENTE: Einzelne, punktuelle Figuren und Besonderheiten eines Textes wie eine Anapher, eine Metapher, ein Euphemismus usw.

STILZÜGE: Die auf Häufigkeit und Verbindung einzelner Stilelemente beruhenden charakteristischen Merkmale eines Textes. (Eine Anapher bildet noch keinen Stilzug, aber mehrere – vielleicht noch in Verbindung mit Epiphern, Epanalepsen usw. – begründen den charakterisierenden Stilzug „Reicher rhetorischer ‚ornatus': vielfacher Gebrauch von Wiederholungsfiguren".)

2.18. Verallgemeinerung (II): Stilebenen

TEXT:

VON MIR UND MEINER DICKEN IN DEN FICHTEN

Bloß paar schnelle Sprünge weg vom Wege
Legte ich ihr weißes Fleisch ins Gras
Mittagssonne brannte durch die Fichten
Als ich sie mit meinem Maße maß
Käfer krochen unter uns, es brachen
Heere Ameisen froh in uns ein
Etwa zwischen Bauch und Bauch zu baden
Oder irren zwischen Bein und Bein

Horden Mücken soffen sich von Sinnen
Stachen mich, weil ich ja oben schwamm
Bis ein Wolkenbruch, ein schneller greller
Uns in seine guten Arme nahm
Traubenschwere Wassertropfen fielen
Faul herab auf unsre heiße Haut
Und der wundermilde Guß von oben
Hat den großen Tod uns nicht versaut

Als ich endlich flach lag auf dem Rücken
Kippten meine Augen müde hoch
Einen Düsenjäger sah ich schweben
Durch ein aufgebauschtes Wolkenloch
Schwebte hin, schrieb einen sanften Bogen
Bis hinunter in das hohe Blau
Wieder brach die Sonne durch die Fichten
Und wir dampften im Nachmittagstau

[Wolf Biermann: Nachlaß 1, (c) Verlag Kiepenheuer & Witsch, Köln 1977, S. 313.]

AUFGABE:

Unter dem Gesichtspunkt der Stilebenen (traditionell: der ‚genera dicendi') betrachtet, ist dieses Gedicht ein typischer Fall von ‚genus mixtum' (nicht: ‚medium'!). (1) Vereinheitlichen Sie je eine der drei Strophen (Reihenfolge nach freier Wahl) zum ‚genus humile', eine zum ‚genus medium' und eine zum ‚genus sublime'. (2) Formulieren Sie auch den Titel des Gedichts je einmal im niederen, mittleren und hohen Stil.

ERLÄUTERUNGEN ZUR TERMINOLOGIE:

Die klassische rhetorische Unterscheidung von ‚genera dicendi' (lat.: Arten des Sagens) ist der Versuch, Stilelemente und Stilzüge in ihrem Zusammenwirken zu beschreiben. Einzelne Stilelemente bilden Stilzüge, der Zusammenhang von Stilzügen bildet eine

Stilebene. Das klassische Orientierungsmodell für die Unterscheidung von genus humile, genus medium und genus sublime ist bis in die Neuzeit die sog. ‚rota vergiliana‘: das Rad des Vergil. Es handelt sich dabei um ein dreigeteiltes ‚Typenrad‘ der Stilebenen, bei dem jedes Feld ein Werk des Vergil als mustergültig für die jeweilige Stilebene aufführt (genus sublime: „Aeneis“; genus medium: „Georgica“; genus humile: „Bucolica“).

GENUS HUMILE [lat.: bescheidene (Schreib-)Art; auch ‚genus tenue‘] : Niedrige Stilebene, gekennzeichnet durch alltagssprachliche Lexik sowie durch das Fehlen von Formen der tropischen Substitution (Metapher u.ä.), durch den fehlenden oder allenfalls sparsamen Gebrauch von Figuren des Appells, der Amplifikation und der Wiederholung. Das genus humile ist gekennzeichnet durch Schlichtheit, Sprachrichtigkeit und Klarheit. (Es ist nicht zu verwechseln mit ‚vulgärem Stil‘, der sich z.B. durch eine Lexik auszeichnet, die skatologischen oder auch sexuellen Wortfeldern entstammen kann, daneben jedoch häufig auch eine ausgiebige Verwendung von Formen der tropischen Substitution aufweist.)

GENUS MEDIUM [lat.: mittlere (Schreib-)Art; auch ‚genus mediocre‘] : Mittlere Stilebene, die sich durch eine ausgiebige Verwendung von Formen der tropischen Substitution, von Appellfiguren und Wiederholungs- bzw. Kontrastfiguren auszeichnet. Das genus medium ist gekennzeichnet durch Uneigentlichkeit bis hin zum ‚geblümten Stil‘.

GENUS SUBLIME [lat.: erhabene (Schreib-)Art; auch ‚genus grande‘] : Hohe Stilebene, Realisierung solcher Stilelemente, die zusammen einen feierlich erhabenen oder auch Pathos und Leidenschaft vermittelnden Stil ergeben: erlesene Wortwahl, strenge bis archaische Syntax, karge oder allenfalls religiös besetzte Metaphorik.

GENUS MIXTUM [lat.: gemischte (Schreib-)Art] : Demonstrative Mischung von hoher und niedriger (sowie ggf. mittlerer) Stilebene in einem Text.

2.19. Verallgemeinerung (III): Stilregister und Stilprinzipien

TEXT (1) :

GRUSS AN DIE MÄNNER VOM BAU

Ihr harret in der Kälte aus. Eure Körper sind Wind und Wetter ausgesetzt. Erbarmungslos brennt die Sonne auf eure Köpfe nieder und heiss rinnt der Schweiss von euren Stirnen.

Mit sehniger Faust schwingt ihr den Pickel, schiebt schwere Karren, tragt auf gebeugtem Rücken die schwere Last des Zements, schichtet sorgfältig Stein auf Stein und habt wohl acht, dass eure Wände im Lot stehen.

Hart ist euer Tagewerk – aber es ist schön! Nie würdet ihr mit jenen tauschen, die nur den Griffel heben müssen, aber dazu verdammt sind, ihr ganzes Leben hinter geschlossenen Mauern zuzubringen. Nie streift ein Windstoss ihre Stirn, nie trifft sie ein Sonnenstrahl.

Im letzten Jahr habt ihr Männer vom Bau wieder viele Tausende von Wohnungen hergestellt. Allein in den fünf grössten Städten unseres Landes waren es 7364 Einheiten. Ihr habt den industriellen Bau vorangetrieben, 9,34 Millionen Kubikmeter neuen Fabrikraums geschaffen. Es ist grossartig, was ihr wieder gearbeitet habt, damit wir einen geschützten Ort haben, an dem wir unser Haupt niederlegen können und eine Stätte, an der wir Brot und Nahrung finden.

Männer vom Bau, wir danken euch!

[aus: Der Schweizer Arbeiter. Offizielles Organ des Landesverbandes freier Schweizer Arbeiter. 50. Jahrg., Nr.6, 21.3.1968; Abdruck mit freundlicher Genehmigung des Verbandes. – Hinweis: Eine ausgezeichnete ideologiekritische Stilanalyse dieses Textes findet sich bei: Johannes Anderegg: Leseübungen. Kritischer Umgang mit Texten des 18. bis 20. Jahrhunderts. Göttingen 1970, S. 84–92; Lektüre empfohlen!]

TEXT (2) :

DAS ABFÜHRMITTEL, DAS NICHT „SÜCHTIG" MACHT

Tatsächlich birgt die regelmäßige Einnahme Risiken. Wenn Abführmittel wirken, entziehen sie dem Körper ausgerechnet auch Kalium. Das ist der Stoff, der den Darm zu Eigenbewegungen anregt, ihn also „in Trab hält". Je mehr Kalium man verliert, desto weniger wird man aus eigener Kraft „können". Man muß daher immer wieder neue Abführmittel nehmen. Sie machen quasi süchtig.

Glücklicherweise nicht alle: bei FRIEDA Früchtewürfeln ist die Gefahr der Gewöhnung in erheblichem Umfang gebannt. Denn dieses natürliche, ausschließlich aus Pflanzenstoffen bestehende Mittel enthält neben Tamarindenmus sowie Sennesfrüchten und -blättern als Grundsubstanz Feigen. Und diese sind verhältnismäßig reich an Kalium! Der bei der Einnahme von Abfuhrmitteln entstehende Kaliumverlust wird also teilweise wieder ausgeglichen. FRIEDA Früchtewürfel spornen daher den Darm wieder zu eigener Aktivität an.

Wertvolle Hinweise enthält das „Verdauungslexikon von A-Z". Es ist kostenlos unter dem Stichwort „Früchtewürfel" beim FRIEDA-Werk, 1701 Süßlach, erhältlich.

[nach einer Apotheken-Reklame von 1982; Produktname geändert.]

AUFGABE:

Text (1) bedient sich (warum?) des ,Stilprinzips' eines ausgesprochen emphatischen, ja pathetischen Stils; Text (2) bedient sich (warum?) des ,Stilregisters' (populär-) wissenschaftlicher Information. Schreiben Sie beide Texte jeweils im Stil des anderen um und achten Sie dabei auf charakteristische Stilelemente auf den Ebenen der Phonologie, Interpunktion, Syntax, Lexik und Metaphorik. Erproben Sie, wieweit sich hierbei der ursprüngliche Kommunikationszweck und die Zielgruppe der Ausgangstexte beibehalten lassen!

ERLÄUTERUNGEN ZUR TERMINOLOGIE:

STILPRINZIP [auch: „Tenor"; Betonung auf 1. Silbe!] : Gleichgerichteter Einsatz von Stilelementen, Stilzügen und Stilebenen im individuellen Zusammenhang. Traditionell werden zunächst vier Stilprinzipien (,virtutes') unterschieden: Angemessenheit (,aptum'), Sprachrichtigkeit (,puritas'), Klarheit (,perspicuitas') und Schmuck (,ornatus'). Es handelt sich hierbei jedoch um eine Reihe von Bezeichnungen, die durch andere, die Funktion der Elemente in ihrem Zusammenhang beschreibende Bezeichnungen wie ‚Pathos‘, ‚Emphase‘, ‚Lakonie‘, ‚Komik‘ oder auch ‚Unscheinbarkeit‘ erweitert werden kann.

STILREGISTER [auch: Funktionalstil] : Gleichgerichteter Einsatz von Stilelementen, Stilzügen und Stilebenen im generellen Zusammenhang bestimmter typischer Kommunikationssituationen. Stilregister können also als situativ gebundene Stilprinzipien bezeichnet werden. Ihre Zahl ist naturgemäß offen: Wissenschaftlicher Stil, Juristischer Stil, Journalistischer Stil, Geschäftsstil...

2.20. Verallgemeinerung (IV): Gattungsstil

TEXT (1) :

FRAGMENT
VON
SCHWÄNZEN

*Ein Beitrag
zu den Physiognomischen Fragmenten*

Silhouetten

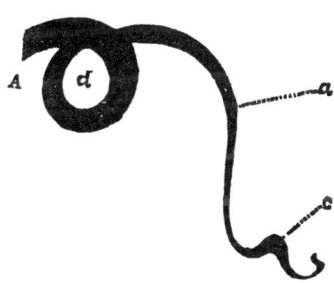

Fragment von Schwänzen

1. Heroische, kraftvolle
A. Ein Sauschwanz
B. Englischer Doggenschwanz

73

A. Wenn du in diesem Schwanz nicht siehest, lieber Leser, den Teufel in Sauheit, (obgleich hoher Schweinsdrang bei a) nicht deutlich erkennest den Schrecken Israels in c, nicht mit den Augen riechst, als hättest du die Nase drin, den niedern Schlamm in dem er aufwuchs bei d, und nicht zu treten scheinst in den Abstoß der Natur und den Abscheu aller Zeiten und Völker, der sein Element war – so mache mein Buch zu; so bist du für Physiognomie verloren.

Dieses Schwein, sonst gebornes *Ur-Genie*, luderte Tage lang im Schlamm hin; vergiftete ganze Straßen mit unaussprechlichem Mistgeruch, brach in eine Synagoge bei der Nacht, und entweihte sie scheußlich; fraß, als sie Mutter ward, mit unerhörter Grausamkeit drei ihrer Jungen lebendig, und als sie endlich ihre kannibalische Wut an einem armen Kinde auslassen wollte, fiel sie in das Schwert der Rache, sie ward von den Bettelbuben erschlagen, und von Henkersknechten halbgar gefressen.

B

B. Der du mit menschlichen warmen Herzen die ganze Natur umfängst, mit andächtigem Staunen dich in jedes ihrer Werke hinfühlst, lieber Leser, teurer Seelenfreund, betrachte diesen Hundeschwanz, und bekenne ob Alexander, wenn er einen Schwanz hätte tragen wollen, sich eines solchen hätte schämen dürfen. Durchaus nichts weichlich, „hundselndes, nichts damenschößigtes, zuckernes" mausknapperndes, winzigtes Wesen. Überall Mannheit, Drangdruck, hoher erhabener Dug und ruhiges, bedächtliches, kraftherbergendes Hinstarren, gleichweit entfernt von untertänigem Verkriechen, zwischen den Beinen, und hühnerhündischer, wildwitternder, ängstlicher unschlüssiger Horizontalität. Stürbe der Mensch aus, wahrlich der Scepter der Erde fiele an diese Schwänze. Wer fühlt nicht hohe an menschlicher Idiodität angrenzende Hundheit in der Krümmung bei a). An Lage wie nach der Erde, an Bedeutung wie nach dem Himmel. Liebe, Herzens-Wonne Natur, wenn du dereinst dein Meisterstück mit einem Schwanze zieren willst, so erhöre die Bitte deines bis zur Schwärmerei warmen Dieners, und verleihe ihm einen wie B.

Dieser Schwanz gehörte Heinrich des VIII. Leibhunde zu. Er hieß Cäsar, und war Cäsar. Auf seinem Halsbande stund das Motto: *aut Caesar, aut nihil*, mit goldenen Buchstaben, und in seinen Augen eben dasselbe, weit leserlicher, und weit feuriger. Seinen Tod verursachte ein Kampf mit einem Löwen, doch starb der Löwe fünf Minuten früher als Cäsar. Als man ihm zurief, Marx der Löwe ist tot, so wedelte er dreimal mit diesem verewigten Schwanze, und starb als ein gerochener Held.

Molliter ossa quiescant.

[aus: Georg Christoph Lichtenberg: Schriften und Briefe, hrsg. v. W. Promies, Bd. 3, Darmstadt 1972, S. 533–535.]

TEXT (2) :

I. Allgemeine Bestimmungen

Art. 1. Die Philosophische Fakultät verleiht Bewerbern, die den durch das vorliegende Reglement festgelegten Bestimmungen genügen, den akademischen Grad eines Lizentiaten der Philosophischen Fakultät.

Das Lizentiat in Psychologie unterliegt, in Übereinstimmung mit den Universitäten der Westschweiz, einem besonderen Reglement.

Art. 2. Es können diejenigen Studierenden das Lizentiat der Philosophischen Fakultät erwerben, die

a) regulär immatrikuliert sind (Allgemeines Reglement der Philosophischen Fakultät vom 16. Februar 1971, Art. 13ff.),

b) acht Semester Universitätsstudien an einer Philosophischen Fakultät vollendet haben, wovon wenigstens zwei an der Universität Freiburg,

c) mit Erfolg die Zwischenexamen bestanden (Allgemeines Reglement Art. 25) und die Verpflichtungen der verschiedenen Fächer erfüllt haben (Seminarien, Praktika usw., siehe Studienführer).

Die Fakultät entscheidet, inwieweit die an andern Fakultäten oder Hochschulen besuchten Studiengänge angerechnet werden können.

II. Prüfungen

Art. 3. Die Lizentiatsprüfung erstreckt sich über ein Hauptfach und zwei Nebenfächer. Der Kandidat kann weitere Fächer hinzufügen (Zusatzfächer).

Art. 4. Das Hauptfach muss aus den im Rahmen der Fakultät gelehrten Fächern gewählt werden. Als Nebenfächer können ausser den in der Philosophischen Fakultät gelehrten Fächern auch solche aus anderen Fakultäten gewählt werden, sofern die Wahl von der Philosophischen Fakultät genehmigt wird.

Art. 5. Eine dem vorliegenden Reglement als Anhang beigefügte Liste führt diejenigen Fächer auf, welche als Haupt- und Nebenfächer bzw. nur als Nebenfächer gewählt werden können.

Die Fakultät kann mit Zustimmung des Senats diese Liste auf Beginn jedes folgenden Semesters abändern. Sofern ein Fach aufgehoben wird, sorgt die Fakultät dafür, dass die davon betroffenen Studierenden ihre Studien termingerecht beenden und die Examina ablegen können.

[aus: Lizentiatsreglement und Studienführer für das Lizentiat, das Gymnasiallehrerdiplom und das Doktorat an der Philosophischen Fakultät der Universität Freiburg i.Ue., Juli 1977.]

AUFGABE:

Literarische und insbesondere nichtliterarische Textsorten ('Gattungen') sind häufig nicht nur durch bestimmte Inhalte, sondern auch durch eine bestimmte stilistische Prägung gekennzeichnet (man spricht in diesem Sinne von ‚Gattungsstil‘). Ein Witz beispielsweise, dessen stilistisches Merkmal Amplifikationen und Digressionen sind, wäre ein schlechter Witz.

Verwandeln Sie (a) Text (1) in den textsortenspezifischen Stil der Gattung ‚Gesetzestext‘ nach dem Muster von Text (2), und verwandeln Sie (b) Text (2) in den textsortenspezifischen Stil der Gattung ‚Satire‘ nach dem Muster von Text (1).

2.21. Verallgemeinerung (V): Epochenstil

TEXT (1) :

Ew. Excellenz haben mich mit einer längst erwünschten Commission beehret, einige auserlesene Bücher aus der Krausischen Bibliothec zuerhandeln, welchen hohen Befehl mit allem Gehorsam nachzuleben vor mein grössestes Vergügen achte. Denn in den Diensten eines so grossen Staats-Ministers die Zeit meines Lebens zu zubringen, ist mein eintziges Verlangen und wahre Zufriedenheit; angesehn mir dadurch nicht nur der Weg zu meinem künfftigen Glück gebahnet, sondern auch die schönste Gelegenheit eröffnet wird, für so grosse Güte und unverdiente Gnaden-Bezeigungen allezeit Proben meiner Dienst-Begierde mit geziemenden Respect abzulegen. Mein devoter Wunsch ist dabey: Gott wolle Ew. Excellenz biss in das späteste Alter in blühenden Wohlstande erhalten, damit durch Dero klugen Consilia so wohl die Gräntzen unseres geliebten Vaterlandes an Aufnahme blühen, als unter Dero Hulde so viele Clienten, unter welchen auch ich zustehen die Ehre habe, Trost und Schutz geniessen mögen. Und ist mir noch eine unterthänige Bitte erlaubet, so geruhen Ew. Excellenz mich ferner so glücklich zumachen, dass in Dero aufgetragenen Commissionen immer würdiger mit aller Veneration zu verharren etc.

[aus: Johann George Neukirch: Einfacher und geschickter Briefstil. In: Wiedemann, Conrad (Hg.): Der galante Stil 1680–1730, Tübingen 1969, S. 43.]

TEXT (2) :

Lieber Herr Ledig, keinen Zierumschlag, kein Schmuckblatte-
legramm, nur die herzlichsten Weihnachts/Neujahrsgrüße auf
hakender Maschine und – was nicht vergessen sein soll – einen
schönen Tausenddank für den guten Geburtstagswein. Ich für
mein Teil finde es schon bewegend, daß wir uns – Bücher
binden! – über eine neue Publikation neu gefunden haben,
lassen Sie sich nur dadurch nicht beunruhigen, daß sich die
schweinisch-Rheinische Post schon wieder wie Scheiße an
meine Hacken heftet, das tut sie seit Anno Volsinii. Daß auch
Zwergendreck einen belästigen kann, ist ganz klar – man ist
sich zu fein, das Zeugs abzuwischen, läuft aber auch ungern
mit dem Kot an den Stiefeln herum. Die Krux ist außerdem
die, daß man, wenn man zum Beispiel VW oder Siemens
hieße, jederzeit einen Prozeß wegen Geschäftsschädigung
anstrengen könnte, *aber so? als Reisedichter?!* und auf den
Spuren Walthers von der Vogelweide ganz ähnlich schutzlos
wie DER ALTE noch in seinen mittleren Mannesjahren??!!
Welche Rechts- und Reinigungsmittel stehen einem überhaupt
noch zur Verfügung? Man kann ja auch nicht ewig mit'm
Eispickel auf Tournee gehen. Jahresausklangsgedanken, lieber
Herr Ledig, nebst angeschlossenem Klingelbeutel, das heißt,
der Bitte nochmal um Vorschuß, um die nötige Entwicklungs-
hilfe. Immer bedenken Sie: Autoren kommen nicht in den
Genuß von Urlaubsgeldern und Weihnachtsbonussen und
Qualitätsprämien und Konjunkturspritzen; und es geht ihnen,
gerade wo es ihnen um die Kunst in der Literatur geht, wie
den letzten Armensäuen. Sie können von 12 000 Mark fast ein
ganzes Jahr leben, was ihnen sonst keiner nachmacht, aber das
ist denn auch Sinequanon, ohne geht nicht, ohne sterben sie
oder kränkeln sich bloß noch so als Feuilletonisten durch –
Herzlich grüßt Sie Ihr

[aus: Peter Rühmkorf: Nebst angeschlossenem Klingelbeutel. In: Ders.:
Strömungslehre I, (c) Rowohlt Verlag, Reinbek 1978, S. 196f.]

AUFGABE:

Was manchem gleich wie eine Austreibung des Geistes vorkommt,
ist anderen schon der Geist einer neuen Zeit. So oder so: der
Zeitgeist hinterläßt gewöhnlich seine stilistischen Fingerabdrücke.

Schreiben Sie bitte jeden dieser beiden Texte in den Stil des jeweils anderen um, d.h. Text (1) in den modern-lockeren Briefstil von Rühmkorfs Schreiben an seinen Verleger Ledig-Rowohlt und Text (2) in den devot-barocken Briefstil von Neukirchs Musterbrief. Notieren Sie dabei gleich, auf welche Aspekte der jeweiligen sprachlichen Besonderheiten Sie besonders Rücksicht genommen haben.

2.22. Verallgemeinerung (VI) : Personalstil

TEXT (1) :

Intressante Pflanzenwelt! (Obgleich ich natürlich nicht geschult genug war, zu erkennen, was Klassische Formen sein mochten, und was Neue Mutationen. Ist ja auch gar nicht meines Amtes; man hat wahrlich genug zu tun, wenn man 1 Fach leidlich beherrschen will. Nicht wie mein Urgroßonkel, der berüchtigte Polyhistor – muß ooch ne dolle Type gewesen sein!)
Zum Beispiel die hier, Ts=ts!: unmittelbar aus dem Sand kamen die dunkelbraunen vierkantig-hohlgeschliffenen Ruten. Dornen, so lang wie mein kleiner Finger. Dafür Blätter überhaupt keine. Und immer abwechselnd fünfblättrige Blüten und Früchte wie Zitronen: ob die genießbar sind? (Lieber nicht; nachher schmecken sie gallebitter. Oder, noch schlimmer, nach gar nichts; so daß man sich alles mögliche einbildet; und hinausläuft's auf Durchfall. Plus Erbrechen: Nee!)
Auf einem winzigen Sandhaufen stehen, und umsehen:?: Hinten die Sonne, immer noch unschönen Teints (genau wie der Herr Obriste gestern Abend). / Ein Kreishorizont wie abgeschliffen. / Ganz fern rechts voraus eine Gruppe Säulenkakteen: ihre Kandelaberarme mußten 20 Yards hoch sein! – Mehr links, mehr in meiner Richtung, noch ein flaches Dunstpaket: wohl einer der, ebenfalls erwähnten, leeren Galeriewälder. / Also auf und dorthin! (...)
Rascher weiter schreiten; den Organträger vorsichtig=schneller herum richten. (Auch nach hinten mal:? – : nein; alles noch ruhig. Oben die grauen Scheitel der Bäume).

Also war da was drin!!: Was'n Menschen fertig machen kann! / Und ich holte lieber auch noch die Lanze vom Buckel: vielleicht eben der ihre ‚Zenties'? Mochten ja tolle Kreaturen sein! / Kann ich 35 Meilen in einem Tag schaffen?: bei dem Sandboden wohl k...

und starrten uns an! Mir ging der Mund auf; der Linksdaumen war klüger als ich und drückte aufs Knöppchen, die Rechte richtete die Lanzenklinge...

: „Oh=no" sagte sie schläfrig (so langsam hatte ich bald noch Niemanden sprechen hören!). Und kaute weiter ihre Grasähren. – : Mensch, wieso liegt hier ein nacktes Mädchen? Und auf einem (erlegten?) Reh?!

Sie zog aus dem grobfasrigen Säckchen neben sich einen neuen Halm; beäugte ihn kritisch; biß prüfend an. – Sagte dann (und immer in derselben zeitlupigen Sprechweise; manche Konsonanten kamen auffallend schwerfällig; auch war die Stimme sehr kräftig; komisch) : „Du bist kein Förster." entschied sie. Noch ein paar Bisse. Erhob sich: – !:

Und das erlegte Reh mit ihr!!!: ich mußte die Hand vor die Stirn drücken (und die Finger gafften mir auf, total verblüfft; to say nothing of my mouth): das also. : War eine Zentaurin?? – –

[aus: Arno Schmidt: Die Gelehrtenrepublik. Kurzroman aus den Roßbreiten, (c) 1957 Stahlberg Verlag GmbH Karlsruhe, Abdruck mit Genehmigung des S. Fischer Verlages, Frankfurt a.M. 1965, S. 22f. u. 25.]

TEXT (2) :

Ich glaube, Linné's *Blumenuhr* in Upsal (horologium florae), deren Räder die Sonne und Erde, und deren Zeiger Blumen sind, wovon immer eine später erwacht und aufbricht als die andere, gab die geheime Veranlassung, daß ich auf meine Menschen-Uhr verfiel. Ich wohnte sonst in Scheerau, mitten auf dem Markt, in zwei Zimmern; in mein vorderes schauete der ganze Marktplatz und die fürstlichen Gebäude hinein, in mein hinteres der botanische Garten. Wer jetzo in beiden wohnt, hat eine herrliche vorherbestimmte Harmonie zwischen der Blumenuhr im Garten und der Menschenuhr auf dem Markt.

Es ist 3 Uhr, wenn sich der gelbe Wiesenbocksbart aufschließet, ferner die Bräute, und wenn der Stallknecht unter
dem Zimmer-Mietmann zu rasseln und zu füttern anfängt –
Um 4 Uhr erwachen (wenns Sonntag ist) das kleine Habichtkraut und die kleinen Kommunikantinnen, welche Sing-Uhren
sind, und die Bäcker – Um 5 Uhr erwachen die Küchen- und
Viehmägde und Butterblumen – Um 6 Uhr die Gansdisteln
und Köchinnen – Um 7 Uhr sind schon viele Garderobejung-
fern im Schlosse und der zahme Salat in meinem botanischen
Garten wach, auch viele Kauffrauen – Um 8 Uhr machen alle
ihre Töchter, das gelbe Mausöhrlein, die sämtlichen Kollegien
die Blumen-, Kuchen- und Aktenblätter auf – Um 9 Uhr regt
sich schon der weibliche Adel und die Ringelblume; ja viele
Landfräulein, die zum Besuche kamen, sehen schon *halb* zum
Fenster heraus – Um 10, 11 Uhr reißen sich Hofdamen und
der ganze Kammerherrenstab und der Rainkohl und der
Alpenpippau und der Vorleser der Fürstin aus dem Morgen-
schlafe, und das ganze Schloß bricht sich, weil die Morgen-
sonne so schön vom hohen Himmel durch die bunte Seide
glimmt, heute etwas Schlummer ab – Um 12 Uhr hat der
Fürst, um 1 Uhr seine Frau und die Nelke in ihrer Blumen-
Urne die Augen offen. – Was noch spät abends um 4 Uhr sich
aufmacht, ist bloß das rote Habichtkraut und der Nachtwäch-
ter als Guckguckuhr, die beide nur als Abenduhren und
Monduhren zeigen. Von den heißen Augen des armen Teu-
fels, der sie erst um 5 Uhr aufschließet, wie die Jalappe,
wollen wir unsere Augen traurig wegwenden; es ist ein Kranker, der solche eingenommen, und der die mit glühenden
Zangen zwickenden Fieberbilder bloß mit wachen Stichen
vertauscht. – –
Wenns 2 Uhr war, konnt, ich nie wissen, weil da ich (samt
tausend dicken Männern) und das gelbe Mausöhrlein miteinander einschliefen; aber um 3 nachmittags und um 3 am Morgen erwacht' ich als eine richtige *Repetieruhr*.

So können wir Menschen für höhere Wesen Blumen-Uhren
abgeben, wenn auf unserem letzten Bette unsere Blumenblät-
ter zufallen – oder Sand-Uhren, wenn die unsers Lebens so
rein ausgelaufen ist, daß sie in der andern Welt umgekehrt
wird – oder Bilder-Uhren, weil in jene zweite, wenn hier unten
unsere Totenglocke läutet und schlägt, unser Bild aus dem
Gehäuse tritt – sie können in allen solchen Fällen, wo 70

Menschenjahre vorüber sind, sagen: „Schon wieder eine Stunde vorbei! Lieber Gott, wie doch die Zeit verläuft!" -

Das seh' ich an dieser Abschweifung. – Firmian und Heinrich traten heiter in den benachbarten lauten Morgen (...)

[aus: Jean Paul: Blumen-, Frucht- und Dornenstücke oder Ehestand, Tod und Hochzeit des Armenadvokaten Firmian St. Siebenkäs im Reichsmarktflecken Kuhschnappel. In: Ders.: Werke, hrsg. v. N. Miller, Darmstadt 1971, Bd.2, S. 387–389.]

AUFGABE:

„Le style c'est l'homme lui-même", lautet eine alte B(o)uffonnerie. Wie die meisten geflügelten Worte hat auch dieses vom ,Stil als dem Menschen selbst' seinen wahren Kern: Der Stil ist ein informelles ,Who is who' der Literatur (jedenfalls manchmal – und meistens da, wo sich die Lektüre lohnt).

Formen Sie Text (1) um in den Personalstil von Jean Paul (d.i. Johann Paul Friedrich Richter, 1763–1825) und Text (2) in den Personalstil von Arno Schmidt (1914–1979). Beachten Sie dabei alle bisher behandelten Aspekte.

2.23. Genres der Gebrauchsprosa

TEXT:

GIBS AUF!

Es war sehr früh am Morgen, die Straßen rein und leer, ich ging zum Bahnhof. Als ich eine Turmuhr mit meiner Uhr verglich, sah ich, daß es schon viel später war, als ich geglaubt hatte, ich mußte mich sehr beeilen, der Schrecken über diese Entdeckung ließ mich im Weg unsicher werden, ich kannte mich in dieser Stadt noch nicht sehr gut aus, glücklicherweise war ein Schutzmann in der Nähe, ich lief zu ihm und fragte ihn atemlos nach dem Weg. Er lächelte und sagte: „Von mir willst du den Weg erfahren?" „Ja", sagte ich, „da ich ihn selbst nicht finden kann." „Gibs auf, gibs auf", sagte er und wandte sich mit einem großen Schwunge ab, so wie Leute, die mit ihrem Lachen allein sein wollen.

AUFGABEN:

Sie haben in der Lotterie zwei der folgenden Textsorten gewonnen: (1) Werbeanzeige, (2) Predigt (mit vierteiliger dispositio als schmuckreicher, themenbezogener ‚Sermon‘ oder als schmucklose, textbezogene ‚Homilie‘), (3) Privatbrief (mit fünfteiliger dispositio), (4) Reportage, (5) Feuilleton, (6) Satirische Glosse, (7) Gerichtsprotokoll, (8) Plädoyer, (9) Psychologischer Versuchsbericht, (10) Geschäftsbrief, (11) Politisches Flugblatt, (12) Tagebucheintragung, (13) Telefongespräch (nur Sie sollten zu hören sein, nicht Ihr Gesprächspartner).
(a) Informieren Sie sich in geeigneten Nachschlagewerken (vgl. Literaturliste im Anhang) über diese beiden Textsorten, ihre gängigen Begriffsbestimmungen und ihre literarhistorische Entwicklung. Wenn Sie kein Beispiel der jeweiligen Textsorte kennen, lesen Sie eines Ihrer Wahl und benutzen es ggf. als Muster für die folgenden beiden Aufgaben.
(b) Entwickeln Sie auf der Grundlage Ihrer so gewonnenen Informationen eine kurze und möglichst präzise – also gegenüber anderen Textsorten trennscharfe! – Definition für die beiden Textsorten.
(c) Schreiben Sie Kafkas Erzähltext „Gibs auf!" (mit den erforderlichen Zusätzen, Auslassungen oder Abänderungen) um in je eine Parodie der entsprechenden Textsorte.

2.24. Lernzielkontrolle (I): Selbständige Stilanalyse

TEXT (1) :

Freiburger Studentenschaft flirtet mit DSO: VSS schmollt.

Weil die Studentenschaft der Universität Freiburg Kontakte zum Dachverband Schweizerischer Studentenorganisationen

(DSO), dem politisch neutralen Gegenstück zum faktisch linksexklusiven „Verband Schweizerischer Studentenschaften" (VSS) geknüpft hat, gibt man sich im VSS beleidigt. Bereits läuft ein Antrag auf Ausschluss der Freiburger aus dem VSS. Einige der Vorwürfe an die Freiburger: „mangelnde Unterstützung der Verbandspolitik", „Mitgliedschaft in Organisationen, die gegen die Interessen der Studierenden wirken", „Schädigung der Verhandlungsposition des VSS". Aus der Sicht des VSS ist die Verärgerung über die Dissidenz der Freiburger sicher verständlich. Für seinen Generalsekretär und ehemaligen Mitarbeiter der Sowjetagentur „Novost" ist es sicher unerträglich, dass sich die Freiburger Studenten nicht auf die moskautreue Studentenvertretungsdoktrin des VSS festnageln wollen.

[aus: SCHWEIZERISCHE HOCHSCHULZEITUNG. Diskussionsforum an allen HTL, Hochschulen und Mittelschulen in der Schweiz, 15. Jahrgang, Nr. 114, November 1984.]

TEXT (2) :

BEBENDER BIERMANN
Zu Wolf Biermanns Berner Gastspiel

wd. „Ich lebe noch, bin noch nicht tot". So beschwor der seinerzeit aus der DDR ausgewiesene Liedermacher Wolf Biermann am vergangenen Sonntagabend sein (Stamm?)Publikum im überfüllten Berner „Bierhübeli". Ein Publikum, das bereit war (und bereit sein musste), Biermanns rabenschwarz zuversichtliche Botschaft nicht nur zu hören, sondern auch zu fühlen, zu denken, zu (er)leiden, zu (er)hoffen.

Diese zwar nicht mehr ganz neue, aber auch nicht mehr ganz alte Biermann'sche Botschaft als Ausdruck der Liebe zu den (einzelnen) Menschen und zur Menschheit schlechthin bebte und vibrierte denn auch. Ob seine Gitarre nun „vor Scham stöhnte oder vor Glück jauchzte" (Biermann). Ob die Wunden nun wirklich „nicht zugehen wollen unter dem Dreckverband", ob „der Fluss nun fliesst oder ob alles bleibt, wie es ist". Ob wer oder was nun „mehr beschissen" sein mag (die Leute oder die Verhältnisse?). Ob was nun wirklich wichtiger ist ((„die

Analyse im Kopf oder die Wut im Bauch?"). Ob es nun wirklich drinliegt, dass selbst in Liebesliedern „immer auch ein bisschen Welt drinliegt"?

Bei Biermann, da lag alles drin. So sang er das Liebeslied *vom* Trümmerberg in Ostberlin („der auf natürliche Weise entstanden ist – durch den Krieg"). Und er sang einen beeindruckenden dreistündigen Berner Konzertabend lang auch *auf* diesem Trümmerberg. Und auf dem Trümmerberg jener Welt, die nur ihm, ganz privat und ganz persönlich am nächsten liegt. Und blieb, trotz alledem, stets stur: Voll rabenschwarzer Zuversicht.

Stur. Stur sarkastisch und stur sanftmütig. Stur polternd und stur poetisch. Stur beissend kalt und stur gschpürig warm. Stur zornig und stur zärtlich. „Mein Herz weiss alles besser", sang er, „und glaubt das Ende nicht". Und auch musikalisch klang es: „Mein Herz weiss alles besser, und glaubt die Wahrheit nicht."

Dieser Wolf Biermann, wirklich (und ich bin überzeugt, dass das Berner Publikum es allgemein so empfunden hat), ist noch nicht tot. Er lebt. Und bebt.

[aus: DER BUND, Nr. 136, 29.1.1985, S.6; Abdruck mit freundlicher Genehmigung des Verlages.]

TEXT (3) :

„Wahre, wirkliche Gedichte werden nicht gemacht, wenigstens nicht hier bei uns; sie entstehen in jenen Sphären, aus denen die Inspiration auf Engelsflügeln niederschwebt, um dem nach oben lauschenden Poeten die Stirn zu küssen und ihm das Auge und das Ohr für eine Welt zu öffnen, die Anderen verborgen bleibt. Der Dichter ist darum zugleich auch Seher. Das ist das untrüglichste Erkennungszeichen. Wer nicht Seher ist, kann auch nicht Dichter sein! Schaut in die Heilige Schrift! Wie oft beginnen die Reden der Propheten: ‚Und ich sah' oder ‚Und ich hörte eine Stimme.' Sie waren Seher, und lest nun ihre Worte, so werdet Ihr erkennen, daß sie als Seher Dichter waren. Das Eine ist nicht von dem Andern zu trennen! Dem wahren Dichter kommt aus einer Welt, die mit der unsrigen zusammenhängt, auf leisen Schwingen schöngebor'ne Kunde; er nimmt sie auf; er gibt sie weiter fort, und wer sie hört, der wird von ihr berührt, als sei sie ein Gedicht aus Engelsmunde. Das ist die Poesie, die aus dem Himmel stammt; kein Geist, kein Mensch kann sie uns niederbringen; dort oben, wo das Meer des Lichtes flammt, muß jeder Strahl in goldnen Reimen schwingen. Und steigt er nieder, nimmt er Formen an, um sich dem Menschensinn zu offenbaren, und diese Formen, sie bestehen dann für unsre Nachwelt noch nach tausend Jahren."

Raffley und der Governor standen da und sahen mich aus großen Augen an. Es war wie eine Begeisterung über mich gekommen, und ich hatte gesprochen, ohne vorher zu überlegen, oder gar die Worte metrisch abzuwägen.

[aus: Karl May: Und Friede auf Erden! In: Karl May's gesammelte Reiseerzählungen, Bd. 30, Freiburg i.B. 1904, S. 396f.]

AUFGABE:

Kennzeichnen Sie den jeweiligen Stil eines der Texte (1) – (3) nach seinen Stilelementen, Stilzügen und Stilprinzipien.

Beantworten Sie dabei zunächst die folgenden Fragen:

(1) Welche Figuren der Wiederholung sind in meinem Text vorhanden?

(2) Welche Figuren des Kontrastes sind in meinem Text vorhanden?

(3) Welche lexikalischen Besonderheiten weist mein Text auf?

(4) Welche Wortschatz-Figuren oder gar Wortspiel-Typen weist mein Text auf?

(5) Welche uneigentlichen Redeformen weist mein Text auf?

(6) Wie ist die Syntax meines Textes organisiert?

Nachdem Sie sich durch die Beantwortung dieser Fragen einen Überblick über die Stilelemente Ihres Textes verschafft haben, können Sie aufgrund der Häufigkeit und der Verbindung der einzelnen Stilelemente auch die Stilzüge Ihres Textes benennen. Verdeutlichen Sie sich danach die Funktion von Stilelementen und Stilzügen Ihres Textes, um dann zusammenfassend die Stilprinzipien und ihre Rolle im gegebenen Kommunikationszusammenhang formulieren zu können.

2.25. Lernzielkontrolle (II): Terminologie-Test

AUFGABE:

Schreiben Sie links neben jedes der folgenden Beispiele den Buchstaben A-z derjenigen stilistischen Kategorie aus der Liste im Anschluß, unter die dieses Beispiel fällt. (Im Bedarfsfall ist der relevante Teil des Beispiels unterstrichen).

(1) <u>Endlich</u> blüht die Aloe / <u>Endlich</u> trägt der Palmbaum Früchte (…)

(2) Er <u>sieht Klänge</u>, weil er sie nicht hören kann, er <u>hört Farben</u>, denn er kann sie nicht sehen.

(3) Das fortwährende Bedürfnis <u>jugendlicher Gehirne</u>, unkonventionelle Problemlösungen zu finden, ist bekannt.

(4) Dies ist die Lehre des Lebens, <u>die erste und letzte und tiefste</u>, / Daß es uns löset vom Bann, den die Begriffe geknüpft.

(5) Auf der Erde stehst du: und mitten im Himmel: Und <u>trinkst den Trank</u> der Herrlichkeit.

(6) Die romanische Kultur macht jedermann zum Dichter. <u>Da ist die Kunst keine Kunst. Und der Himmel eine Hölle.</u>

(7) Wir sollten alle über den Tellerrand des morgigen Tages hinausklettern.

(8) In ungestümer Sehnsucht brechen / Die Knospen und die Herzen auf.

(9) Lichte <u>kriechen</u> aus dem Fenster.

(10) Ein Angriff auf Heine ist ein Eingriff in jedermanns Privatleben. <u>Er verletzt die Pietät vor der Jugend, den Respekt vor dem Knabenalter, die Ehrfurcht vor der Säuglingszeit.</u>

(11) Krähen, die sich zerstreuen; drei. <u>Ihr Flug: eine Sonate, voll verblichener Akkorde und männlicher Schwermut.</u>

(12) Es war einmal einer, der war klug. Sehr klug. Ungeheuer klug.

(13) …und vor seinen Augen errichtete sie ein ganzes <u>Ideenhochhaus</u>.

(14) Nach dem Tode der Mutter versetzte ihn sein Vater aus der welschen Blumenerde – einiges blieb an den Pflanzenwurzeln hängen – in den deutschen Reichsforst, nämlich nach Blumenbühl (...) Hier ließ er die pädagogischen Kunstgärtner so lange mit Gießkannen, Inokuliermessern und Gartenscheren um ihn laufen, bis sie an den hohen schlanken Palmbaum voll Sagomark und Schirmstacheln mit ihren Kannen und Scheren nicht mehr langen konnten.

(15) Aber Graf Leinsdorf (...) erklärte auf das bestimmteste, daß er sich an Ulrich bereits gewöhnt habe.

(16) Was wirst du eng? Was wirst du weit,/ Mein Herz? Und ist zum Schlafen Zeit,/ Und nicht dich so zu regen.

(17) Horcht auf, ihr Fürsten! Du Volk, horch auf!

(18) Und Psyche, meine Seele, sah mich an / Und sagte traurig: „Alle diese Dinge sind schal und trüb und tot. Das Leben hat / Nicht Glanz und Duft. Ich bin es müde, Herr." (...)

(19) Es kommt uns zu, das was wir müssen / in Schutz und Trutz und Lob und Preis zu enden.

(20) Der Sommermorgen war rosig wie Heidekraut. Die blasse Sichel verdunstete auffällig ruhig und hübsch wie Heidekraut.

(21) Die zwei Geschlechter sind Kontrast. Kontrast ist Liebe.

(22) Wie trug, wie trug das Tal den Wasserspiegel!

(23) Es ist bereits das drittemal, daß ich in Straßburg und heimelt mich die Stadt in jeder Beziehung an.

(24) Die Spitzen ihrer Finger tauchten in den Sturzbach der Musik.

(25) Donald Duck wird gehen wie Donald Duck.

(26) Es ist nicht alles Blech, was glänzt.

(27) Wer dieses Moskauderwelsch versteht, sieht mit berechtigtem Hochmut auf die übrige Menschheit herab.

(28) Diese finden jenes, jene dieses schön. Aber sie müssen es ‚finden'. Suchen will es keiner.

(29) Nie war eine riesenhafte Winzigkeit das Format der Welt.

(30) Es ist nicht unwahrscheinlich, daß morgen die Sonne wieder aufgehen wird.

(31) Wie herrlich leuchtet mir die Natur!

(32) Da schlage doch der...!

(33) Sie ant- und wir <u>fragworten</u>.

(34) Schön ist, Mutter Natur, deiner Erfindung Pracht / Auf die Fluren verstreut, schöner ein froh Gesicht,/ Das den großen Gedanken / Deiner Schöpfung noch einmal denkt.

(35) Schön ist die Pracht der Natur auf die Wälder, die Wiesen verstreut. Schöner noch ist ein lachendes Gesicht, in dem sich der große Gedanke der Schöpfung aufs neue malt.

(36) Wälder und Wiesen erscheinen mir heute besonders schön, doch dein lachendes Gesicht ist noch viel schöner, weil ich in ihm die ganze Schöpfung wiedererkenne.

(37) Schön ist, Mutter Natur, deiner Erfindung Pracht auf die Fluren verstreut, aber irgendwie bringt es so ‚ne grinsende Visage doch mehr, worin man mal 'n Plan sieht oder was.

(38) <u>Was</u> sich vor dem Tode so entsetzt, <u>ist sein Bewußtsein</u>; <u>was</u> sich <u>gegen</u> ihn wehrt, <u>ist sein Bewußtsein</u>; <u>was</u> hier stirbt – das einzige, was überhaupt zu sterben vermag – <u>ist sein Bewußtsein</u>.

(39) All dies ist von <u>tragischer Trauer</u> überschattet.

(40) Christiane, Goethens ehelich Weib, würde heutzutage, traun!, der Frauenbewegung angehören.

(41) Er flieht in die räumlich unendlichste Unendlichkeit, nach Amerika.

(42) Diese <u>Dissonanz</u> zwischen Inhalt und Form läßt aufhorchen.

(43) Ich frage mich, was wohl <u>der Alte in Weimar</u> zu dieser Klausur gesagt hätte.

(44) Die <u>Demokratie lacht</u> über jeden Versuch, sie irgendwie abzuschaffen.

(45) An solchen Stellen pflegen sich die <u>Möchtegern-Deuter</u> zu beeilen, eine allegorische Festlegung vorzunehmen.

(46) <u>Es spricht wohl manches</u> dafür, daß 2x2 immer noch 4 und ein Roman immer noch eine Fiktion ist.

(47) Ist das Leben also begehrenswert? Das ist schlecht gefragt: das liebende Begehren ist lebenswert.

(48) Denn hier wird weder die Todesfurcht durch einen religiösen Grund gebannt, noch auch wird die Todesbereitschaft durch einen religiösen Grund erklärt.

(49) <u>Für den ebenso sensiblen wie gebildeten Leser dieser Zeilen</u> brauchen wir nicht hinzuzufügen, daß es in der deutschen Sprache kein traurigeres Gedicht gibt.

(50) <u>Schaurigschöne</u> Gedanken schossen ihm durch den Kopf.

(51) Faust, um es zu besitzen, mit der Illusion zugleich den Bann durchbrechend, stürzt, vernichtet durch die Explosion, mit der es seinem Zugriff sich entzieht, paralysiert zu Boden.

(52) Du bist mir ja mal wieder ein besonders kluges Bürschchen.

Terminologieliste A – z

A)	Epanalepse	a)	Kontamination
B)	Chiasmus	b)	Amphibolie
C)	Anapher	c)	Anspielung
D)	Epipher	d)	Verblaßte Metapher
E)	Symploke	e)	Kühne Metapher
F)	Anadiplose	f)	Parallelismus
G)	Paradoxon	g)	Synästhesie
H)	Aposiopese	h)	Metaphernkomplex
I)	Oxymoron	i)	Allegorie
J)	Hendiadyoin	j)	Ironie
K)	contradictio in adiecto	k)	Metonymie
L)	Antiklimax	l)	Klimax
M)	Hyperbaton	m)	Polyptoton
N)	Anakoluth	n)	Litotes
O)	Pleonasmus	o)	Pejorativ
P)	Understatement	p)	Zeugma
Q)	genus sublime	q)	Elativ
R)	genus medium	r)	Tautologie
S)	genus humile	s)	Hyperbel
T)	genus mixtum	t)	Antithese
U)	Konkretisierung des Abstrakten	u)	Katachrese
V)	Verbalmetapher	v)	Archaismus
W)	Genitivmetapher	w)	Neologismus
X)	Paronomasie	x)	exclamatio
Y)	captatio benevolentiae	y)	Antonomasie
Z)	Polysyndeton	z)	Personifikation

(Hinweise zur Auflösung im Anhang)

3. LYRIK-PARODIEN

3.1. Aufgabe zur Einführung: Aspekte von Verstexten

TEXT (1) :

Helmut Kreuzer, Professor in Siegen,
Versteht sich aufs Messen und Wiegen.
Auch des Limericks Bau,
Er kennt ihn genau
Und zählt seine Füße wie Fliegen.

TEXT (2) :

Dieses Buch führt in die metrische Formensprache der neueren deutschen Dichtung ein. Die theoretischen und methodischen Voraussetzungen werden einleitend nach Grundsätzen der linguistischen Poetik bestimmt. In seinen Hauptstücken ist das Buch historisch angelegt: stellt also die im Deutschen gebräuchlichen metrischen Systeme im geschichtlichen Zusammenhang vor. Es reicht vom Kirchen- und Volkslied des 16. Jahrhunderts über Opitzens und Klopstocks Versreformen bis zur Prosaischen Lyrik der Gegenwart.

Anhand des ausführlichen Registers kann das Buch leicht auch als systematische Einführung in die Deutsche Metrik benutzt werden.

Der Autor:
Christian Wagenknecht, geb. 1935, ist Professor für Deutsche Philologie an der Universität Göttingen.

[beides aus: Christian Wagenknecht: Deutsche Metrik, München 1981, S. 76 bzw. Rückentext; Abdruck mit freundlicher Genehmigung des C. H. Beck Verlages.]

AUFGABE:

Schreiben Sie Text (1) um in die Prosaform einer Kurzinformation über Autor und Thema in der Art von Text (2). Schreiben Sie

Text (2) um in die Form eines Limericks in der Art von Text (1). Notieren Sie, auf welche Aspekte Sie dabei achten bzw. was alles Sie verändern mußten.

3.1.1. *Lösungsbeispiel*

TEXT (1) in Prosafassung:

> Dieses Buch führt in die vergleichende Metrik der antiken ('messenden') wie der neueren deutschen ('wägenden') Dichtung ein. Dabei werden nicht nur präzise quantitative Abgrenzungen klassischer und moderner Haupttypen erreicht, sondern auch kleinere Randformen des Versbaus – bis hin zum 'Limerick' – einbezogen und mit quasi naturwissenschaftlicher Genauigkeit analysiert.
>
> Der Autor:
> Helmut Kreuzer, geb. 2009, ist Ordinarius für Vergleichende Limeristik an der Gesamthochschule Siegen.

TEXT (2) als Limerick:

> In Göttingen schaffte den Hat-Trick
> Der Wagenknecht jetzt in der Metrik:
> Theorie und Geschichte
> Vereint er wie Fichte
> Und schreibt obendrein noch Belletrik!

ERLÄUTERUNGEN ZUR TERMINOLOGIE:

LIMERICK [nach irischem Ortsnamen] : Gedichtmaß mit der Reimfolge aabba. Das metrische Schema des anapästisch gebauten, scherzhaften, einleitend immer eine Person und einen Ortsnamen einführenden Gedichtes lautet:

(v)v-vv-vv-(v) a
(v)v-vv-vv-(v) a
(v)v-vv-(v)   b
(v)v-vv-(v)   b
(v)v-vv-vv-(v) a

Beispiel: In Fribourg berichtigt Hans Zeller
            Und zählt alle Kommafeller
            In Werkeditionen.
            Wir sollten's ihm lohnen;
            Denn keiner zählt Kommas heut' schneller!

3.2. Poetik des Reims

TEXT :

Ich sitze am Straßenrand.
Der Fahrer wechselt das Rad.
Ich bin nicht gern, wo ich herkomme.
Ich bin nicht gern, wo ich hinfahre.
Warum sehe ich den Radwechsel
Mit Ungeduld?

[Bertolt Brecht: Der Radwechsel. In: Ders.: Gesammelte Werke in zwanzig Bänden, Bd. 10, (c) Suhrkamp Verlag, Frankfurt a.M. 1967, S. 1009.]

AUFGABE:

Formen Sie diesen reimlosen Text auf folgende Arten um:

(1) mit wenigstens einem Stabreim und einem Binnenreim

(2) mit reinen Endreimen als
    (a) Paarreime
    (b) Kreuzreime
    (c) halbe Kreuzreime
    (d) Blockreime
    (e) Schweifreim
    (f) freie Reime mit einer Waise und zwei Körnern

(3) mit erweiterten Reimen (wahlweise als identischer, rührender, grammatischer, reicher Reim)

(4) mit wenigstens einem unreinen Reim, einem ‚eye-rhyme‘, einer Assonanz und einem Schüttelreim.

Soweit nicht schon aus der Reimform bestimmte Regularitäten hervorgehen, können Sie dabei hinsichtlich der Zahl und metrischen Gestalt der Verse nach Belieben verfahren.

ERLÄUTERUNGEN ZUR TERMINOLOGIE:

Ob bloßes Wortgeklingel, ob Signum der höchsten Freiheit im Zwang: vielfach ist der Reim der Leim des Gedichtes. Er hält es zusammen, macht es manchmal aber auch ein wenig steif.

ASSONANZ [lat.: Anklang] : Typus des partiellen Reims, bei dem allein die Vokale mindestens ab der letzten betonten Silbe übereinstimmen.

> Beispiel: Endlich auch, nach langem Ringen,
> Muß die Nacht dem Tage weichen;
> Wie ein bunter Blumengarten
> Liegt Toledo ausgebreitet.

AUSGANGSREIM: Endreim (s.u.) an den Ausgängen von mindestens zwei Verszeilen. Je nach Kombination des Endreims in der Position des Ausgangsreims kann im wesentlichen zwischen Paarreim, Kreuzreim, Blockreim, Haufenreim, Schweifreim und verschränktem Reim (alle s. u.) unterschieden werden.

BINNENREIM: Stellungsform des Endreims (s. u.), bei der wenigstens eines der Reimglieder im Versinneren steht. Zu unterscheiden sind Schlagreim, Mittenreim, Mittelreim, Inreim, Zäsurreim und Pausenreim (alle s. u.).

BLOCKREIM [auch: „Umarmender/Umschließender Reim"] : Stellungsform des Ausgangsreims (s.o.), Reimordnung der Form a b b a.

> Beispiel: Von weitem schon gefiel mir Phasis sehr:
> Nun ich sie in der Nähe
> Von Zeit zu Zeiten sehe,
> Gefällt sie mir – auch nicht von weitem mehr.

EINGANGSREIM: Stellungsform des Endreims (s. u.), bei der die Reimwörter am Eingang der Verszeilen stehen.

Beispiel: Krieg! ist das Losungswort.
            Sieg! und so klingt es fort.

ENDREIM: Übereinstimmung des phonologischen Materials wenigstens zweier Worte mindestens ab dem letzten betonten Vokal. Zu unterscheiden sind hinsichtlich der phonologischen bzw. morphologischen Struktur der reine Reim, der unreine Reim, der erweiterte Reim, der gebrochene Reim, der gespaltene Reim (alle s. u.) sowie gegebenenfalls die stumpfe bzw. klingende Kadenz (s. 3.3.).

Hinsichtlich der Stellungsform des Endreims im Verstext kann zwischen Eingangsreim, Binnenreim und Ausgangsreim (alle s.o.) unterschieden werden.

ERWEITERTER REIM: Form des Endreims (s. o.), bei der die Übereinstimmung des phonologischen Materials schon vor dem Vokal der letzten Tonsilbe beginnt.

Zu unterscheiden sind hier der identische Reim, der grammatische Reim, der rührende Reim und der reiche Reim (alle s.u.).

EYE-RHYME [engl.: Augenreim]: Übereinstimmung des graphemischen, nicht aber des phonologischen Materials zweier Reimwörter (im umgekehrten Falle ‚Ohrenreim‘).

Beispiel: Tusnelda zeigt mir ihre Blouse,
            Ihres Körpers neues House.
            Sie erschien mir wie die Duse
            Wunderschön: Applaus, Applaus!

GEBROCHENER REIM: Form des Endreims (s.o.), bei der die Versgrenze innerhalb eines Reimwortes liegt.

Beispiel: Selten reicht ein Schauer feuchter Fäule
            aus dem Gartenschatten, wo einander
            Tropfen fallen hören und ein Wander-
            vogel lautet, zu der Säule,
            die in Majoran und Koriander
            steht und Sommerstunden zeigt.

GESPALTENER REIM: Form des mehrsilbigen Endreims (s.o.), bei der sich das phonologische Material wenigstens eines der beiden Reimglieder über zwei Wörter erstreckt.

Beispiel: „Siehst du diesen Zollstock", spricht er;
„dieser Zollstock ist ein Dichter".

GRAMMATISCHER REIM: Form des erweiterten Reims (s.o.), bei der der Gleichklang auf der Wiederkehr des gleichen Wortstamms beruht.

Beispiel: Auf jenem Berg als armer Knabe
Hab' ich ein himmlisch Buch gesehn,
Und konnte nun durch diese Gabe
In alle Kreaturen sehn.

HALBREIM: Form des Endreims (s.o.), die verschärfte Unreinheit (s.u.) aufweist.
Beispiel: Mensch / monnaie de singe.

HAUFENREIM: Stellungsform des Ausgangsreims (s.o.) mit der Reimordnung a a a....a. Zu unterscheiden ist der H. vom Paarreim (s.u.) und vom Dreireim, bei dem sich der Reim dreimal findet.

Beispiel: Augen meine lieben Fensterlein
Gebt mir schon so lange holden Schein
Lasset freundlich Bild um Bild herein
Einmal werdet ihr verdunkelt sein.

IDENTISCHER REIM: Form des erweiterten Reims (s.o.), bei der der Gleichklang auf der vollständigen Übereinstimmung der beiden Reimwörter beruht.

Beispiel: Und umschmeichelt von Verfalle
senkt sie die entzundenen Lider.
Dürres Gras neigt im Verfalle
Sich zu ihren Füßen nieder.

INREIM: Endreim-Bindung eines Wortes im Versinnern mit dem Ausgangswort der Zeile.

Beispiel: Frühling soll mit süßen Blicken
Mich entzücken und berücken,
Sommer mich mit Frucht und Myrthen
reich bewirthen, froh umgürten.

KREUZREIM: Stellungsform des Ausgangsreims (s.o.) mit der Ordnung a b a b . Zu unterscheiden ist zwischen (a) vollem [abab] und (b) halbem [xaxa] Kreuzreim.

Beispiel: (a) Auf seinen Nasen schreitet
einher das Nasobem
von seinem Kind begleitet.
Es steht noch nicht im Brehm.

(b) Im wunderschönen Monat Mai,
Als alle Knospen sprangen,
Da ist in meinem Herzen
Die Liebe aufgegangen.

MITTELREIM: Endreim-Bindung zweier Wörter im Innern zweier aufeinander folgender Verse. Die Reimwörter müssen an ungefähr korrespondierender Stelle unterschiedlicher Verszeilen stehen.

Beispiel: Mir ist zu licht zum Schlafen,
Der Tag bricht in die Nacht.
Die Seele ruht im Hafen,
Ich bin so froh verwacht.

MITTENREIM: Endreim-Bindung eines Versausganges mit dem Inneren des vorhergehenden oder folgenden Verses.

Beispiel: Wenn langsam Welle sich an Welle schließet,
In breitem Bette fließet still das Leben,
Wird jeder Wunsch verschweben in den einen.

PAARREIM: Stellungsform des Ausgangsreims (s.o.) mit der Ordnung aa (bb cc. . . .).

Beispiel: Wie wilstu weisse Lilien / zu rothen Rosen machen?
Küss eine weisse Galathee, sie wird erröthet lachen.

PAUSENREIM: Endreim-Bindung des ersten und letzten Wortes einer Strophe, eines Strophenabschnittes oder einer Zeile.

Beispiel: Sieh jene Kraniche im großen Bogen!
Die Wolken welche ihnen beigegeben
Zogen mit ihnen schon als sie entflogen.

REICHER REIM: Form des erweiterten Reims (s.o.), bei der der Gleichklang schon mit der vorletzten Hebung (s. 3.3.) beginnt.

Beispiel: Komm, nun komm, Du Tugendreiche,
Zeig mir diese jugendreiche
Kindertagesstätte.

REINER REIM: Art des Endreims (s.o.) mit vollständiger Übereinstimmung des phonologischen Materials ab dem letzten betonten Vokal. Eingeschlossen sind hier auch Fälle vokalisch endender Tonsilben (nie/sie) und nebentoniger Vokale (Lebensgeister/Meister). Auch Intonationsunterschiede (frage?/sage!) spielen keine Rolle.

RÜHRENDER REIM: Form des erweiterten Reims (s. o.), bei der der Gleichklang auf Homophonie (also auf zufälliger Übereinstimmung) zweier nicht identischer oder grammatisch verbundener Wörter beruht und schon vor dem letzten betonten Vokal beginnt.

Beispiel: Bis in die Vaterstadt der Moden
Wird sie in allen Buden feil geboten
Fährt sie auf Diligencen, Packetbooten.

SCHLAGREIM: Endreim-Bindung zweier aufeinander folgender Wörter in einer Verszeile (oder einem Prosasatz).

Beispiel: Ihm ist als ob es tausend Stäbe gäbe
und hinter tausend Stäben keine Welt.

SCHÜTTELREIM: Erweiterter oder gespaltener Endreim (alle s.o.) mit chiastischer Stellung (s.o. 2.2.) der anlautenden Konsonanten.

Beispiel: Weil die beiden Moppel dort
Gar so gräßlich zwiegesungen,
Hat durch einen Doppelmord
Man zum Schweigen sie gezwungen.

SCHWEIFREIM: Stellungsform des Ausgangsreims (s.o.) in der Ordnung aab ccb (ddb...).

Beispiel: Innsbruck, ich muß dich lassen,
ich fahr dahin mein Straßen,
in fremde Land dahin.
Mein Freud ist mir genommen,
die ich nit weiß bekommen,
wo ich im Elend bin.

STABREIM: Übereinstimmung allein der Anlaute metrisch akzentuierter Silben (im Unterschied zur Prosa-Alliteration; s.o. 2.2.).

Beispiel: Winterstürme wichen
dem Wonnemond -
in mildem Lichte
leuchtet der Lenz; (...)

UNEBENER REIM: Sonderform des unreinen Reims (s.u.), bei der im Gegensatz zum korrekten Endreim ein deutlicher Unterschied zwischen den Akzentgewichten der Reimsilben vorliegt.

Beispiel: Er wurd beschimpft drum, wie ich heute las
Wie einst der Paris wegen Helenas.

UNREINER REIM: Form des Endreims (s.o.), die leicht geminderte Übereinstimmung des phonologischen Materials aufweist. Neben dem Halbreim (s.o.) und dem unebenen Reim (s.o.) sind vor allem Unreinheiten zwischen (a) Vokalen und (b) Konsonanten in analogen Positionen der Reimwörter zu nennen.
(a) Die Unreinheiten im Vokalbereich werden hervorgerufen durch:
– unterschiedliche Lippenrundung (Blick/Glück)
– unterschiedliche Länge (ruft/Luft)
(b) Die Unreinheiten im konsonantischen Bereich werden hervorgerufen durch:
– unterschiedliche Stimmhaftigkeit (kälter/Wälder)
– unterschiedliche, aber klangähnliche Konsonanten (geschwommen/ begonnen)

VERSCHRÄNKTER REIM: Form des Ausgangsreims (s.o.) mit der Ordnung abc abc.

Beispiel: Aus den Knospen, die euch deckten,
Süße Rosen, mein Entzücken,
Lockte euch der heiße Süd.
Doch die Gluten, die euch weckten,
Drohen jetzt euch zu ersticken,
Ach, ihr seid schon halb verblüht.

WAISE: Reimloser Vers im Reimgedicht. Strophenweise miteinander reimende Waisen heißen „Körner".

ZÄSURREIM: Endreim-Bindung eines durch Zäsur im Versinneren (s. 3.3.) entstandenen ersten Versabschnittes mit dem Versende.

Beispiel: Ich seh, wohin ich <u>seh</u> / nur weißen, kalten <u>Schnee</u>.

3.3. Poetik des metrisch regulierten Verses

TEXT (1) :

„Der Forscher fand nicht selten mehr, als er
Zu finden wünschte." – Ist es doch, als ob
In meiner Seel' er lese! – Wahrlich ja; (...)

[aus: Gotthold Ephraim Lessing: Nathan der Weise. In: Ders.: Werke, hrsg. v. G. Göpfert, Bd. 2, München 1972, S. 205–347, hier S. 256.]

TEXT (2) :

Der Purpur war entzwey / ihr kleid lag gantz zurissen:
Die Brust und Armen bloß / sie stund auff blossen Füssen.
Kein Demant / kein Rubin / umbgab ihr schönes haar
Das leider gantz zuraufft / und naß von Thränen war.

[aus: Andreas Gryphius: Leo Arminius. Trauerspiel. In: Ders.: Gesamtausgabe der deutschsprachigen Werke, hrsg. v. M. Szyrocki u. H. Powell, Bd. 5, Tübingen 1965, S. 77.]

TEXT (3) :

Hermann eilte zum Stalle sogleich, wo die mutigen Hengste
Ruhig standen und rasch den reinen Hafer verzehrten
Und das trockene Heu, auf der besten Wiese gehauen.

[aus: Johann Wolfgang Goethe: Hermann und Dorothea. In: Goethes Werke, Hamburger Ausgabe in 14 Bänden, Bd. 2, 8. Aufl. Hamburg 1967, S. 437–514, hier S. 474.]

AUFGABE:

Formen Sie diese Texte in folgender Weise metrisch um:
(a) die Blankverse in Alexandriner (mit wenigstens einem Anapäst);
(b) die Hexameter in Blankverse (mit einer stumpfen und einer klingenden Kadenz, mit einem Zeilensprung sowie mit wenigstens einem auftaktigen und einem auftaktlosen Versanfang);
(c) die Alexandriner in Hexameter (mit wenigstens einem Trochäus und einem Spondeus an zulässiger Stelle).
Sie können dabei nach Belieben von ‚poetischen Lizenzen' wie Vokal-Elision und Vokal-Einfügung oder syntaktischer Inversion Gebrauch machen.

ERLÄUTERUNGEN ZUR TERMINOLOGIE:

„Fürwahr, die Metrik ist rasend schwer; es gibt vielleicht sechs oder sieben Männer in Deutschland, die ihr Wesen verstehen", soll Heinrich Heine gesagt haben. Eine allgemeine Klopfkunde, wie sie hier vorgestellt wird, sollte diesen numerischen wie geschlechtsspezifischen Notstand beheben.

VERSFUSS: Wiederkehrendes Element eines Versmaßes. Dieses Element bezeichnet in der deutschen Dichtung eine spezifische Kombination betonter und unbetonter Silben (= Hebungen, die mit einem Querstrich „–" wiedergegeben werden, und Senkungen, die mit einem Keil „v" wiedergegeben werden; das Kreuzchen „x" bezeichnet eine Silbe, die metrisch fallweise als Hebung oder aber als Senkung zu verrechnen ist; das Apostroph „ ' " dient als Zeichen für den Wortschluß, der Schrägstrich „/" für den Kolonschluß; eine metrische Position, die auch unbesetzt bleiben kann, wird durch eine Klammer „( )" gekennzeichnet). In der deutschen Versdichtung sind vor allem folgende Versfüße im Gebrauch:
Jambus: **v**–
Trochäus: –**v**
Daktylus: –**vv**
Anapäst: **vv**–
Spondeus: – –

In antikisierenden Versen begegnen gelegentlich auch:
Amphibrachus: v–v
Kretikus: –v–
Choriambus: –vv–
Tonikus: vv– –

Die Unterscheidung zwischen hebungsfordernden und senkungsfordernden Silben orientiert sich an Betonungsregeln, die bedeutungsunabhängig und auch unabhängig von Vers und Prosa gelten. Neben die hebungsfordernden und die senkungsfordernden Silben lassen sich die hebungs- und senkungsfähigen Silben stellen (z.B. alle einsilbigen Wörter). Lassen sich die Betonungsverhältnisse nicht schon allein mit Hilfe des Lexikons klären, so gilt folgende Faustregel: Im metrischen Sinne ,schwer' ist eine Silbe dann, wenn sie schwerer, und ,leicht', wenn sie leichter ist als ihre unmittelbare Nachbarschaft.

VERSMASS: Metrisches Muster, das sich einer Verszeile unterlegen läßt. Anzugeben ist je nach Art des metrischen Systems die Anzahl der Silben bzw. der jeweiligen Größen (z.B. der Versfüße) sowie ggf. die Bildung von Reimen.

STROPHENMASS: Metrisches Muster, das sich einer graphisch abgegrenzten Gruppe von zwei oder mehr Verszeilen eines Verstextes unterlegen läßt. Anzugeben sind Art und Anzahl der Verse sowie ggf. die Art der Reimbindung.

GEDICHTMASS: Metrisches Muster, das sich über die bloße Wiederholung von Strophenmaßen hinaus einem Gedicht als ganzem unterlegen läßt. Wiederum sind Anzahl und Art der Verse, ggf. der Strophen sowie ggf. die Art der Reimbildung anzugeben.

KOLON: Durch Pausen (graphisch oft durch Satzzeichen) begrenzter Teil eines Satzes. Die Kolongrenze markiert (a) metrisch geforderte Zäsuren oder auch (b) rhythmisch fakultative Sprechpausen.

ZÄSUR: Metrisch geregelter Wort- oder Kolonschluß im Innern eines Verses. So z.B. beim Alexandriner nach der sechsten Silbe oder beim Trimeter an variabler Stelle.

KADENZ: Gestalt des Versendes. Zu unterscheiden sind (a) stumpfe Kadenz (letzte Silbe betont) und (b) klingende Kadenz (letzte Silbe unbetont); nach französischem Vorbild, aber im Deutschen irreführend, auch „männliche/weibliche Kadenz" genannt.

Beispiel: (a) Eene meene muh
(b) Die trabenden Pferde

KATALEXE: Verkürzung eines vorgeschriebenen Versfußes am Versende (a) um (wenigstens) ein Element. Endet der Vers mit einem vollständigen Versfuß (b), so bezeichnet man ihn als „akatalektisch"; endet er mit einem erweiterten Versfuß (c), so bezeichnet man ihn als „hyperkatalektisch".

Beispiel: (a) Der Not gehorchend, nicht dem Trieb
(b) Der Not gehorchend, nicht dem eignen Trieb
(c) Der Not gehorchend, nicht den eignen Hoffnungen

ENJAMBEMENT [frz.: ‚Übersprung'] : Fortführung der syntaktischen Einheit über die metrische Grenze am Versende als (a) ZEILENSPRUNG oder am Strophenende als (b) STROPHENSPRUNG hinweg. Enden die syntaktischen Einheiten des Verstextes überwiegend je mit der Kadenz, so kann man von ZEILENSTIL sprechen; dagegen von HAKENSTIL, wenn die Enjambements deutlich überwiegen.

Beispiel: (a) Aufsteigt der Strahl und fallend gießt
Er voll der Marmorschale Rund,
Die, sich verschleiernd, überfließt
In einer zweiten Schale Grund.

(b) Eine große Stadt versank in gelbem Rauch,
Warf sich lautlos in des Abgrunds Bauch.
Aber riesig über glüh'nden Trümmern steht,
Der in wilde Himmel dreimal seine Fackel dreht.

Über sturmzerfetzter Wolke Widerschein,
In des toten Dunkels kalten Wüstenein,
Daß er mit dem Brande weit die Nacht verdorr',
Pech und Schwefel träufelt unten auf Gemorrh.

AUFTAKT: Vers-Beginn, der auftaktig (z.B. jambisch) oder auftakt-los (z.B. trochäisch) sein kann.

RHYTHMUS: Zusammenwirken von metrischem Schema und sprach-licher Verwirklichung (insbesondere durch Kolon-Folge) ei-nes Verstextes.

SKANSION: Art des Gedicht-Vortrags, die den metrischen Charakter des Verstextes hervorhebt.

REZITATION: Art des Gedichtvortrags, die die semantisch-syntakti-sche Struktur eines Gedichtes hervorhebt.

STICHISCH: Ordnung eines Verstextes, die allein durch metrisch gleichgebaute Zeilen bestimmt wird (z.B. beim Blankvers, s.u.), nicht aber außerdem durch z.B. strophische Organisa-tion. (Im Versdrama spricht man von ‚Stichomythie', wenn die Verse auf Personen des Stückes streckenweise strikt ab-wechselnd, also ‚stichisch' verteilt sind; und von einer ‚Anti-labe', wenn ein Vers auf mehrere Personen aufgeteilt wird.)

BLANKVERS: Fünfhebig jambisches und ungereimtes Versmaß; der erste Jambus kann dabei regelmäßig durch einen Trochäus ersetzt werden.

Formel: v-v-v-v-v-(v)

Beispiel: Der Not gehorchend, nicht dem eignen Trieb(e).

HEXAMETER: Versmaß, bestehend aus sechs Daktylen, deren erste vier durch Spondeen oder Trochäen ersetzt werden können und deren letzter katalektisch (also trochäisch) ist.

Formel: -v̄(v) -v̄(v) -v̄(v) -v̄(v) -vv -x

Beispiel: Hoch zu Flammen entbrannte die mächtige Lohe noch einmal.

PENTAMETER [griech. Fünffüßler] : Versmaß (s.o.) nach antikem Vorbild, in seiner deutschen (akzentuierenden statt längen-messenden) Variante bestehend aus sechs (!) Daktylen, deren erste zwei durch Spondeen (bei freier Nachahmung durch Trochäen) ersetzt werden können und deren dritter und sech-ster senkungslos (katalektisch, s.o.) sind. Vorgeschrieben ist Zäsur nach dem dritten Fuß.

Formel: - v̄(v) - v̄(v) - ' - vv - vv -

Beispiel: (Im Hexameter steigt des Springquells flüssige Säule,)

Im Pentameter drauf fällt sie melodisch herab.

ALEXANDRINER: Zwölf- oder dreizehnsilbiges Versmaß mit Zäsur (durch Kolongrenze) nach der sechsten Silbe. Der Heroische Alexandriner ist durch Paarreim, der Elegische Alexandriner durch Kreuzreim gebunden. Im Deutschen baut sich der A. aus sechs Jamben auf.

Formel: v-v-v-/v-v-v-(v)

Beispiel: Wir sind doch nunmehr ganz, ja mehr denn ganz verheeret.

3.4. Poetik der metrisch regulierten Strophe

TEXT (1) :

Noch spür ich ihren Atem auf den Wangen:
Wie kann das sein, daß diese nahen Tage
Fort sind, für immer fort, und ganz vergangen?

Dies ist ein Ding, das keiner voll aussinnt,
Und viel zu grauenvoll, als daß man klage:
Daß alles gleitet und vorüberrinnt.

Und daß mein eignes Ich, durch nichts gehemmt,
Herüberglitt aus einem kleinen Kind
Mir wie ein Hund unheimlich stumm und fremd.

Dann: daß ich auch vor hundert Jahren war
Und meine Ahnen, die im Totenhemd,
Mit mir verwandt sind wie mein eignes Haar,

So eins mit mir als wie mein eignes Haar.

[Hugo von Hofmannsthal: Terzinen über Vergänglichkeit. In: Ders.: Gedichte und Lyrische Dramen, (c) Insel Verlag, Frankfurt a. M. 1963 (= Gesammelte Werke in Einzelausgaben), S. 17f.]

TEXT (2) :

Liebe, Liebreiz, Winke der Gunst und Alles,
Was ein Herz darbeut und ein Herz erwidert,
Wenig frommt's, leiht nicht die Gelegenheit ihm
    Atem und Dasein.

Dich zu sehn schien Fülle des Glücks, und bebend
Staunt ich dir, traumähnliches Bild der Schönheit!
Nie an Wuchs, Antlitz und Gestalt erblickt ich
    Diese Vollendung!

Deiner Form wollüstige Reize könnten
Heißern Wunsch aufregen; allein zur Erde
Senkt sogleich anbetenden Sinn des Auges
    Ewige Hoheit.

[aus: August Graf von Platen: Liebe, Liebreiz. In: Ders.: Werke in
zwei Bänden, hrsg. v. K. Wölfel u. J. Link, Bd. 1, München 1982,
S. 471.]

TEXT (3) :

„Ich hab es getragen sieben Jahr,
Und ich kann es nicht tragen mehr!
Wo immer die Welt am schönsten war,
Da war sie öd und leer.

Ich will hintreten vor sein Gesicht
In dieser Knechtsgestalt,
Er kann meine Bitte versagen nicht.
Ich bin ja worden alt.

Und trüg er noch den alten Groll,
Frisch wie am ersten Tag,
So komme, was da kommen soll,
Und komme, was da mag."

[aus: Theodor Fontane: Archibald Douglas. In: Ders.: Sämtliche
Werke, Bd. 20: Balladen und Gedichte, hrsg. v. E. Groß u. K. Schrei-
nert, München 1952, S. 85.]

108

TEXT (4):

Ihr naht euch wieder, schwankende Gestalten,
Die früh sich einst dem trüben Blick gezeigt.
Versuch' ich wohl, euch diesmal festzuhalten?
Fühl' ich mein Herz noch jenem Wahn geneigt?
Ihr drängt euch zu! nun gut, so mögt ihr walten,
Wie ihr aus Dunst und Nebel um mich steigt;
Mein Busen fühlt sich jugendlich erschüttert
Vom Zauberhauch, der euren Zug umwittert.

[aus: Johann Wolfgang Goethe: Faust. Eine Tragödie. In: Goethes Werke. Hamburger Ausgabe in 14 Bänden, Bd. 3, Hamburg 1967, S. 9.]

AUFGABE:

Formen Sie diese Texte in folgende Strophenformen um:
(a) die Stanzenstrophe nach Wahl in Chevy-Chase- oder aber in Vaganten-Strophen;
(b) die Chevy-Chase-Strophen abwechselnd in alkäische, asklepiadeische und sapphische Odenstrophen;
(c) die Odenstrophen (Typus?) in eine Stanze
(d) die Terzinen in Distichen

ERLÄUTERUNGEN ZUR TERMINOLOGIE:

CHEVY-CHASE-STROPHE [nach der englischen Volksballade „Chevy Chase"] : Vierzeiliges Strophenmaß (s.o.) aus abwechselnd vierhebig und dreihebig stumpfen Versen mit Kreuzreim-Bindung.

Beispiel: Das Wasser rauscht, das Wasser schwoll,
Ein Fisch saß daran,
Sah nach der Angel ruhevoll,
Kühl bis ans Herz hinan.

VAGANTEN-STROPHE [nach der spätmittelalterlichen ‚Vagantenlyrik' fahrender Akademiker] : Vierzeiliges Strophenmaß (s.o.) aus abwechselnd vierhebig stumpfen und dreihebig klingenden Versen mit halber oder ganzer Kreuzreim-Bindung.

Beispiel:　Die Glocke, Glocke tönt nicht mehr,
　　　　　　Die Mutter hat gefackelt.
　　　　　　Doch welch ein Schrecken! Hinterher
　　　　　　Die Glocke kommt gewackelt.

ASKLEPIADEISCHE ODE [nach dem griech. Dichter Asklepiades] :
Strophenmaß (s.o.) nach antikem Vorbild, bestehend aus vier
reimlosen Versen, in seiner deutschen (akzentuierenden statt
längenmessenden) Variante gewöhnlich dem Schema folgend:

-v-vv-'-vv-v-
-v-vv-'-vv-v-
-v-vv-v
-v-vv-v-

Beispiel:　Schön ist, Mutter Natur, deiner Erfindung Pracht
　　　　　　Auf die Fluren verstreut, schöner ein froh Gesicht,
　　　　　　Das den großen Gedanken
　　　　　　Deiner Schöpfung noch Einmal denkt.

ALKÄISCHE ODE [nach dem griech. Dichter Alkaios] : Strophenmaß
(s.o.) nach antikem Vorbild, bestehend aus vier reimlosen
Versen, in seiner deutschen (akzentuierenden statt längenmessenden) Variante gewöhnlich dem Schema folgend:

v-v-v'-vv-v-
v-v-v'-vv-v-
v-v-v-v-v
-vv-vv-v-v

Beispiel:　Wie Hebe, kühn und jugendlich ungestüm,
　　　　　　Wie mit dem goldnen Köcher Latonens Sohn,
　　　　　　Unsterblich sing ich meine Freunde
　　　　　　Feyrend in mächtigen Dithyramben.

SAPPHISCHE ODE [nach der griech. Dichterin Sappho] : Strophenmaß (s.o.) nach antikem Vorbild, bestehend aus vier reimlosen Versen, in seiner deutschen (akzentuierenden statt längen-
messenden) Variante gewöhnlich dem Grundschema (mit
verschiebbarem Daktylus in den Versen 1–3) folgend:

-v(v)-v-v-v
-v-v(v)-v-v
-v-v-v(v)-v-v
-vv-v

Beispiel: Ring des Saturns, entlegner, ungezählter
            Satelliten Gedräng, die um den großen
            Stern sich drehn, erleuchtet, und leuchtend, droben
            Wandeln im Himmel.

STANZE [ital. stanza: Strophe] : Strophenmaß (s.o.) nach ital. Vorbild, in seiner deutschen (akzentuierenden statt silbenzählen-
den) Variante bestehend aus acht fünfhebig alternierenden
Versen (statt aus acht ‚endecasillabi‘, Elfsilblern) in der Reimordnung ab ab ab cc. Spielarten der Stanze sind die Siziliane
(Reim: ab ab ab ab) und die Spenser-Stanze (nach dem engl.
Shakespeare-Zeitgenossen Edmund Spenser; Reim: ab ab bc bc).

Beipiel: Die Muse schweigt, mit jungfräulichen Wangen,
            Erröthen im verschämten Angesicht,
            Tritt sie vor dich, ihr Urtheil zu empfangen,
            Sie achtet es, doch fürchtet sie es nicht.
            Des Guten Beifall wünscht sie zu erlangen,
            Den Wahrheit rührt, den Flimmer nicht besticht.
            Nur wem ein Herz, empfänglich für das Schöne,
            Im Busen schlägt, ist werth, daß er sie kröne.

DISTICHON [griech.: Zweiversler] : Strophenmaß (s.o.) nach antikem Vorbild, bestehend aus einem Hexameter und einem
Pentameter (s.o. 3.3) – also, trotz der Namen, im Deutschen
aus zwei sechshebigen Versen.

Beispiel: Im Hexameter zieht der ästhetische Dudelsack Wind ein;
            Im Pentameter drauf läßt er ihn wieder hinaus.

TERZINEN: Gedichtmaß (s.o.) nach ital. Vorbild, deren dreizeilige
Strophen nach dem Reimschema aba bcb cdc...yzy z miteinander verbunden sind.

Beispiel: Die Stunden! wo wir auf das helle Blauen
            Des Meeres starren und den Tod verstehn
            So leicht und feierlich und ohne Grauen,

            Wie kleine Mädchen, die sehr blass aussehn,
            Mit großen Augen, die immer frieren,
            An einem Abend stumm vor sich hinsehn

            Und wissen, daß das Leben jetzt aus ihren
            Schlaftrunk’nen Gliedern still hinüberfließt
            In Bäum’ und Gras, und sich matt lächelnd zieren,

            Wie eine Heilige die ihr Blut vergießt.

3.5. Poetik der metrisch regulierten Gedichtform

TEXT (1) :

Sonette find ich sowas von beschissen,
so eng, rigide, irgendwie nicht gut;
es macht mich ehrlich krank zu wissen,
daß wer Sonette schreibt. Daß wer den Mut

hat, heute noch so'n dumpfen Scheiß zu bauen;
allein der Fakt, daß so ein Typ das tut,
kann mir in echt den ganzen Tag versauen.
Ich hab da eine Sperre. Und die Wut

darüber, daß so'n abgefuckter Kacker
mich mittels seiner Wichserein blockiert,
schafft in mir Aggressionen auf den Macker.

Ich tick nicht, was das Arschloch motiviert.
Ich tick es echt nicht. Und wills echt nicht wissen:
Ich find Sonette unheimlich beschissen.

[Robert Gernhardt: Materialien zu einer Kritik der bekanntesten Gedichtform italienischen Ursprungs. In: Ders.: Wörtersee, Frankfurt a.M. 1984, S. 313; Abdruck mit freundlicher Genehmigung des Verfassers.]

TEXT (2) :

1. Ich hab Vierzehn Anzüg' theils licht und theils dunckel,
Die Frack und die Pantalon, Alles von Gunckel,
Wer mich anschaut, dem kommt das g'wiß nicht in Sinn,
Daß ich trotz der Gard'rob ein Zerrissener bin.
Mein Gemüth ist zerrissen [,] da is Alles zerstückt,
Und ein zerriss'nes Gemüth wird ein nirgends geflickt,
Und doch – müßt' i erklär'n wem den Grund von mei'm
   Schmerz,
So stundet ich da, wie's Mandl beym Sterz.
Meiner Seel, 's is a fürchterlich's G'fühl,
Wenn man selber nicht weiß, was man will.

2. Bald möcht' ich die Welt durchflieg'n ohne zu rasten,
Bald is mir der Weg z'weit vom Tisch bis zum Kasten;
Bald lad' ich mir Gäst' a Paar Dutzend in's Haus,
Und wie's da seyn, so werfet ich's gern alle h'naus.
Bald eckelt mich's Leb'n an, nur's Grab find ich gut,
Gleich d'rauf möcht' ich so alt wer'n als der ewige Jud;
Bald hab' ich die Weiber alle bis daher satt,
Gleich drauf möcht' ich ein Türck seyn, der's hundertweis' hat;
Meiner Seel, 's is a fürchterlich's G'fühl,
Wenn man selber nicht weiß, was man will.

[aus: Johann Nestroy: Der Zerrissene. Posse mit Gesang. In: Hist.-krit. Ausgabe, Stücke 21, hrsg.v. J. Hein, Wien u. München 1985, S. 34.]

TEXT (3) :

DIE JOURNALISTEN

Wie unberufen bunt sie es doch treiben
mit der Berufsmacht und den Gottesgaben:
sie schreiben, weil sie nichts zu sagen haben,
und haben was zu sagen, weil sie schreiben.

[aus: Karl Kraus: Worte in Versen, Neudruck München 1959, S. 452.]

AUFGABE:

Formen Sie (a) das Epigramm in ein Sonett (wahlweise als Petrarca- oder als Shakespeare-Sonett), (b) das Sonett in ein Couplet (wahlweise mit festem Kehrreim oder mit variiertem Refrain) und (c) das Couplet in ein Epigramm um.

ERLÄUTERUNGEN ZUR TERMINOLOGIE:

SONETT [ital. sonetto: Klinggedicht] : 14zeiliges Gedichtmaß, das sich in der Regel in zwei Quartette (das Oktett) und zwei Terzette (das Sextett) aufgliedert. Zu unterscheiden sind vor allem
(a) das Italienische Sonett (Petrarca-Sonett), das bei Kreuz- oder Blockreimordnung im Oktett (in der strengen Form

113

immer mit zwei gleichen Reimklängen im ersten und zweiten Quartett: abba abba oder abab abab) die Sextettordnungen cdc/dcd oder cde/cde aufweist;

(b) das Englische Sonett (Shakespeare-Sonett), das aus drei Quartetten mit Kreuzreimbindung und einem abschließenden Reimpaar besteht;

(c) das Französische Sonett, das bei Blockreimordnung im Oktett die Sextettordnungen ccd/eed oder ccd/ede zeigt.

(d) Das Schweifsonett (,sonetto colla coda') weist mehr als zwei Terzette auf; die zusätzlichen Terzette nach dem 14. Vers werden jeweils mit einer einleitenden Halbzeile an den Schlußreim des vorigen Terzetts angeschlossen (also z.B. abba abba ccd eed d'ff (f'gg g'...)).

Beispiel: (a) Sich in erneutem Kunstgebrauch zu üben
Ist heil'ge Pflicht, die wir dir auferlegen.
Du kannst dich auch, wie wir, bestimmt bewegen
Nach Schritt und Tritt, wie es dir vorgeschrieben.

Denn eben die Beschränkung läßt sich lieben,
Wenn sich die Geister gar gewaltig regen;
Und wie sie sich denn auch gebärden mögen,
Das Werk zuletzt ist doch vollendet blieben.

So möcht' ich selbst in künstlichen Sonetten,
In sprachgewandter Maßen kühnem Stolze,
Das beste, was Gefühl mir gäbe, reimen;

Doch weiß ich hier mich nicht bequem zu betten,
Ich schneide sonst so gern aus ganzem Holze,
Und müßte nun doch auch mitunter leimen.

EPIGRAMM [griech.: Inschrift] : Nichtfiktionaler Verstext (in der Regel von 2–8 Versen, z.B. als eleg. Distichon; meist mit einer Überschrift, die die gemeinte Person bzw. Gruppe bzw. Sache ausdrücklich benennt), der zusätzlich mindestens eines der drei folgenden Merkmale aufweist:

(a) konziser, also extrem verknappender bis aussparender Stil;
(b) eine sprachliche Pointe; (c) eine sachliche Pointe (s.o. 2.1.).

Beispiel: Auf das Jungfernstift zu **
Denkt wie gesund die Luft, wie rein
Sie um das Jungfernstift muß sein.
Seit Menschen sich entsinnen,
Starb keine Jungfer drinnen.

COUPLET: Liedform mit isometrisch gebauten (meist, aber nicht notwendigerweise gereimten) Strophen, denen jeweils ein im Wortlaut variierender Refrain (s.u.) oder ein in der semantischen Akzentuierung variierender Kehrreim (s.u.) folgt.

Beispiel:　Ich weiß ein', der hat Aug' wie a Falk,
　　　　　Auf hundert Schritt sieht er's gleich: der is a Dalk,
　　　　　Vom Universum das Zettl, das lest er in der Finster,
　　　　　Vom Kahlenberg sieht er, wieviel Uhr als in Kremsmünster.
　　　　　Gibt sich eine für jung aus, kennt er's auf a halbs Jahr,
　　　　　Der hat halt a scharfes Gesicht offenbar.

　　　　　Ich weiß einen Herrn, der hört alles genau,
　　　　　Was in der Stadt g'red't wird über ihn, über d' Frau,
　　　　　Wenn zwei miteinander was heimliches dischkrieren,
　　　　　Am Schlüsselloch hört er's, durch doppelte Türen,
　　　　　Die Länge seiner Ohren schon zeigt deutlich klar,
　　　　　Der Mann hat ein gutes Gehör offenbar.
　　　　　(...)

KEHRREIM: Vollständige Wortübereinstimmung von Versen in allen analogen Positionen strophischer Gedichte. Zu unterscheiden sind der (a) Tonkehrreim, der (b) Wortkehrreim und die (c) Kehrstrophe.

Beispiel: (a)　lalala, vallerallalla
　　　　　(b)　Röslein, Röslein, Röslein rot
　　　　　(c)　Sing man tau, sing man tau
　　　　　　　Von Herrn Pastor sin Kau, jau, jau
　　　　　　　Sing man tau, sing man tau
　　　　　　　Von Herrn Pastor sin Kau.

REFRAIN: Annähernde Wortübereinstimmung von Versen in allen analogen Positionen strophischer Gedichte. Die leichten Abwandlungen im Wortlaut betreffen zuweilen nur den syntaktischen Anschluß, sind jedoch in der Regel ähnlich semantisch pointiert wie bei den vergleichbaren Figuren des Wortspiels und der Anspielung (s.o. 2.8.).

Beispiel:　(...)
　　　　　Sein Reich, es ist von dieser Welt
　　　　　　dort, wo der Regen nach oben fällt
　　　　　　　da ist sein Land

　　　　　(...)
　　　　　Dein Reich wird sein von dieser Welt
　　　　　　dort, wo der Regen nach oben fällt
　　　　　　　wird sein dein Land

3.6. Poetik des metrisch freien Gedichts

TEXT (1) :

In der Postchaise den 10. Oktober 1774

Spude dich, Kronos!
Fort den rasselnden Trott!
Bergab gleitet der Weg;
Ekles Schwindeln zögert
Mir vor die Stirne dein Haudern.
Frisch den holpernden
Stock Wurzeln Steine den Trott
Rasch in's Leben hinein! (...)

Töne, Schwager, dein Horn,
Raßle den schallenden Trab,
Daß der Orkus vernehme, ein Fürst kommt,
Drunten von ihren Sitzen
Sich die Gewaltigen lüften.

[aus: Johann Wolfgang Goethe: An Schwager Kronos. In: Goethes
Werke, Hamburger Ausgabe in 14 Bänden, Bd. 1, 8. Aufl. Hamburg
1966, S. 47f.]

TEXT (2) :

Ich hab mich verruckht unnd hab mich verrenckht.
Got, den herrn, hat mann gehenckht.
schadt Ime sein henckhen nichts,
so schadt auch mir mein verrenckhen nichts.

solls dreymal sprechen und allweg ain chraycz uber den
schmercz machen, drey vatter unser und ain glauben in sein
heligs leyden betten.

[Der Treuchtlinger: Für verrencken des treichtlingers segen. In: Epochen der deutschen Lyrik, Bd. 2, hrsg. v. E. und H. Kiepe, München
1972, S. 385.]

116

TEXT (3) :

DAS BROT DER HUNGERNDEN IST AUFGEGESSEN
Das Fleisch kennt man nicht mehr. Nutzlos
Ist der Schweiß des Volkes vergossen.
Die Lorbeerhaine stehen
Abgeholzt.

Aus den Schloten der Munitionsfabriken
Steigt Rauch.

[Bertolt Brecht: Das Brot der Hungernden. In: Ders.: Gesammelte
Werke in zwanzig Bänden, Bd. 9, (c) Suhrkamp Verlag, Frankfurt a.M.
1967, S. 633.]

AUFGABE:

Formen Sie (a) die Freien Knittelverse in Freie Rhythmen um, (b)
die Freien Rhythmen in Freie Verse (‚reimlose Verse mit unregelmäßigen Rhythmen‘) und (c) die Freien Verse in (nach Wahl: Freie
oder Strenge) Knittelverse.

ERLÄUTERUNGEN ZUR TERMINOLOGIE:

FREIE RHYTHMEN: Gedichte ohne Reimbindung und strophische
Ordnung sowie auch ohne durchgehendes Versmaß, die sich
allerdings klassisch verbürgter, wiewohl frei behandelter und
oft von Vers zu Vers wechselnder Versmaße (vor allem der
antikisierenden Odendichtung) bedienen. Typisch ist ein hym-
nischer Stil (im ‚genus sublime‘, s.o. 2.18.) in diesen Gedich-
ten.

Beispiel: Nicht in den Ozean der Welten alle
           Will ich mich stürzen! schwebe nicht
           Wo die ersten Erschaffnen, die Jubelchöre der Söhne des
                                                              Lichts
           Anbeten, tief anbeten und in Entzückung vergehn!

KNITTELVERS: Wichtigstes Versmaß der epischen und dramatischen
Dichtung des 16. Jahrhunderts. Zu unterscheiden sind (a) der
Freie Knittelvers (mit freier Silbenzahl) und (b) der Strenge

117

Knittelvers (mit fester Silbenzahl: acht oder neun). In beiden Spielarten ist der Paarreim vorgeschrieben. In späteren Verwendungen (nach Opitz) wird der Freie Knittelvers vierhebig und der Strenge jambisch reguliert.

Beispiel: (a) Der tüfel hätt mich vnder die wyber tragenn
sy hend mich gerouft gstossen tretten geschlagen
gestreckt ich möchte zerbrochen syn
ist in der höllen sölich pin
(...)

(b) Erhalt vns HErr bey deinem Wort,
Vnd steur des Bapsts vnd Türcken Mord
Die Jhesum Christum deinen Son,
Wolten stürtzen von deinem Thron.

FREIE VERSE [nach Brecht auch: „Reimlose Verse mit unregelmäßigen Rhythmen"]: Gedichte ohne Reimbindung, strophische Ordnung und durchgehendes Versmaß. Dabei erfüllt der – durch abweichende Interpunktion und folgende Großschreibung noch immer akzentuierte – Einschnitt des Zeilenendes wenigstens einmal pro Strophe bzw. pro Gedicht semantisch pointierende („gestische') Funktion. Es handelt sich hier also um ein (von Bertolt Brecht entwickeltes) Verfahren, das Skansion (s.o. 3.3.) und Rezitation (s.o. 3.3.) miteinander vermischt.

Beispiel: Ihr aber, wenn es so weit sein wird
Daß der Mensch dem Menschen ein Helfer ist
Gedenkt unsrer
Mit Nachsicht.

3.7. Poetik des außermetrischen Gedichts

AUFGABE:

Parodieren Sie unter freier Wahl des Themas die drei folgenden, in den Texten (1) – (3) exemplifizierten Typen von Konkreter Poesie.
(a) ein Lautgedicht (mit onomatopoetischer Mikro- und/oder Makrostruktur);
(b) ein Figurengedicht (mit Visualisierung durch Superisation);
(c) eine Konstellation (mit Iteration und/oder Permutation).

TEXT (1) :

Jesus / der ein Nazarener /
Judenkönig/Weltversohner.

Die Dornenstachelkrone
Wird Christus aufgesetzt
Zu bitterm Spott uñ Hone/
Die ihm sein Haubt verletzt.
Es ist der Arme bandmordgrimmiglich zerzerret/
Dem Leben ist der Weg zum Lebenweg versperret/
Die marmelweisseBrust mit einẽSpeer durchstochen/
Dadurch man sehen kan sein Bruderhertze pochen.
Der Leichnam blutet/
Mit Blut beflutet/
Die Knie gebogen/
Sind ausgesogen/
Die Beine sinken/
Dem Tode winken/
Die vormals eilten/
Die Beine heilten/
Gestdlte Spitzen
Die Füsse ritzen.
Herr Klaj fält nieder
Besingt die Glieder/
Die vor ihm tragen
Der SündenPlagen.
In jenem Leben
Wird ihm zu Lohne
Der Heiland geben
Die Lebenskrone.
Er wird Gott loben
Nach dem Elende
Im Himmel oben
Ohn alles

ENDE.

[Rudolf Karl Geller: Jesus / der ein Nazarener. In: Epochen der deutschen Lyrik, Bd. 4, hrsg. v. Chr. Wagenknecht, München 1969, S. 157.]

119

TEXT (2) :

schtzngrmm	grrt
schtzngrmm	grrrrrt
t-t-t-t	grrrrrrrrrt
t-t-t-t	scht
grrrmmmmm	scht
t-t-t-t	t-t-t-t-t-t-t-t-t
s------c------h	scht
tzngrmm	tzngrmm
tzngrmm	tzngrmm
tzngrmm	t-t-t-t-t-t-t-t-t
grrrmmmmm	scht
schtzn	scht
schtzn	scht
t-t-t-t	scht
t-t-t-t	scht
schtzngrmm	grrrrrrrrrrrrrrrrrrrrrrrrrrrrrrr
schtzngrmm	t-tt
tsssssssssssss	

[Ernst Jandl: schtzngrmm. In: Ders.: für alle, (c) Luchterhand Literaturver-
lag, Darmstadt u. Neuwied 1974, S. 234.]

TEXT (3) :

schweigen schweigen schweigen
schweigen schweigen schweigen
schweigen   schweigen
schweigen schweigen schweigen
schweigen schweigen schweigen

[Eugen Gomringer: schweigen. In: Ders.: worte sind schatten. die
konstellationen 1951, Reinbek 1969, S. 27.]

ERLÄUTERUNGEN ZUR TERMINOLOGIE:

FIGURENGEDICHT [auch „Piktogramm" = malende Schrift] : Gedicht, das durch frei verteilte, längere oder kürzere Textzeilen einen Gegenstand in seinem Umriß nachzeichnet, der in der Regel zum Redeinhalt in direkter oder vermittelter Beziehung steht (Visualisierung durch ‚Superisation', s.u.). Wird dabei auf traditionelle metrische Gedichtformen wie Reim und Vers ganz verzichtet und der Text allein durch seine graphische Gestalt zum Kunstwerk gemacht, handelt es sich um eine Spielart des KONKRETEN GEDICHTES: die sprachlichen Zeichen beziehen sich auf das bezeichnete Objekt nicht bloß ‚abstrakt' (durch erlernte ‚symbolische' oder ‚digitale' Zuordnung), sondern ‚konkret' (durch offensichtliche ‚ikonische' oder ‚analoge' Entsprechung).

Beispiel:

```
                    und
                    sow
                    erd
                    end
        undsowerdendeinescheunenvol
   r                eSc                l
   v                heu                w
   o                nen                e
   n                vol                r
   w                lwe                d
 einuebe            rde              enundde
  rlauf             nun               ineke
   en               dde                lte
                    ine
                    kel
                    ter
                    vonw
                    einue
                    berla
                    ufen
```

LAUTGEDICHT: Spielart des Konkreten Gedichtes (s.o.), die auf Worte als Bedeutungsträger ganz oder teilweise verzichtet und aus (oft ‚onomatopoetischen‘, s.u.) Lautsequenzen besteht.

Beispiel: a love story, dringend
d dr dri drin ring inge ngen gend end nd d

ONOMATOPOESIE [griech.: ‚Wortdichtung‘] : Phonetische Abbildung akustischer oder motorischer Erscheinungen, von Haltungen oder Stimmungen.

Beispiel: rininininininiDer
brüllüllüllüllüllüllüllEN

schweineineineineineineineineinE
grununununununununununununZEN

KONSTELLATION: Iterierende oder variierende Zusammenstellung von Wortmaterial zu ‚nachvollziehenden‘ Textstrukturen, die allerdings im Unterschied zum Figurengedicht keinen Gegenstand abbilden.

Beispiel: l
la
lan
lang
langlang
langlanglang

PERMUTATION [lat.: ‚Vertauschung‘] : Durchspielen verschiedener Kombinationen der Elemente eines Wortes, Satzes, Verses oder Textes.

Beispiel: man muß was tun
muß man was tun
was muß man tun
tun muß man was

ITERATION [lat.: ‚Wiederholung‘] : Wiederholung eines Zeichens auf höherer Stufe, d.h., als Zeichen von Zeichen (ggf.: von Zeichen von Zeichen von Zeichen...).

Beispiel: Es war einmal ein Mann, der hatte sieben Söhne. Die sieben Söhne sprachen: „Vater, erzähl uns eine Geschichte!" Da fing der Vater an: „Es war einmal ein Mann, der hatte sieben Söhne (...)"
[Aus Platzgründen gekürzt wiedergegeben.]

SUPERISATION [neulat.: ‚Über-Bildung‘] : Kombination von (gleichen oder verschiedenartigen) ‚mikrostrukturellen‘ Zeichen zu einem ‚makrostrukturellen‘ Superzeichen mit gleicher oder neuer Bedeutung.

Beispiel: Zwei Trichter wandeln durch die Nacht.
Durch ihres Rumpfs verengten Schacht
fließt weißes Mondlicht
still und heiter
auf ihren
Waldweg
u.s.
w.

3.8. Genres der Lyrik

TEXT : Franz Kafka: Gibs auf! (s.o. 2.23.)

AUFGABEN:

Sie haben in der Lotterie zwei der folgenden Genres lyrischer Dichtung gewonnen: (1) Rollengedicht, (2) Tanz- bzw. Spiellied, (3) Marsch- bzw. Wanderlied, (4) Schlager/Chanson, (5) Kirchenlied, (6) Wiegenlied, (7) Liebesgedicht, (8) Natur- bzw. Landschaftsgedicht, (9) Dinggedicht, (10) Versrätsel, (11) Akrostichon, (12) (ggf.Namen-) Scherzgedicht (ggf. fortsetzbar wie Schnadahüpferln, Schnitzelbänke, Klapphornverse, Leberreime, Wirtinnen-Verse...), (13) Gelegenheitsgedicht (‚Kasualpoesie‘ zu Geburtstagen, Taufe, Hochzeit...), (14) Epitaph, (15) Panegyrikus, (16) Elegie, (17) Politische Hymne, (18) Agitprop-Gedicht, (19) Verssatire, (20) Lehrgedicht (‚Gedankenlyrik‘), (21) Nonsensgedicht.
(a) Informieren Sie sich in geeigneten Nachschlagewerken (vgl. Literaturliste im Anhang) über diese beiden Genres, ihre gängigen Begriffsbestimmungen und ihre literarhistorische Entwicklung. Wenn Sie keines der dort erwähnten Beispiele des jeweiligen Gedichttyps kennen, lesen Sie eines Ihrer Wahl und benutzen es ggf. als Muster für die folgenden beiden Aufgaben.
(b) Entwickeln Sie auf der Grundlage Ihrer so gewonnenen Informationen eine kurze und möglichst präzise – also gegenüber anderen Genres trennscharfe! – Definition für die beiden Gattungen.

123

(c) Schreiben Sie Kafkas Erzähltext „Gibs auf!" (mit den erforderlichen Zusätzen, Auslassungen oder Abänderungen) um in je eine Parodie der entsprechenden Gedichtgattung.

3.9. Lernzielkontrolle (I): Selbständige Gedichtanalyse

TEXT :

Als gestern die Vögel in der dicken Luft stehenblieben:
wußten wir: das ist das Ende. Und spuckten noch einmal
in unsere Hände und sagten: der Ort, wo wir sind, sei
unsere Gruft.

He, Wirt: riefen wir: nun aber weg mit dem Geld. Laß
laufen den Hahn. Es lebe das Bier. Und ließen uns gehen
und blieben doch hier. Das wär nicht gekommen, rief
Franz, wär besser die Welt.

Und gingen das Ganze noch einmal durch. Der Fritz
meinte, daß es die Atome sein müssen. Und einer rief: das
ist die Gottlosigkeit! Und einer rief: Nieder mit Thyssen!
Und Kurti sagte: was soll's, am Ende überleben doch nur
Alge und Lurch.

Schluß: sagt auch der Wirt: Sense und schiebt die
Gitter rauf. Wir geben ein Trinkgeld und heben das Ende
für morgen auf.

[Peter Maiwald: Der Untergang der Welt in der Gaststätte zum Hasenberg. In: Ders.: Balladen von Samstag auf Sonntag, Stuttgart 1984, S.80; Abdruck mit freundlicher Genehmigung der Deutschen Verlagsanstalt.]

AUFGABE:

Beschreiben Sie möglichst präzise die metrische Form des Gedichtes. Versuchen Sie dabei, das Verhältnis von unterlegter Gedichtform und typographischer Anordnung des Textes zu erklären.

Schreiben Sie links neben jedes der folgenden Beispiele (oder Beispielschemata) den Buchstaben A-z derjenigen Kategorie aus der Liste im Anschluß, unter die dieses Beispiel fällt. (Im Bedarfsfall ist der relevante Teil des Beispiels unterstrichen.)

(1) kürzer!
kürze!
kürz
kür!
kü!
k!
!

(2) -vv -vv - ' -vv -vv -

(3) Die Liebste mein
Ist so gemein!

(4) v-

(5) xxxxxxxxxxx
xxxxxxxxxxa
xxxxxxxxxxx
xxxxxxxxxxa

(6) xx xx xx, <u>xx</u>
<u>xx xx</u>, xx xx.

(7) xxxxxxxxxxxxxxxx
xxxxxxxxxxxxxxxx
xxxxxxxxxxxxxxxx
xxxxxxxxxxxxxxxx
so müsst' es sein -
Das wäre fein!

yyyyyyyyyyyyyyyy
yyyyyyyyyyyyyyyy
yyyyyyyyyyyyyyyy
yyyyyyyyyyyyyyyy
so müsst' es sein -
Das wäre fein!

(8) Riesen rufen reiche Reime.

(9) --

(10) -vv -v -v -v -v
-v -vv -v -v -v
-v -v -vv -v -v
-vv -v

(11)

(12) Er macht sich lustig
Weil es ihm ernst ist.
Er lacht
Tränen.

(13) xxxxxxxxa
xxxxxxxxb
<u>xxxxxxxxx</u>
xxxxxxxxa
xxxxxxxxb

(14) mit Reimen leimen

(15) xx xx xx xx xx <u>-</u>

(16) xxxxxxxx ein Meister
xxxxxxxx des Reimens

(17) v- v- v- ' v- v- v-v
v- v- v- ' v- v- v-v

125

(18) Ich wünsche euch allen eine gute Nacht.
Dies Spiel habe ich Herr Peter Squentz Schulmeister und
Schreiber zu Rumpels-Kirchen selber gemacht.

(19) -v -vv - ' -vv -v -
-v -vv - ' -vv -v -
-v -vv -v
-v -vv -v -

(20) xxxxxxxxa
xxxxxxxxa
xxxxxxxxa

(21) v-v -v -v -v

(22) xx xx xx, xx
xx xx, xx xx

(23) Im Ritterwald
Ist's bitter kalt!

(24) -vv

(25) v- v- v- v-va
v- v- v- v-vb
v- v- v- v-vc
v- v- v- v-vd

(26) xxxxxxa
xxxxxxb
xxxxxxa
xxxxxxb

xxxxxxc
xxxxxxd
xxxxxxc
xxxxxxd

xxxxxxe
xxxxxxf
xxxxxxe
xxxxxxf

xxxxxxg
xxxxxxg

(27) Ohne Leimen Verse reimen
Läßt Bewunderung dir keimen!

(28) xxxxxxa
xxxxxxb
xxxxxxb
xxxxxxa

(29) v- v- v- / v- v- v-
v- v- v- / v- v- v-

(30) v- v- v- v-
v- v- v-
v- v- v- v-
v- v- v-

(31) -v

(32) grillillillillillillillillEN
zirirririririririrPEN

(33) xxxxxxa
xxxxxxa
xxxxxxc
xxxxxxb
xxxxxxb
xxxxxxc

(34) xxxxxxa
xxxxxxb
xxxxxxa

xxxxxxb
xxxxxxc
xxxxxxb

xxxxxxc

(35) xxxxx;
xxxxx.
xxxxx:
xxxxx!

(36) Der Simplex und der Springinsfeld,
Die Kerle beid' haben kein Geld,
Und will ihn' kein Wirt auch mehr
                 borgen,
Drum leben sie all' beid in Sorgen.

(37) Sanft schloß Schlaf dein Aug –
Wir beide bauten, Schlummers
                bar, die Burg.

(38) -vv -v -vv -v -vv -v
    -vv -v - ' -vv -vv -

(39) Auf den Höhen
Die Hähne krähen.

(40) xxxxxxa
    xxxxxxb
    xxxxxxa
    xxxxxxb
    xxxxxxa
    xxxxxxb
    xxxxxxc
    xxxxxxc

(41) xx xx xx xx xx -v

(42) Wohl sind sie lange Schatten,
Und ihre Abendsonne
Liegt kalt auf der Erde;
Aber sie zeigen
Alle nach Morgen.

(43) xxxxxxa
    xxxxxxa
    xxxxxxb
    xxxxxxb

(44) xx xx xx, xx
    xx xx. xx xx
    xx! xx xx xx
    xx, . . .

(45) v- v- v- v-
    v- v- v-v
    v- v- v- v-
    v- v- v-v

(46) vv-

(47) xxxxxxa
    xxxxxxb
    xxxxxxb
    xxxxxxa

    xxxxxxa
    xxxxxxb
    xxxxxxb
    xxxxxxa

    xxxxxxc
    xxxxxxd
    xxxxxxc

    xxxxxxd
    xxxxxxc
    xxxxxxd

(48) xxxxxxxxxxxxxx
    xxxxxxxxxxxxxx
    xxxxxxxxxxxxxx
    xxxxxxxxxxxxxx
    So müsst' es sein –
    Das wäre fein!

    xxxxxxxxxxxxxx
    xxxxxxxxxxxxxx
    xxxxxxxxxxxxxx
    xxxxxxxxxxxxxx
    So wird es sein –
    Dann wird es fein!

(49) xxxxxxa
    xxxxxxb
    xxxxxxa
    xxxxxxb

(50) v-v -v ' -v v- v-
    v-v -v ' -v v- v-
    v- v- v- v-v
    -vv -vv -v -v

(51) -vv -v -vv -v -vv -v

(52) Diese Lage
Der Garage!

Terminologieliste A – z:

A) Endreim	a) Jambus
B) Binnenreim	b) Trochäus
C) Schlagreim	c) Daktylus
D) Stabreim	d) Anapäst
E) Alliteration	e) Spondeus
F) Paareim	f) Distichon
G) Blockreim	g) Hexameter
H) Kreuzreim	h) Pentameter
I) Halber Kreuzreim	i) Alexandriner
J) Schweifreim	j) Blankvers
K) Waise	k) Freie Rhythmen
L) Rührender Reim	l) Freie Verse
M) Unreiner Reim	m) Freie Knittelverse
N) Reicher Reim	n) Strenge Knittelverse
O) Augenreim	o) Alkäische Strophe
P) Assonanz	p) Sapphische Strophe
Q) Stumpfe Kadenz	q) Asklepiadeische Strophe
R) Klingende Kadenz	r) Chevy-Chase-Strophe
S) Auftakt	s) Vaganten-Strophe
T) Zäsur	t) Stanze
U) Enjambement	u) Terzinen
V) Zeilenstil	v) Petrarca-Sonett
W) Hakenstil	w) Shakespeare-Sonett
X) Kolon	x) Konstellation
Y) Refrain	y) Visualisierung
Z) Kehrreim	z) Onomatopoesie

(Hinweise zur Auflösung im Anhang)

4. ERZÄHL-PARODIEN

4.1. Aufgabe zur Einführung: Aspekte von Erzähltexten

(1)   (3)

(2)   (4)

[Wilhelm Busch: Das erste Bad im Freien. In: Ders.: Gesamtausgabe in vier Bänden, hrsg. v. F.Bohne, Bd. 1, Wiebaden o.J., S. 100f.]

AUFGABE:

Formen Sie diese (wortlose) Bildergeschichte in eine Erzählung (aber keine einfache Bildbeschreibung im Präsens!) um. Machen Sie sich dabei gleich Notizen, was alles verändert werden muß, damit aus der ‚unmittelbar‘ gegenwärtigen Bildergeschichte eine ‚mittelbare‘, erzählte Geschichte wird.

WEND AUF WANDERSCHAFT

Stattlich und feist schritt Wend übers Land. Weit von sich warf er die Beine, wie befreit erwachend nach langer, erzwungener Ruhe, nach mühseliger Zeit des Stillhaltens und Wartens. Mächtig ruderte er mit den Armen. Kraftvoll zog er die steinige Wegstrecke hinter sich, ohne Unterlaß und Ermüdung. Vergnügt badete er die flache breite Stirn im Lichte des jungen Morgens. Hatte er sich diesen Tag nicht verdient? War es nicht der gerechte Tag der Befreiung von den Mühen der Woche? Ja, so war es, heute wie in jeder Woche, der Tag des Herrn, sein Tag, Wends Tag. Wohin des Wegs, schien die Amsel zu fragen. Hinaus! Woher des Wegs, fragte die Lerche. Irgendher, aus der dumpfigen Enge der Stadt. Der Mensch wird frei geboren, doch überall liegt er in Ketten, sechsmal die Woche, von morgens bis abends, winters wie sommers, bei Regen, Schnee und Sonnenschein. „Endlich hinaus", dachte Wend bei sich. Allein ohne die ständigen Sorgen im Amt und zuhause die Frau ist auch ewig unzufrieden na was will man machen ich kanns ja verstehen hat es auch nicht leicht die drollje Matrone puh wird das heiß die Sonne ist doch schon und Durst krieg ich auch... Und ging doch langsamer als noch vor einer Stunde. Er fühlte den Schweiß tastend aus allen Poren kriechen, spürte, wie der Schweiß sein Hemd durchweichte und sich durch die Weste bis zum Innenfutter seiner Jacke durchfraß. Es schüttelte ihn leicht. Er merkte, wie seine Kräfte nachließen, wie Müdigkeit und Zweifel von den Waden her aufstiegen. Verflucht da quält man sich unterm Joch die Woch hm ein Reim wo kommt der her na egal und dann wenn man leben könnt kann mans nicht weil es fehlt die Kraft. Dieses verfluchte Gesellschaftsetwas grade noch zum Kindermachen reicht es. Und ich ich meine Herrn Julius Wend werde zu schwach und zu dick und zu unwohl zum Leben und diese Sonne, kein Strauch der Schatten böte kein Baum weit und breit, unter den ich mich legen und ruhen könnt ein wenig. Wend blieb leise aufstöhnend stehen, nahm umständlich mit den kurzen dicken Ärmchen den Zylinder vom Kopfe und wischte sich die Glatze mit seinem leinenen Sacktuch. Die

Sonne keine Wolke und Durst, war das'n Eichelhäher ach nein
wo denn is ja bloß steinjes Feld rundum Steine und Feld und
Weg und Sonne keine Wolke und Durst. Warum bin ich
eigentlich hier, warum nicht im sichern Schutz der kühlen
Kirche so wie meine Frau jetzt, die die alten Lieder singt
Hühlosonne, oach Durst, die güldehenehe Sonnä, brihingt
Froidehe uhund Wurst – Wurst? oach – ach ich hätte in der
Stadt bleiben sollen nur heute Sonne der Gerähähähächtich-
keit Brüder zur Freiheit zur Sonnä ach da wo ich herkomme
konnt ich nicht bleiben und da wo ich bin kann ich nicht sein.
Die Luft wurde stickiger um Wend, kein Hauch umfächelte
ihn, kein Lüftchen flüsterte Erleichterung. Unfroh und ziellos
blickte er sich um. Wo war er? Wie sollte es weitergehen? Die
Enge der Stadt? Stadtluft macht frei? Der Weg ins Freie, die
Sonne, allein allein... Wend hatte sich verlaufen, er hatte
nicht die geringste Ahnung, wo er sich überhaupt befand. Er
stellte sich diese Frage nach einer Weile auch nicht mehr, mit
fiebrigen Augen glotzte er in die staubige Öde, doch er sah
nichts. Hitze und Durst quälten ihn, ohne daß er es noch
wußte. Leise summte er vor sich hin. Der Schrei eines Vogels
zerriß für kurze Zeit den Schleier vor seinen Augen. Was ist
das? Da – Wasser! Und Wend sah vor sich einen trüben Tümpel, auf dem die Mücken spielten in der Mitte des Tages. Weg
mit den Kleidern vom Leibe die Jacke fort Hut und Stock: ein
Bad, jaa, ein Bad das ist die Rettung zurück zur Natur, mit
der Natur nicht gegen sie, ja ein Bad natürlich. Und vorsichtig
und bedachtsam glitt Wend in den Tümpel, der ihm bis zum
Bauchnabel reichte. Glücklich benetzte er seine fette fleischige
Brust, behutsam schüttete er Wasser aus seinen Handflächen
über die weichen Schultern. Zufrieden senkte er seinen Blick
auf die trübe Oberfläche des Wassers. Da sah er verschwom-
men und unklar ein feistes Gesicht, das blickte ihn unver-
schämt an, das runzelte die Stirn, wenn er die Stirn runzelte,
das wackelte mit der Nase, wenn er mit der Nase wackelte, das
steckte die kurzen Zeigefinger in die Ohren, wenn er sie in die
Ohren steckte, das sagte mit Wend zugleich „Wer bist du?",
und die Stille antwortete „Niemand!".
   Da schlug Wend auf das unverschämte fette Gesicht vor sich
ein aus Leibeskräften, er brüllte und lallte na warte dir zeig
ichs wer bist du (niemand! niemand!). Wend warf sich mit dem
ganzen Gewicht seines kurzen dicken Körpers auf seinen

Gegner, den er in rasenden Gedanken bei sich den „Ich"
nannte. Der Gegner gibt nach, der Ich läßt sich fallen, na
warte dir werd ich... Und Wend faßte den Ich nicht, er sah
nur Grünes um sich, Grünes kroch in den Mund und die
Ohren, Grünes wurde von ihm verschluckt, und Wend soff
und soff Grünes. Die Enge der Stadt? Da konnt ich nicht
bleiben. Die freie Natur? Die bringt mich um. Was ist das?
Der Schmerz? Der Ich? Da, an meiner Nase, an meinem
Rücken, auf meiner Stirn, der Ich, er frißt mich... Wend
spürte Widerstand unter den Füßen und drückte sich mit
letzter Kraft ab. Er hustete und spuckte und stöhnte und sah
nun deutlich die wundersame Verwandlung des Ich: Blutegel
hingen an seinem Körper, sein Ich war Natur geworden und
sog ihm das Herzblut aus dem Körper. Wend taumelte. Wend
stürzte. So bist du mir also gefolgt aus der Enge der Stadt,
dachte Wend. Er schloß die Augen, und matter blubbte es
„Ja".

4.2. Erzählsituationen und ihre Perspektiven

TEXT (1) :

Der Mensch hat wohl täglich Gelegenheit, in Emmendingen
und Gundelfingen so gut als in Amsterdam, Betrachtungen
über den Unbestand aller irdischen Dinge anzustellen, wenn er
will, und zufrieden zu werden mit seinem Schicksal, wenn auch
nicht viel gebratene Tauben für ihn in der Luft herumfliegen.
Aber auf dem seltsamsten Umweg kam ein deutscher Hand-
werksbursche in Amsterdam durch den Irrtum zur Wahrheit
und zu ihrer Erkenntnis. Denn als er in diese große und reiche
Handelsstadt voll prächtiger Häuser, wogender Schiffe und
geschäftiger Menschen gekommen war, fiel ihm sogleich ein
großes und schönes Haus in die Augen, wie er auf seiner
ganzen Wanderschaft von Duttlingen bis nach Amsterdam
noch keines erlebt hatte. Lange betrachtete er mit Verwunde-
rung dies kostbare Gebäude, die sechs Kamine auf dem Dach,
die schönen Gesimse und die hohen Fenster, größer als an des

Vaters Haus daheim die Tür. Endlich konnte er sich nicht entbrechen, einen Vorübergehenden anzureden. „Guter Freund", redete er ihn an, „könnt Ihr mir nicht sagen, wie der Herr heißt, dem dieses wunderschöne Haus gehört mit den Fenstern voll Tulipanen, Sternenblumen und Levkoien?" Der Mann aber, der vermutlich etwas Wichtigeres zu tun hatte und zum Unglück gerade so viel von der deutschen Sprache verstand, als der Fragende von der holländischen, nämlich nichts, sagte kurz und schnauzig: „Kannitverstan", und schnurrte vorüber. Dies war ein holländisches Wort, oder drei, wenn man's recht betrachtet, und heißt auf deutsch soviel als: „Ich kann euch nicht verstehen." Aber der gute Fremdling glaubte, es sei der Name des Mannes, nach dem er gefragt hatte. (...)

[aus: Johann Peter Hebel: Kannitverstan. In: Ders.: Aus dem Schatz-kästlein des Rheinischen Hausfreunds, hrsg. v. W. Zentner, Stuttgart 1978, S. 16f.]

TEXT (2) :

Am Fuße der Alpen, bei Locarno im oberen Italien, befand sich ein altes, einem Marchese gehöriges Schloß (...) mit hohen und weitläufigen Zimmern, in deren einem einst, auf Stroh, das man ihr unterschüttete, eine alte kranke Frau, die sich bettelnd vor der Tür eingefunden hatte, von der Hausfrau aus Mitleiden gebettet worden war. Der Marchese, der, bei der Rückkehr von der Jagd, zufällig in das Zimmer trat, wo er seine Büchse abzusetzen pflegte, befahl der Frau unwillig, aus dem Winkel, in welchem sie lag, aufzustehen, und sich hinter den Ofen zu verfügen. Die Frau, da sie sich erhob, glitschte mit der Krücke auf dem glatten Boden aus, und beschädigte sich, auf eine gefährliche Weise, das Kreuz; dergestalt, daß sie zwar noch mit unsäglicher Mühe aufstand und quer, wie es vorgeschrieben war, über das Zimmer ging, hinter dem Ofen aber, unter Stöhnen und Ächzen, niedersank und verschied.

(...) Aber wie betreten war das Ehepaar, als der Ritter mitten in der Nacht, verstört und bleich, zu ihnen herunter kam, hoch und teuer versichernd, daß es in dem Zimmer spuke, indem etwas, das dem Blick unsichtbar gewesen, mit einem Geräusch, als ob es auf Stroh gelegen, im Zimmerwinkel aufgestanden, mit vernehmlichen Schritten, langsam und gebrechlich, quer über das Zimmer gegangen, und hinter dem Ofen, unter Stöhnen und Ächzen, niedergesunken sei. (...)

[aus: Heinrich von Kleist: Das Bettelweib von Locarno. In: Ders.: Sämtliche Werke und Briefe, hrsg. v. H. Sembdner, Bd. 2, München 1964, S. 196.]

TEXT (3) :

Dem Herrn sein Zimmer lag hinten im Anbau und war von den anderen durch einen kleinen Gang getrennt. Das hat der Herr selber sich so ausgesucht, denn er wollte vor allem Ruhe. Einmal am Abend mußte ich Blumen gießen auf dem Gang. Die Kinder waren schon zum Schlafen hinauf in den oberen Stock. Aber der Herr stand an seinem Fenster und schaute mir lange zu.

Ich brauchte eine gewisse Zeit. Der Herr konnte sich auch nicht gleich entschließen. Auf einmal war er am Gang heraußen und sagte, er weiß nicht, wie er seine Karte schreibt. Das hat er ausgerechnet zu mir sagen müssen.

Jetzt fiel ihm gar das noch ein, er holte sie und las sie mir vor, ob das so recht sei. Ich habe dumm genug gelacht und gesagt: „Das kann ich nicht so wie der Herr selber unterscheiden." Ganz rot stand ich da mit meinem Mangel an Bildung.

Darauf hat mir der Herr seinen Arm so zartfühlend um die Taille gelegt, damit ich es nicht merke, und in seinem Zimmer hat er mir immer noch den Arm um die Taille gelegt, damit ich es nicht merke. Da war er mir mit einem Male so vertraut und fremd zugleich.

Und wie ein solcher Feind hat er mich vor sich hin auf den Schreibtisch gesetzt und der mir das Ärgste antut, aber ich wäre um alles nicht von dem Feind weggegangen. Dann hat er es mir gezeigt, was ich für eine Schürze anhabe, und dann hat er es mir gezeigt, wie meine Bluse von innen ist, und alles hat er mir immer gezeigt. Da bin ich in allem, wie ich daherkomme, vor ihm bestätigt gewesen und war ihm recht und mir war ich recht.

[aus: Marie-Luise Fleißer: Stunde der Magd. In: Dies.: Gesammelte Werke in vier Bänden, hrsg. v. G. Rühle, Bd. 3, (c) Suhrkamp Verlag, Frankfurt a.M. 1972, S. 25.]

AUFGABE:

Bestimmen Sie die jeweilige Erzählsituation, insbesondere die Erzählperspektive der Texte (1) bis (3). Achten Sie dabei gleich auf das Erzählprofil der Beispieltexte. Gibt es hier Erzählschablonen? (Gibt es einen Fall von ‚showing‘, oder haben wir es in allen drei Fällen mit ‚telling‘ zu tun?)

Schreiben Sie die Texte – unter möglichst getreuer Wahrung des Erzählgehaltes und ohne Erweiterung des Gesamtumfanges – folgendermaßen um:

(a) Text (1) in eine personale Er-Erzählung.

(b) Text (2) in eine zweischichtige Ich-Erzählung (z.B. aus der Sicht der Geisterfrau oder des Marchese).

(c) Text (3) in eine auktoriale Er- (bzw. Sie-) Erzählung (wobei Sie von Ihrer ‚Allwissenheit‘ als ‚olympischer Erzähler‘ kräftigen Gebrauch machen sollten).

ERLÄUTERUNGEN ZUR TERMINOLOGIE:

ERZÄHLINSTANZ [‚qui parle?‘ ; konkurrierend gebraucht, aber etwas anders abgegrenzt auch „Narrator“, „Erzähler“ – keinesfalls zu verwechseln mit empirischem/er AutorIn!] : Dasjenige, was als vom Leser vernommene ‚Stimme‘ die Geschichte erzählt (ihre Sätze ‚sagt‘). Die Erzählinstanz kann dabei realisiert werden (a) als z.B. nach Name, Alter, Geschlecht, Anschauungen oder Erzählanlaß etc. spezifizierte ‚Erzählerfigur‘ (ein ‚Ich mit Leib‘) oder (b) als allein durch den Akt des Sagens der Sätze konstituierte ‚Erzählfunktion‘.

Beispiel:
(a) Was kann ich alte Frau euch schon groß erzählen? Nun gut – einmal habe ich wirklich eine besondere Geschichte gehört...
(b) Ein König hatte drei Söhne. Der erste ...

ERZÄHLPERSPEKTIVE [‚qui voit?‘ ; konkurrierend gebraucht, aber etwas anders abgegrenzt auch „point of view“, „Ich-Origo“, „focalisation“ – keinesfalls zu verwechseln mit der Frage der Innensicht, s.u.!] : Diejenige(n) Figur(en), als deren Erleben die Geschehnisse erzählt werden. Ist eine solche Figur nicht feststellbar, so kann von ‚aperspektivischem Erzählen‘ gesprochen werden.

Beispiel:
(a) Am nächsten Tag traf Bernhard zwei seiner Freunde vor seinem Haus.
(b) An einem Septembertag trafen sich drei Männer vor einem Haus in der Kleiststraße.

INNENSICHT [mißverständlich auch „Innenperspektive"] : Wiedergabe von inneren Vorgängen (Wahrnehmungen, Gedanken, Gefühlen) mindestens einer Figur.

Beispiel: Bernhard sah zwei seiner Freunde auf sich zukommen, befürchtete indiskrete Fragen und überlegte, ob er nicht lieber in den Hofeingang ausweichen sollte.

AUSSENSICHT [mißverständlich auch „Außenperspektive"] : Verzicht auf die Wiedergabe von inneren Vorgängen (ggf. sogar bei der erzählperspektivisch ‚fokalisierten' Figur bzw. beim erlebenden Ich).

Beispiel: Als zwei seiner Freunde auf ihn zukamen, wich Bernhard in einen Hofeingang aus.

TELLING [engl. ‚vermittelndes Erzählen'; konkurrierend gebraucht, aber etwas anders abgegrenzt auch „Erzähler-Modus", „berichtendes Erzählen", „Diegesis"] : Epische Darstellung mit kommentierender Einmischung der Erzählinstanz (s.o.), z.B. durch verallgemeinernde Reflexionen, Bewertungen, ‚allwissende' Vor- und Rückgriffe, Unterbrechungen oder auch Leseranreden.

Beispiel: Bernhard, den der Leser aus dem vorletzten Kapitel bereits kennt, sah zwei seiner Freunde auf sich zukommen; er wurde von einer erbärmlichen Feigheit übermannt und wich in einen Hofeingang aus. So etwas hatte er übrigens schon öfter getan; ein solches Verhalten ist ja typisch für Menschen, denen das reine Gewissen abhanden gekommen ist.

SHOWING [engl. ‚zeigendes Darstellen'; konkurrierend gebraucht, aber etwas anders abgegrenzt auch „Reflektor-Modus", „szenisches Erzählen", „Mimesis"] : Epische Darstellung ohne jede kommentierende Einmischung der Erzählinstanz (s.o.).

Beispiel: Bernhard sah zwei seiner Freunde auf sich zukommen, befürchtete indiskrete Fragen und wich in einen Hofeingang aus.

ICH-ERZÄHLUNG [konkurrierend gebraucht, aber etwas anders abgegrenzt auch „Homodiegesis", „1st person" – keinesfalls zu verwechseln mit dem Spezialfall der ‚Ich-Erzählsituation', s.u.!] : Die Erzählinstanz (hier Erzählerfigur; s.o.) ist zugleich eine Person des erzählten Geschehens, und zwar (a) als perspektivisch fokalisierte Zentralfigur (‚autodiegetisches Erzählen') oder (b) als nur gelegentlich hervortretende Randfigur (‚peripherer Ich-Erzähler'). Neben der 1. Person Singular kann die ‚Ich-Erzählung' unbeschadet ihres Namens auch einmal in der grammatischen Form der 1. Person Plural, der 2. Person Singular oder einer umschreibenden 3. Person Singular als durchschaubarer Selbstpräsentation vonstatten gehen.

Beispiel:
(a) Mein Name ist Bernhard; ungeschminkt will ich hier die Geschichte meines Abstiegs erzählen.
(b) Ich will im folgenden erzählen, wie mein Freund Bernhard vor meinen Augen Schritt für Schritt vor die Hunde ging.

ER-ERZÄHLUNG [konkurrierend gebraucht, aber etwas anders abgegrenzt auch „Heterodiegesis", „3rd person"] : Die Erzählinstanz (hier Erzählerfigur; s.o.) ist keine Person des erzählten Geschehens, welches deshalb in der 3. Person (Singular oder Plural – also unbeschadet des Namens als „er/sie/es/mehrere", gelegentlich sogar in der grammatischen Form „du/ihr" als durchschaubarer Fremdpräsentation) erzählt wird. Auch in der Er-Erzählung kann dabei die am Geschehen unbeteiligte Erzählerfigur (s.o.) von sich durchaus als „ich" sprechen.

Beispiel: Die Geschichte Bernhards will ich im folgenden erzählen, der vor den Augen seiner Freunde Schritt für Schritt vor die Hunde ging. Oh du unglücklicher Bernhard! Wie rührt mich dein Schicksal!

AUKTORIALE ERZÄHLSITUATION: Typische epische Darstellungstechnik als Ich- oder Er-Erzählung mit dominantem ‚telling', also kommentierender Einmischung, Reflexionen, Bewertungen, Vorausdeutungen, Rückgriffen usw. der Erzählinstanz, bei beliebigem Wechsel zwischen Außen- und Innensicht und ggf. zwischen verschiedenen Erzählperspektiven.

137

Beispiel: Zur Erbauung des Lesers will ich hier zwei Geschichten abwechselnd erzählen, die nur scheinbar nichts miteinander zu tun haben: die Geschichte des unglücklichen Bernhard und die Geschichte der Arbeiterbewegung in unserem Jahrhundert.

PERSONALE ERZÄHLSITUATION: Typische epische Darstellungstechnik als Er-Erzählung mit konstanter Erzählperspektive sowie mit Innensicht im Modus des ‚showing‘, also ohne kommentierende Einmischung der Erzählinstanz.

Beispiel: Bernhard war auf dem Weg zur Jahrestagung seiner Gewerkschaft. Wieder so ein verlorenes Wochenende, dachte er. Alle seine Mitreisenden im Zug kamen ihm fröhlicher vor, als er es seiner Erinnerung nach in den letzten Jahren je gewesen war.

NEUTRALE ERZÄHLSITUATION: Typische epische Darstellungstechnik als aperspektivische (Er-)Erzählung ohne Innensicht, ohne Erzählfigur und ohne kommentierende Einmischung der Erzählinstanz.

Beispiel: Der 16.Gewerkschaftstag der IG Chemie verlief im Zeichen von Neuwahlen und Satzungsänderungen. In seiner Eröffnungsansprache appellierte der Gewerkschaftsvorsitzende Bernhard R. an die Delegierten, diese Tagung nicht bloß als ein verlorenes Wochenende anzusehen. Die folgenden Redner behandelten Detailfragen der Satzung.

ICH-ERZÄHLSITUATION: Typische epische Darstellungstechnik als perspektivische Ich-Erzählung mit Innensicht im dominanten Modus des ‚telling‘, also mit kommentierender Einmischung der Erzählinstanz. Wird dabei die zeitliche und ggf. die situative Distanz zwischen ‚erzählendem‘ und ‚erlebendem Ich‘ hervorgehoben, spricht man von einer „zweischichtigen Ich-Erzählung".

Beispiel: Heute bin ich ein alter, gebrochener Mann. Aber in meiner Jugend, als alle Welt mich zu Recht den ‚flotten Bernhard‘ nannte – wie schien mir die Welt so voller Hoffnung zu sein! Wie sie mir dann Schritt für Schritt abhanden kam – diese Geschichte will ich nun mit zittrigen Fingern auf dieses häßliche Packpapier im Gefängnis zu schreiben versuchen.

ERZÄHLPROFIL [konkurrierend gebraucht, aber etwas anders abgegrenzt auch „Erzählrhythmus", „Erzähldynamik"] : Abfolge von unterschiedlichen punktuellen Erzählsituationen in einer Erzählung.

138

Beispiel: Auktoriale Eröffnung – Montage aus mehreren, unterschiedlich perspektivierten personalen Erzählabschnitten sowie einer Ich-Erzählung über dieselben Geschehnisse – auktoriale Zusammenfassung und Schlußwendung.

Erzählschablone: Typisches, in vielen vergleichbaren Texten wiederkehrendes Erzählprofil.

Beispiel: Es war einmal ein König, der hatte drei Söhne... Da sprach er zu seinem ersten Sohn:... Der erste Sohn kam an ein Meer... Da sprach der König zu seinem zweiten Sohn:... Der zweite Sohn kam auf einen Berg... Da sprach der König zu seinem dritten Sohn:... Der dritte Sohn kam an ein Schloß... So waren sie also alle wieder vereint; und wenn sie nicht gestorben sind, dann leben sie noch heute.

Alternativvorschlag zur Klassifikation punktueller Erzählsituationen :

Kriterium A: „EINMISCHUNG"

(Aa) ‚telling': mit Kommentierung des Geschehens („das war üblich / unanständig / verhängnisvoll / wie der Leser weiß...")

(Ab) ‚showing': ohne Kommentierung des Geschehens

Kriterium B: „PERSON"

(Ba) ‚Ich-Erzählung': Erzähler am Ort des Geschehens persönlich dabei („ich traf/sagte/tat...")

(Bb) ‚Er-Erzählung': Erzähler nicht am Ort des Geschehens dabei („er traf / sie sagte / sie taten...")

Kriterium C: „SICHTWEISE"

(Ca) ‚Innensicht': mit Gedanken/Gefühlen/Wahrnehmungen einer Figur am Ort des Geschehens („ich/er dachte/trauerte/hörte...")

(Cb) ‚Außensicht': ohne Gedanken/Gefühle/Wahrnehmungen einer Figur am Ort des Geschehens

Die logisch möglichen Kombinationen:

(1) Aa, Ba, Cb : ‚Zeitgenosse' (z.T. Memoiren-Literatur)
(2) Aa, Bb, Cb : ‚Rechercheur' (z.B. Ermittlungsbericht)
(3) Ab, Ba, Cb : ‚Augenzeuge' (z.B. Lebenslauf)
(4) Ab, Bb, Cb : ‚Kameramann' (z.T. Nouveau Roman)

(5) Aa, Ba, Ca : ‚Lebensrückblick' (z.B. autobiograph. Roman)
(6) Aa, Bb, Ca : ‚Olympier' (z.B. klassisches Epos)
(7) Ab, Ba, Ca : ‚Bewußtseinskäfig' (z.B. Monologerzählung)
(8) Ab, Bb, Ca : ‚Erlebnismedium' (z.T. Kurzgeschichte)

(Kombination 4 expliziert in etwa Stanzels ‚neutrale', Kombination 8 seine
‚personale Erzählsituation', Kombination 5 in etwa seine ‚Ich-Erzählsituation'; Stanzels ‚auktoriales Erzählen' ist nicht eine einzelne wohldefinierte
Erzählsituation, sondern kann sich, ggf. auch abwechselnd, in Komb. 2 oder
6 bzw. analog in Komb. 1 oder 5 verwirklichen.)

4.3. Erzählweisen und ihre Redewiedergabe

TEXT (1) :

> Sein leeres Haus fing zum erstenmal an, ihm ängstlich zu
> werden, und er klagte sich selbst in seinen Gedanken an. O ich
> Unglückseliger! Warum gehn mir so spät die Augen auf?
> Warum erkenne ich erst im Alter jene Güter, die allein den
> Menschen glücklich machen? So viel Mühe! So viel Gefahren!
> Was haben sie mir verschafft? (...) Leider jetzt, da die Jahre
> kommen, fange ich an zu denken und sage zu mir: du genie-
> ßest diese Schätze nicht, und niemand wird sie nach dir genie-
> ßen! Hast du jemals eine geliebte Frau damit geschmückt?
> Hast du eine Tochter damit ausgestattet? Hast du einen Sohn
> in den Stand gesetzt, sich die Neigung eines guten Mädchens
> zu gewinnen und zu befestigen? Niemals!

[aus: Johann Wolfgang Goethe: Unterhaltungen deutscher Ausgewan-
derten. In: Goethes Werke, Hamburger Ausgabe in 14 Bänden, Bd. 6,
Hamburg 1968, S. 124–241, hier S. 168f.]

TEXT (2) .

> Verstimmung befiel ihn. Schon in diesem Augenblick dachte
> er an Abreise. Einmal, vor Jahren, hatte nach heiteren Früh-
> lingswochen hier dies Wetter ihn heimgesucht, und sein Befin-
> den so schwer geschädigt, daß er Venedig wie ein Fliehender

hatte verlassen müssen. Stellte nicht schon wieder die fiebrige
Unlust von damals, der Druck in den Schläfen, die Schwere
der Augenlider sich ein? Noch einmal den Aufenthalt zu
wechseln, würde lästig sein; wenn aber der Wind nicht um-
schlug, so war seines Bleibens hier nicht. Er packte zur Sicher-
heit nicht völlig aus. Um neun Uhr frühstückte er in dem
hierfür vorbehaltenen Büfettzimmer zwischen Halle und Spei-
sesaal.

[aus: Thomas Mann: Der Tod in Venedig. In: Ders.: Gesammelte
Werke in dreizehn Bänden, Bd. 8, (c) 1960, 1974 S. Fischer Verlag
GmbH; hier nach: Die Erzählungen, Frankfurt a. M. 1966, S. 33.]

TEXT (3) :

JA weil er sowas doch noch nie gemacht hat bis jetzt daß er
sein Frühstück ans Bett haben will mit zwei Eiern seit dem
City Arms Hotel wo er immer so tat wie wenn er wegen seiner
kranken Stimme das Bett hüten müßte und den feinen Lackaf-
fen spielte alles bloß um sich bei der alten Ziege interessant zu
machen Mrs Riordan (...) Gibraltar als kleines Mädchen wo
ich eine Blume des Berges war wie ich mir die Rose ins Haar
gesteckt hab wie die andalusischen Mädchen immer machten
oder soll ich eine rote tragen ja und wie er mich geküßt hat
unter der maurischen Mauer und ich hab gedacht na schön er
so gut wie jeder andere und hab ihn mit den Augen gebeten er
soll doch nochmal fragen ja und dann hat er mich gefragt ob
ich will ja sag ja meine Bergblume und ich hab ihm zuerst die
Arme um den Hals gelegt und ihn zu mir nieder gezogen daß
er meine Brüste fühlen konnte wie sie dufteten ja und das
Herz ging ihm wie verrückt und ich hab ja gesagt ja ich will Ja.

[aus: James Joyce: Ulysses, übs.v. H.Wollschläger, (c) Suhrkamp
Verlag, Frankfurt a. M. 1975, S. 940/1015.]

AUFGABE:

Formen Sie um: Text (2) in einen ,Inneren Monolog', Text (1) in
einen ,Bewußtseinsstrom', Text (3) in ,Erlebte Rede' und in ,Di-
rekte Rede'; Texte (1)-(3) jeweils in einen zusammenfassenden
,Redebericht' in je einem (möglichst kurzen) Satz.

Schema der Typen von Redewiedergabe in der Epik

Form der Wiedergabe	Person	Basis-Tempus	Basis-Modus	Interpunkt.	Syntax	Innen-sicht	Komment. Einmischg.
Dir. Rede	1./2.	Präsens	Indik.	„!?.,;:"	vollst./unvollst.	nein	nein
Indir. Rede	3.(1.=1.)	Präsens	Konj.	.,;:	vollst.	nein	ja/nein
Erl. Rede	3.	Präteritum	Indik.	!?.,;:	vollst.	ja	ja/nein
Redebericat	3.	Präteritum	Indik.	.,;	vollst.	nein	ja
Inn. Monolog	1.(2.=1.)	Präsens	Indik.	!?.,;:	vollst./unvollst.	ja	nein
Bewußtseins-strom	1.	Präsens	Indik.	fehlt ganz/z.T.	unvollst.	ja	nein

ERLÄUTERUNGEN ZUR TERMINOLOGIE:

DIREKTE REDE: Erzählerische Redewiedergabe in der 1. bzw. 2.Person Präsens Indikativ (als Basis-Tempus), ohne Innensicht und kommentierende Einmischung, in vollständiger oder bei Bedarf beliebig unvollständiger Syntax.

Beispiel: Othello fragte seine Frau: „Hast du zur Nacht gebetet, Desdemona? Ich werde dich jetzt töten!"

INDIREKTE REDE [auch „oratio obliqua"] : Erzählerische Redewiedergabe in der 3.Person Präsens Konjunktiv (bei Ich-Erzählung: in der 1.Person für das erlebende Ich), ohne Innensicht, mit der Möglichkeit ko...mentierender Einmischung, in vollständiger Syntax ohne Anführungs-, Ausrufe- und Fragezeichen.

Beispiel: Othello fragte Desdemona drohend, ob sie schon zur Nacht gebetet habe; er werde sie nun töten.

ERLEBTE REDE [auch „style indirect libre"] : Erzählerische Redewiedergabe in der 3. Person Präteritum Indikativ, mit Innensicht und der Möglichkeit kommentierender Einmischung, aber ohne ‚verba dicendi et sentiendi', in vollständiger Syntax (Ausnahme: Interjektionen) und mit unbeschränkter Interpunktion, jedoch ohne Anführungszeichen.

Beispiel: Othello sah Desdemona liegen. Ob sie wohl schon zur Nacht gebetet hatte? Schließlich wollte er sie nicht bei beladener Seele töten.

REDEBERICHT: Erzählerische Redewiedergabe in der 3. Person Präteritum Indikativ, ohne Innensicht, mit kommentierender Einmischung, in vollständiger Syntax und beschränkter Interpunktion.

Beispiel: Othello befragte Desdemona nach ihrem Nachtgebet und informierte sie über seine Mordabsicht.

INNERER MONOLOG: Erzählerische (Gedanken-) Redewiedergabe in der 1. (ersatzweise: gleichbedeutenden 2.) Person Präsens Indikativ, in Innensicht ohne kommentierende Einmischung, in vollständiger oder auch partiell unvollständiger Syntax mit unbeschränkter Interpunktion, jedoch ohne Anführungszeichen.

143

Beispiel: Othello schlich zu Desdemonas Bett. Ob sie wohl schon zur Nacht gebetet hat? Schließlich willst du sie ja nicht bei beladener Seele...aber töten muß ich sie!

BEWUSSTSEINSSTROM [urspr. engl. „stream of consciousness"; konkurrierend gebraucht z.T. auch „monologue intérieur", nicht zu verwechseln mit dt. „Innerer Monolog", s.o.] : Erzählerische (Gedanken-) Redewiedergabe in der 1. Person Präsens Indikativ, in Innensicht ohne kommentierende Einmischung, in unvollständiger Syntax mit ganz oder weitgehend fehlender Interpunktion.

Beispiel: da ist sie da liegt sie ja ob sie wohl schon aber das tut sie ja immer beten am Morgen am Mittag am Abend also hat sie natürlich aber besser ich frag sie nachher ist doch was dran und ich bin schuld daß sie dann ewig...

4.4. Zeitgerüst des Erzählens

AUFGABE:

Schreiben Sie bitte einen Witz Ihrer Wahl (notfalls in Illustrierten o.ä. suchen!) auf die folgenden drei verschiedenen Weisen um:
(1) in zeitdeckendem Verhältnis von Erzählzeit und erzählter Zeit
(2) in zeitraffendem Erzählen (mit je einer durativen, iterativen und Sprung-Raffung)
(3) in zeitdehnendem Erzählen (mit eindeutigem Epischem Präteritum sowie mit wenigstens einer Tempusmetapher durch Wechsel zum praesens historicum)

ERLÄUTERUNGEN ZUR TERMINOLOGIE:

ERZÄHLZEIT: Dauer des (Vor-) Lesens einer Geschichte.

ERZÄHLTE ZEIT: Dauer des Geschehens einer Geschichte.

ERZÄHLTEMPO [auch „Zeitgerüst des Erzählens"] : Verhältnis von Erzählzeit und erzählter Zeit (sowie ggf. dessen Abstufungen im Ablauf eines komplexen Erzähltextes).

ZEITDECKUNG: Annähernd gleiche Dauer von Geschehen und (Vor-) Lesen einer Geschichte (von Erzählzeit und erzählter Zeit).

ZEITDEHNUNG: Deutlich längere Dauer des (Vor-) Lesens einer Geschichte als des Geschehens selbst (Überschuß der Erzählzeit über die erzählte Zeit). Dies kann erreicht werden (a) durch Einschübe der auktorialen Erzählinstanz (s.o.4.2.) in die Darstellung eines Vorgangs, (b) durch mehrmalige, je zeitdeckende Darstellung eines einmaligen Vorgangs (‚repetitive Erzählfrequenz‘) oder (c) durch analysierende Detaildarstellung eines rasch ablaufenden Vorgangs (‚Zeitlupe‘).

Beispiel:
(a) Der Lehrer holte zum Schlag aus. Nun ist das mit der Gewaltanwendung in der Erziehung so eine Sache. Schon Platon (...) Doch was auch immer dagegen sprechen mag – der Lehrer schlug zu.
(b) Der Lehrer holte aus und gab Kasimir eine schallende Ohrfeige. Kasimir sah die Ausholbewegung und wollte sich instinktiv ducken – aber da hatte ihn die strafende Hand schon erreicht. Auch der Direktor, der die unerlaubte Amtshandlung noch zu blockieren versuchte, kam zu spät. Ingeborg hingegen war in den Roman unter ihrer Bank vertieft und schreckte erst vom schallenden Geräusch hoch.
(c) Der Lehrer holte blitzschnell zum Schlag aus. Auf dem höchsten Punkt der Ausholbewegung, bei völlig gestrecktem Arm, ballte sich seine Hand zur Faust. Doch im Niedersausen öffnete sie sich gerade noch rechtzeitig wieder zur offenen, durch die zunehmend gespreizten Finger maximal vergrößerten Handfläche. Aus dem Faustschlag wurde so im Aufprall eine Ohrfeige.

ZEITRAFFUNG: Deutlich kürzere Dauer des (Vor-) Lesens einer Geschichte als des Geschehens (Überschuß der erzählten Zeit über die Erzählzeit). Dies kann erreicht werden (a) durch ‚Sprungraffung‘ (explizites oder implizites Überspringen eines Zeitabschnitts, (Zeit-) ‚Ellipse‘), (b) durch ‚durative Raffung‘ (explizite Zusammenfassung eines längeren Zeitabschnitts) oder (c) durch ‚iterative Raffung‘ (einmalige Darstellung eines Vorgangs als wiederholt stattfindend).

Beispiel:
(a) Zwei Jahre später...
(b) So blieb das zwei Jahre lang; dann...
(c) Das tat er jeden Sonntag, bis eines Tages...

EPISCHES PRÄTERITUM: Verwendung des Präteritums nicht (wie in Wirklichkeitsberichten) als Tempus der Vergangenheitsdarstellung, sondern als Basistempus ('Nullstufe') der epischen Fiktion. Während somit das Orientierungszentrum (die 'Ich-Origo') im (a) historischen Präteritum des Wirklichkeitsberichtes in der Gegenwart verbleibt und das dargestellte Geschehen aus zeitlicher Distanz vermittelt wird, wird das Orientierungszentrum im (b) Epischen Präteritum distanzlos an den Zeitpunkt des dargestellten Geschehens versetzt, sodaß sich die Präteritumsformen nunmehr in eigentlich kontextwidriger Weise auch mit Zeitadverbien der Gegenwart und sogar der Zukunft verbinden lassen. (Umstritten ist dabei die Frage, ob diese Besonderheit des Epischen Präteritums für *alle* epische Fiktion bzw. *nur* für epische Fiktion bzw. nur für *bestimmte* Typen epischer Fiktion wie die 'Personale Erzählsituation' zutrifft.)

Beispiel:
(a) Am folgenden Tag mußte Dr. Meier den Rückflug in seine Heimatstadt Berlin antreten.
(b) Morgen ging sein Flugzeug nach Hause.

PRAESENS HISTORICUM [lat. 'historisches Präsens'] : Verwendung des Präsens nicht (wie im allgemeinen üblich) als Tempus der Darstellung von Gegenwart bzw. von zeitlosen Sachverhalten, sondern als Erzähltempus – sei es als Wirklichkeitsbericht über vergangenes Geschehen, sei es als Ersatz eines 'Epischen Präteritums' (s.o.) zur Vermittlung fiktionalen Geschehens. Das (a) praesens historicum unterscheidet sich also vom (b) historischen Präteritum auf der Ausdrucksebene durch die Wahl der präsentischen Verbformen und vom (c) normalen Präsensgebrauch auf der Bedeutungsebene durch eine Verwendung in Fällen, in denen üblicherweise das Präteritum steht.

Beispiel:
(a) Hier in Russland begeht Napoleon nun den entscheidenden Fehler.
(b) In Russland beging Napoleon 1811 den entscheidenden Fehler.
(c) In Russland ereignen sich zur Zeit entscheidende Veränderungen.

TEMPUSMETAPHER: Einschub eines Abschnittes im praesens historicum (s.o.) in einen Text mit historischem oder auch Epischem

Präteritum (s.o.) als Basistempus. Der Sachverhalt wird dadurch sprachlich aus dem Tempussystem der ‚Erzählten Welt‘ (ohne unmittelbare Handlungsrelevanz) ins Tempussystem der ‚Besprochenen Welt‘ (mit unmittelbarer Handlungsrelevanz) versetzt (ähnlich wie ein metaphorischer Ausdruck in einen ihm fremden Kontext ‚versetzt‘ wird).

Beispiel:
Am Abend des dritten Tages, da beide, um der Sache auf den Grund zu kommen, mit Herzklopfen wieder die Treppe zu dem Fremdenzimmer bestiegen, fand sich zufällig der Haushund vor der Tür desselben ein; dergestalt, daß beide den Hund mit sich in das Zimmer nahmen. Drauf, in dem Augenblick der Mitternacht, läßt sich das entsetzliche Geräusch wieder hören; jemand, den kein Mensch mit Augen sehen kann, hebt sich, auf Krücken, im Zimmerwinkel empor.

4.5. Erzählkomposition

TEXT :

Großer Staatsbesuch in Moskau. Die NATO-Maschine hat 30 Minuten Verspätung. Endlich landet man, heraus steigen Präsident Bush, Premierministerin Thatcher und Bundeskanzler Kohl. Sagt Bush zur Begrüßung zu Gorbatschow: „I'm sorry that we are late." Mrs. Thatcher schließt sich an: „I'm sorry, too." Kohl stutzt, zögert, eilt dann strahlend auf Gorbatschow zu: „I'm sorry three."

AUFGABE:

Verfassen Sie sechs Geschichten (zumindest als Skizze), in denen Sie den zitierten Witz folgendermaßen benutzen:
(a) als Thema (für ein anderes Motiv)
(b) als Motiv (für einen anderen Stoff)
(c) als Stoff (für eine andere story)
(d) als story (für einen anderen plot)
(e) als Binnenhandlung einer hinzuerfundenen Rahmenhandlung oder als Rahmenhandlung einer hinzuerfundenen Binnenhandlung

(f) als einen von zwei oder mehr Erzählsträngen (den/die anderen hinzuerfinden oder aus anderen Witzen übernehmen!), die durch mindestens eine Rückwendung (Analepse), eine zukunftsgewisse und eine zukunftsungewisse Vorausdeutung (Prolepse) verknüpft (oder sogar ‚episch integriert‘) sind.

ERLÄUTERUNGEN ZUR TERMINOLOGIE:

THEMA: Gleichartiges Inhaltselement verschiedenartiger Dichtungen, gleichbleibend in der behandelten Problematik, variabel in der Ausgestaltung von Situationen und Handlungsabläufen wie in der örtlichen, zeitlichen und figuralen Konkretisierung.

Beispiel: Tolstojs Roman „Krieg und Frieden" und Brechts Drama „Schweyk im zweiten Weltkrieg" behandeln beide das Thema ‚Krieg‘, sind aber im übrigen grundlegend verschieden.

MOTIV [nicht zu verwechseln mit dem in derselben Erzählung wiederkehrenden ‚Leitmotiv‘!] : Gleichartiges Inhaltselement verschiedenartiger Dichtungen, gleichbleibend in der typischen Grundsituation und im zentralen Handlungsablauf, variabel in der örtlichen, zeitlichen und figuralen Konkretisierung.

Beispiel: Flauberts „Madame Bovary" und Fontanes „Effi Briest" gestalten das Ehebruch-Motiv in verschiedenartigen Geschichten.

STOFF [konkurrierend gebraucht, aber etwas anders abgegrenzt auch „Sujet"] : Gleichartiges Inhaltselement verschiedenartiger Dichtungen, gleichbleibend durch örtliche, zeitliche und figurale Festlegung, variabel in der Ausgestaltung von Situationen und Handlungsabläufen.

Beispiel: Die vier Evangelien und der Roman „Ben Hur" von Lewis Wallace behandeln jeweils das Leben Jesu von der Geburt bis zum Tod, aber in grundverschiedenen Geschehensverläufen.

STORY [konkurrierend gebraucht, aber etwas anders abgegrenzt auch „histoire", „Fabel" – nicht zu verwechseln mit der Gattung!] : Gleichartiges Inhaltselement verschiedenartiger Dichtungen, gleichbleibend in der zeitlich zusammenhängenden

Folge fiktiver Geschehnisse, variabel in deren zeitlicher bzw. motivierender Verknüpfung.

> Beispiel: In Thomas Manns Roman „Der Erwählte" passiert äußerlich ungefähr dasselbe wie in Hartmann von Aues mittelalterlicher Legende „Gregorius" – aber wir werden über die Ereignisse dieser ‚story' auf grundlegend verschiedene Weise informiert.

PLOT [konkurrierend gebraucht, aber etwas anders abgegrenzt auch „récit", „discours"] : Gleichartiges Inhaltselement verschiedenartiger Dichtungen, gleichbleibend in der zeitlich zusammenhängenden Folge fiktiver Geschehnisse wie auch in deren zeitlicher bzw. motivierender Verknüpfung.

> Beispiel: Die Verlaufsstruktur von Grimms Märchen „Von den Fischer un siine Fru" wird in Othmar Schoecks dramatischer Kantate „Vom Fischer und syner Fru" genau bewahrt, aber in eine andere Gattung transferiert.

RAHMENERZÄHLUNG: Teil einer Geschichte, in dem erzählt wird, wie jemand eine Geschichte erzählt.

> Beispiel: „Deine Geschichte, Dante?" raunte es von allen Seiten, „deine Geschichte!" „Hier ist sie", sagte dieser und erzählte.
> Wo sich der Gang der Brenta...

BINNENERZÄHLUNG: Geschichte, die von einer fiktiven Person in einer Erzählung erzählt wird.

> Beispiel: „Deine Geschichte, Dante?" raunte es von allen Seiten, „deine Geschichte!" „Hier ist sie", sagte dieser und erzählte.
> Wo sich der Gang der Brenta...

ERZÄHLSTRANG: Personell und zeitlich kohärente Ereigniskette auf der Ebene der ‚story'. Je nach der Verwendung auf der Ebene des ‚plot' wird die Erzählung (a) ‚einsträngig', also auf die Personen und Ereignisse eines Strangs beschränkt; (b) ‚mehrsträngig', also mehrere personell oder auch zeitlich getrennte Ereignisketten verknüpfend durch bloße ‚Montage' oder ineinander verschränkend durch ‚epische Integration'; wird ein kurzer Erzählstrang in einen anderen punktuell eingebettet und später nicht wieder aufgenommen, spricht man (c) von einer ‚Episode'.

Beispiel:

(a) Im Märchen von „Hans im Glück" erfahren wir nichts als die eine Ereigniskette des Tausches von Gold, Pferd, Kuh, Schwein, Gans und Schleifstein.

(b) Im Märchen vom „Tischlein deck dich" werden die drei Erzählstränge der Lebensgeschichten der drei Söhne getrennt voneinander erzählt und schließlich jeweils liegengelassen, bis sie am Schluß durch die Rückgewinnung auch des ‚Goldesels' und des ‚Tischlein deck dich' durch den ‚Knüppel aus dem Sack' episch integriert werden.

(c) Im Märchen von der „Kleinen Seejungfrau" wird auch erzählt, was ihre fünf älteren Schwestern beim ersten Ausflug über Wasser jeweils sehen – dies bleibt jedoch ohne Folgen für die Geschichte.

RÜCKWENDUNG [auch „Rückblende", „Analepse"] : Nachträgliche Erzählung eines Ereignisses, das vor dem Zeitpunkt stattgefunden hat, an dem sich das epische Geschehen gerade befindet. (Werden, wie in Detektivromanen, erhebliche Teile der ‚story' auf diese Weise nachgeliefert, spricht man von ‚analytischem Erzählen' im Gegensatz zu ‚linearem', ‚chronologischem' Erzählen.

Beispiel: Bei Helmers Home trafen sich die Freunde wieder. Winnetou hatte inzwischen Bloody-Fox getroffen und von ihm nähere Einzelheiten über die Absichten der Pfahlmänner erfahren. Nun konnte also die Falle aufgebaut werden.

VORAUSDEUTUNG [auch „Prolepse"] : Vorgreifende Erwähnung eines Ereignisses, das später stattfindet als zu dem Zeitpunkt, an dem sich das epische Geschehen gerade befindet. Dabei kann es sich (a) um eine ‚zukunftsgewisse' (von seiten der Erzählinstanz) oder (b) um eine ‚zukunftsungewisse' Vorausdeutung (von seiten der Erzählinstanz oder auch der Figuren) handeln.

Beispiel:

(a) Ich warf die Flasche achtlos weg. Das sollte mir später noch leid tun.

(b) Er warf die Flasche einfach weg. „Ist das, was mein weißer Bruder da tut, nicht höchst gefährlich?" fragte Winnetou. „Ach was – wer soll die hier in der Wüste schon finden!"

4.6. Explizite Figurencharakterisierung im Erzähltext

TEXT (1) :

Karakter einer Art von Tanten

In einem alten baufälligen Schlosse der Spanischen Provinz Valencia lebte vor einigen Jahren ein Frauenzimmer von Stande, die zu derjenigen Zeit, da sie in der folgenden Geschichte ihre Rolle spielte, bereits über ein halbes Jahrhundert unter dem Namen Donna Mencia von Rosalva – sehr wenig Aufsehens in der Welt gemacht hatte.

Die Dame hatte auch die Hoffnung, sich durch ihre persönlichen Annehmlichkeiten zu unterscheiden, schon seit dem Sukcessionskriege aufgegeben, in dessen Zeiten sie zwar jung und nicht ungeneigt gewesen war, einen würdigen Liebhaber glücklich zu machen, aber immer so empfindliche Kränkungen von der Kaltsinnigkeit der Mannspersonen erfahren hatte, daß sie mehr als Einmahl in Versuchung gerathen war, in der Abgeschiedenheit einer Klosterzelle ein Herz, dessen die Welt sich so unwürdig bezeigte, dem Himmel aufzuopfern. Allein ihre Klugheit ließ sie jedesmahl bemerken, daß dieses Mittel, wie alle diejenigen, welche der Unmuth einzugeben pflegt, ihre Absicht nur sehr unvollkommen erreichen, und in der That die Undankbarkeit der Welt nur an ihr selbst bestrafen würde.

Sie besann sich also glücklicher Weise eines andern, welches ihr nicht so viel kostete und weit geschickter war, die einzige Absicht zu befördern, die bey so bewandten Umständen ihrer würdig zu seyn schien. Sie wurde eine Spröde, und nahm sich vor, ihre beleidigten Reitzungen an allen den Unglücklichen zu rächen, welche sie als Wolken ansah, die den Glanz derselben aufgefangen und unkräftig gemacht hatten. Sie erklärte sich öffentlich für eine abgesagte Feindin der Schönheit und Liebe, und warf sich hingegen zur Beschützerin aller dieser ehrwürdigen Vestalen auf, denen die Natur die Gabe der transitiven Keuschheit mitgetheilt hat, von Geschöpfen, deren bloßer Anblick hinlänglich wäre, den muthwilligsten Faun – weise zu machen.

Donna Mencia ließ es nicht bey der bloßen Freundschaft bewenden, die der nähere Umgang, die Sympathie und die Ähnlichkeit ihres Schicksals zwischen ihr und einigen Frauenzimmern von dieser Klasse stiftete, mit denen sie zu Valencia, wo sie erzogen worden war, nach und nach Bekanntschaft gemacht hatte. Sie richtete eine Art von Schwesterschaft mit ihnen auf, die in der schönen Welt eben das war, was (nach vieler Leute Meinung) die Mönchsorden in der politischen sind, ein Staat im Staate, dessen Interesse ist, dem andern allen möglichen Abbruch zu thun, und die sich den Namen der Antigrazien erwarb, indem sie mit dem ganzen Reich der Liebe in einer eben so offenbaren und unversöhnlichen Fehde stand, als die Malteserritter mit den Musulmanen.

[aus: Christoph Martin Wieland: Die Abenteuer des Don Sylvio von Rosalva. In: Ders.: Sämmtliche Werke, elfter Band, erster Theil, Leipzig 1795, S. 3 ff.]

TEXT (2) :

Parabel

Einer ging an den See des Lebens, um nach Menschen zu angeln; aber er fing nichts. Da kam ein Unbekannter und sagte: Wenn du Menschen fischen willst, so mußt du dein Herz an die Angel stecken, dann beißen sie an! Jener folgte dem Rat, und sogleich schnappten sie unten nach dem Köder, rissen ihn von der Angel und fuhren damit in die Tiefe. Da war der Fischer betrübt. Allein bald wurde es ihm so leicht zu Mut, daß er auf die wilde See hinausfuhr und die Menschenfische zu Tausenden mit dem Netz fing, und er war nun ihr Herr und schlug sie auf die Köpfe. Und der ihm den Rat gegeben hatte, war der Teufel.

[Gottfried Keller: Parabel. In: Ders.: Sämtliche Werke und ausgewählte Briefe, hrsg. v. C. Heselhaus, Bd. 2, München 1963, S. 1238.]

AUFGABE:

Charakterisieren Sie den Fischer in Gottfried Kellers „Parabel" explizit, also in der Art von Text (1).

TERMINOLOGISCHE HINWEISE:

Unter ,Figurencharakterisierung' faßt man alle Informationen über eine fiktive Gestalt zusammen, die ein Leser einem Erzähltext entnehmen kann und die als Merkmalbündel eine literarische Figur konstituieren. Dabei unterscheidet man zwei Informationsebenen: (1) die Ebene der Erzählinstanz (s.o. 4.2.) und (2) die Ebene der Figuren (besonders ihrer Äußerungen und formulierten Gedanken). Auf beiden Ebenen lassen sich zwei Typen von Informationen unterscheiden: (3) ,explizite' und (4) ,implizite' Informationen.

Explizite Informationen auf der Ebene der Erzählinstanz durch:

BESCHREIBUNGEN: Mit oder ohne kommentierende Einmischungen versehene, auf Außensicht beruhende Beschreibungen einer Figur (Physiognomik, Gestik, Mimik, soziale Rolle etc.).

> Beispiel: Ihr Haar hatte dieselbe Farbe wie eine Möhre und war in zwei feste Zöpfe geflochten. Ihre Nase hatte dieselbe Form wie eine ganz kleine Kartoffel und war völlig mit Sommersprossen übersät.

BEZIEHUNGEN: Darstellung der Beziehungen zu anderen Figuren, durch die Erzählinstanz formulierte Korrespondenz oder Kontrast zu anderen Figuren.

> Beispiel: Früher hatte Pippi mal einen Vater gehabt.

HANDLUNGEN: Darstellung von Handlungen der Figur.

> Beispiel: Sie ging mit festen Schritten, ohne sich umzudrehen, mit Herrn Nilsson auf der Schulter und dem Koffer in der Hand.

SITUATIONEN: (a) Temporale, (b) spatiale und (c) kausale/finale Einordnung einer Figur in die ,story' (s.o. 4.5.).

> Beispiel:
> (a) Annika erwachte zeitig am nächsten Morgen.
> (b) Außerhalb der kleinen, kleinen Stadt lag ein alter verwahrloster Garten. In dem Garten stand ein altes Haus, und in dem Haus wohnte Pippi Langstrumpf.
> (c) Aber jetzt ging sie rückwärts. Das tat sie, damit sie nicht umzudrehen brauchte, wenn sie nach Hause ging.

REDEINHALTE: Redewiedergabe als Redebericht oder in indirekter Rede durch die Erzählinstanz.

Beispiel: Und wie es mitunter bei Kaffeekränzchen geschieht, fingen die Damen an, von ihren Hausangestellten zu reden. Es waren gerade keine besonders guten Hausangestellten, die sie bekommen hatten, denn sie waren nicht zufrieden mit ihnen.

GEFÜHLSINHALTE: Pauschale Wiedergabe von Wahrnehmungen und Gefühlen, jedoch ohne Wiedergabe von figural ausformulierten Gedanken.

Beispiel: „Nein, gar nicht", sagte Pippi vergnügt.

Explizite Informationen auf der Ebene der Figuren durch:

SELBSTTHEMATISIERUNG: Thematisierung einer Figur in (a) direkten oder (b) auf Innensicht beruhenden Formen der Redewiedergabe dieser Figur.

Beispiel:
(a) Und Pippi lief zu ihr hin und flüsterte: „Verzeihen Sie mir, daß ich mich nicht benehmen konnte!"
(b) Und Pippi dachte: „Wieder hab ich mich nicht benehmen können!"

FREMDTHEMATISIERUNG: Thematisierung einer Figur durch andere Figuren in direkten oder auf Innensicht beruhenden Formen der Redewiedergabe, und zwar (a) vor dem ersten Auftritt, (b) nach dem ersten Auftritt, (c) in Anwesenheit der thematisierten Figur oder (d) in Abwesenheit der thematisierten Figur.

Beispiel:
(a) „Wo mein Vater ist?", wiederholte Pippi fröhlich, „och, der ist Negerkönig in Taka-Tuka."
(b) „Wach auf, Thomas", sagte Annika und rüttelte ihn am Arm. „Wach auf, wir wollen zu dem ulkigen Mädchen mit den großen Schuhen gehen."
(c) „Jungs", rief er, „Jungs! Laßt Willi los und schaut euch das Mädel hier an. So was habt ihr in eurem ganzen Leben noch nicht gesehen!"
(d) Annika sagte zur Lehrerin: „Bald wird auch meine neue Freundin, Pippi heißt sie, zur Schule kommen."

4.7. Implizite Figurencharakterisierung im Erzähltext

AUFGABE:

Charakterisieren Sie die oben geschilderte Tante in Christoph Martin Wielands „Don Sylvio" implizit, also in der Art von Text (2) in 4.6.

TERMINOLOGISCHE HINWEISE :

Unter ‚Figurencharakterisierung' faßt man alle Informationen über eine fiktive Gestalt zusammen, die ein Leser einem Erzähltext entnehmen kann und die als Merkmalbündel eine literarische Figur konstituieren. Dabei unterscheidet man hier zwei Informationsebenen: (1) die Ebene der ‚Erzählinstanz' (s.o. 4.2.) und (2) die Ebene der ‚Figuren' (besonders ihrer Äußerungen und formulierter Gedanken). Auf beiden Ebenen lassen sich zwei Typen von Informationen unterscheiden: (3) ‚explizite' und (4) ‚implizite' Informationen.

Implizite Informationen auf der Ebene der Erzählinstanz durch:

KORRESPONDENZ UND KONTRAST: Äquivalenzen und Oppositionen zu anderen Figuren werden nicht ausdrücklich formuliert, aber durch Merkmalzuordnung deutlich.

Beispiel: Thomas und Annika haben Vater und Mutter (Korrespondenz), Pippi lebt dagegen ohne Eltern (Kontrast zu Thomas und Annika).

NAMENGEBUNG: Sprechende, klangsymbolische, klassifizierende o.ä. Namen deuten Besonderheiten von Figuren an.

Beispiel: ‚pippi', schwed.: verrückt, Verrücktheit.

AUFTRETEN: Einordnung und Vorkommenshäufigkeit im ‚plot' im Vergleich zu Einordnung und Vorkommenshäufigkeit in der ‚story' (s.o.4.5.).

Beispiel: Pippis Vater wird im ‚plot' bereits laufend thematisiert, bevor er schließlich in der ‚story' auftritt.

Implizite Informationen auf der Ebene der Figuren durch:

FIGURALSTIL: Charakteristische Redeweise einer fiktiven Gestalt in direkter bzw. auf Innensicht beruhender Redewiedergabe.

Beispiel: „Du garschtiges Ding!" zischte der Zirkusdirektor zwischen den Zähnen. „Mach, dasch du fortkommscht!"

BEZIEHUNGSSTIL: Charakterisierende Redeweise anderer Figuren über eine fiktive Gestalt in direkter bzw. auf Innensicht beruhender Redewiedergabe, und zwar (a) in Anwesenheit der zu charakterisierenden Figur oder (b) in Abwesenheit der zu charakterisierenden Figur.

Beispiel:
(a) Dann lief Pippi zu den anderen Damen hin und küßte sie auf die Wangen. „Scharmangt, scharmangt, auf Ehre", sagte sie, denn das hatte sie einmal einen feinen Herrn zu einer Dame sagen hören.
(b) „Diese verdammte Göre hat uns verdorben die ganze Vorstellung" sagte der Zirkusdirektor am Abend zu seiner Frau.

THEMATIK: Charakteristische Bevorzugung bestimmter Inhalte der direkten oder der auf Innensicht beruhenden Redewiedergabe.

Beispiel: Pippi thematisiert immer wieder den ‚Spaß', den eine Sache oder Beschäftigung mache.

4.8. Genres der Epik

TEXT : Franz Kafka: Gibs auf! (s. o. 2.23.)

AUFGABEN :

Sie haben in der Lotterie zwei der folgenden Genres epischer Dichtung gewonnen: (1) Ballade, (2) Anekdote, (3) Märchen, (4) Mythos, (5) Legende, (6) Sage, (7) Gespenstergeschichte, (8) Beispielgeschichte, (9) Humoreske, (10) Kurzgeschichte, (11) Novelle, (12) Schwank/Facetie, (13) Fabel, (14) Witz, (15) Comic, (16) Kalendergeschichte, (17) Schlüsselroman,

(18) Nouveau Roman, (19) Abenteuerroman, (20) Briefroman, (21) Autobiographischer Roman, (22) Zeitroman, (23) Wildwestroman, (24) Schauerroman, (25) Detektivgeschichte/ Kriminalroman, (26) Pikarischer Roman, (27) Bildungsroman, (28) Entwicklungsroman, (29) Historischer Roman, (30) Epos.

(a) Informieren Sie sich in geeigneten Nachschlagewerken (vgl. Literaturliste im Anhang) über diese beiden Genres, ihre gängigen Begriffsbestimmungen und ihre literarhistorische Entwicklung. Wenn Sie keines der dort erwähnten Beispiele des jeweiligen Genres kennen, lesen Sie eines Ihrer Wahl.

(b) Entwickeln Sie auf der Grundlage Ihrer so gewonnenen Informationen eine kurze und möglichst präzise – also gegenüber anderen Genres trennscharfe! – Definition für die beiden Gattungen.

(c) Schreiben Sie Kafkas Erzähltext „Gibs auf!" um in je eine Parodie der entsprechenden Gattung. Bei einigen Genres (sc. Kalendergeschichte, Anekdote, Witz, Fabel, evtl. Legende, Sage, Kurzgeschichte) geht dies komplett mit weniger als 1 Seite. Bei den anderen Genres müssen Sie die Umwandlung skizzieren. Dazu gehören:

1. der Erzählanfang von wenigstens einigen Sätzen;
2. eine Zusammenfassung des weiteren Erzähl- und (!) Handlungsverlaufs;
3. die letzten Sätze der Erzählung.

4.9. Lernzielkontrolle (I) : Selbständige Erzählanalyse

Beschreiben und erläutern Sie den folgenden Text unter allen geeigneten erzähltheoretischen Gesichtspunkten:

IMITATION

Sie betraten die Bar und sanft leitete er sie an einen intimen Nischentisch. Seine Augen waren zärtlich und roh, besitzergreifend. Sie atmete schwer, im glänzenden Blick lagen Unsicherheit und Hoffnung.

– You are terribly sweet, sagte er leise.

Sie schüttelte den Kopf, lächelte. Er beteuerte es ihr, umschloß mit einer Hand ihre gefalteten kleinen Finger, fragte, ob sie tanzen wolle.

Sie tanzten, dicht aneinandergedrängt und immer noch zu weit voneinander entfernt. Schwere, süße Betäubung. Die Musik, sein Atem, ihr Parfum, Augen, Hände, Wärme. Ein Rausch.

Er verging nicht. Im Taxi brachte er sie nach Haus. Sie wohnte allein. Darf ich? O nein. Nur eine Tasse Kaffee. Bitte!

Er durfte. Zärtlicher großer Mann, seine erregende, wunderbare Liebe. Herzklopfen, sanft, sanft kam er zu ihr, ein paar Tränen, die nur die Augen füllten und nicht die Wangen hinunterliefen, ihre Hingabe, dem Zuschauer versprochen in der Glut eines Augenaufschlags, in der Verschmelzung ihrer Lippen.

– Noch was trinken?

– Ja, wär' nicht schlecht.

Sie betraten die Bar und mißmutig bahnte er sich einen Weg durch die Tische, fand keinen guten Platz. Sie hinter ihm her.

Unsympathisch muß er wirken mit seinem finsteren Gesicht, den unvergnügten Lippen.

Er bestellte das billigste Getränk, fand es immer noch zu teuer.

– Hübscher Film, sagte sie.

– Na, reichlich dick aufgetragen, brummte er.

– Was willst du, Kitsch ist's immer.

Beleidigt saß sie da, betrachtete mit geringschätziger Wehmut die Tanzpaare.

– Blöd, bei der Hitze zu tanzen, sagte sie traurig.

Er sah auf, fixierte eine aparte kleine Mulattin, schlank und drahtig und halb nackt in den Armen ihres Partners.

– Kommt drauf an, sagte er.

Schwere, bittere Enttäuschung. Die Musik, sein festgenagelter Blick, daß man nicht geliebt wurde, daß man nicht liebte. Hitze. Eine schwache, leise bohrende Qual. Sie verging nicht. Verstimmt tappten sie durch die Straßen.

[aus: Gabriele Wohmann: Imitation. In: Dies.: Streit, Düsseldorf 1978, S. 43f.; Abdruck mit freundlicher Genehmigung der Verfasserin.]

4.10. Lernzielkontrolle (II): Terminologie-Test

AUFGABE:

Schreiben Sie links neben jedes der folgenden Beispiele (bzw. Beispielschemata) den Buchstaben A-Z derjenigen Kategorie aus der Liste im Anschluß, unter die dieses Beispiel fällt. (Im Bedarfsfall ist der relevante Teil des Beispiels unterstrichen.)

(1) Aber er sagte: „Fouder, wofür bin ich ein reicher Mann, wenn ich soll leben wie ein Hund, und der Doktor will mich nicht gesund machen für mein Geld?"

(2) Schweigend ging er im Zimmer auf und ab. Wofür war er eigentlich ein reicher Mann, wenn er doch wie ein Hund leben sollte und der Doktor ihn auch nicht gesund machen wollte für sein Geld?

(3) Er fragte, wofür er eigentlich ein reicher Mann sei, wenn er doch wie ein Hund leben solle, da der Doktor ihn auch für sein Geld nicht gesund machen wolle.

(4) Schweigend ging er im Zimmer auf und ab. Wofür bin ich ein reicher Mann, wenn ich wie ein Hund leben soll, und der Doktor will mich nicht gesund machen für mein Geld?

(5) Verflucht wofür bin ich 'n reicher Mann , he Fouder, muß ja doch leben wie'n Hund und der Doktor macht mich fürs Geld nicht gesund o Mann.

(6) Er beklagte sich über das Ausbleiben wirksamer medizinischer Hilfe und über seinen anhaltend elenden Zustand, ungeachtet seines materiellen Wohlstandes.

(7) Das Zimmer stand leer; nur eine Fliege surrte an der Fensterscheibe. Ein Mann trat ein, ging schwerfällig zum Tisch, setzte sich auf den Hocker, ergriff Papier und Feder und begann zu schreiben.

(8) Er trat in das leere Zimmer, ging traurig zum Tisch und setzte sich erschöpft auf den Hocker. Er sah Papier und Feder vor sich liegen, ergriff sie in plötzlichem Entschluß und begann seine Gedanken niederzuschreiben.

(9) Unser Millionär ging traurig zum Tisch in dem leeren Zimmer und setzte sich erschöpft auf den kunstvoll verzierten Hocker, den er sich einmal von einer Reise mitgebracht hatte. Reiche Leute

haben trotz ihrer gelben Vögel doch manchmal auch allerlei Lasten und Krankheiten auszustehen, von denen gottlob der arme Mann nichts weiß, denn es gibt Krankheiten, die nicht in der Luft stecken, sondern in vollen Schüsseln und Gläsern und in weichen Sesseln und seidenen Betten, wie jener reiche Amsterdamer ein Wort davon reden kann. Er redete aber nicht, sondern ergriff vielmehr Papier und Feder und begann seine Gedanken niederzuschreiben.

(10) Erschöpft sank ich auf den Hocker an meinem Schreibtisch nieder. Ich habe seither in meinem langen Leben wohl an mir feststellen können, lieber Freund, daß auch reiche Leute trotz ihrer gelben Vögel mancherlei Lasten und Krankheiten auszustehen haben, von denen ich vor meiner Erbschaft noch nichts gewußt hatte. Ganz in Gedanken ergriff ich Papier und Feder und begann zu schreiben.

(11) Geschichte A und Geschichte B handeln ja beide vom Untergang Trojas, aber sonst haben sie doch kaum etwas gemein; sie haben also nur denselben/dieselbe/dasselbe...

(12) Geschichte A und Geschichte B handeln ja beide von einem Mord aus Eifersucht, aber doch in ganz verschiedenen historischen Epochen; sie haben also nur denselben/dieselbe/dasselbe...

(13) Geschichte A und Geschichte B handeln ja beide von der Liebe, aber sonst haben sie doch kaum etwas gemein; sie haben also nur denselben/dieselbe/dasselbe...

(14) Geschichte A und Geschichte B handeln ja beide von denselben Ereignissen, aber berichten sie doch in ganz anderer Abfolge; sie haben also nur denselben/dieselbe/dasselbe...

(15) Geschichte A und Geschichte B beginnen und enden ja beide mit ausführlichen Erzählerkommentaren, aber dazwischen zeigen sie das eigentliche Geschehen doch ganz aus der Sicht des Helden; sie haben also denselben/dieselbe/dasselbe...

(16) Geschichte A und Geschichte B erzählen die Handlung zwar ungefähr gleich, aber die Verserzählung klingt doch ganz anders als die Prosaerzählung; sie haben also nur denselben/dieselbe/dasselbe...

(17) Nachdem wir so eine Weile gesessen hatten, sagte der Alte: „Da fällt mir eine kleine Geschichte ein. Vor langen Jahren lebte mal (...)"

(18) Nachdem wir so eine Weile gesessen hatten, sagte der Alte: „Da fällt mir eine kleine Geschichte ein. Vor langen Jahren lebte mal (...)"

(19) Ich brauchte doch tatsächlich einen Tag, um diese Geschichte zu lesen.

(20) „Ein Tag im Leben des Iwan Denissowitsch".

(21) Hebel schildert hier in wenigen Sätzen die Geschehnisse von Jahrzehnten.

(22) Der Autor braucht fast 500 Seiten, um einen Kuß akribisch genau zu beschreiben.

(23) Diese Geschichte stellt nacheinander den Ablauf eines ganzen Tages dar; aber man braucht auch einen ganzen Tag, um den Text zu lesen.

(24) Komisch: So ausführlich Annemarie Brauns Lebensgeschichte sonst erzählt wird – über die Zeit zwischen der Trauung und der Geburt ihres ersten Kindes erfahren wir kein Wort.

(25) In der Tür prallte Ladislaus mit einem blonden Mädchen zusammen und schnauzte sie ärgerlich an. Wenn er geahnt hätte, daß diese impertinente Person einmal seine Frau werden sollte...

(26) Ladislaus beschloß, sich scheiden zu lassen. Er hatte seine Frau vor sechs Jahren in einem übereilten Entschluß geheiratet, kurz nachdem sie in seiner Haustür zufällig zusammengeprallt waren.

Terminologieliste A – Z:

A) Thema
B) Motiv
C) Stoff
D) Plot
E) Story
F) Erzählprofil
G) Auktoriale Erzählsituation
H) Personale Erzählsituation
I) Ich-Erzählsituation
J) Neutrale Erzählsituation
K) Rückwendung
L) Vorausdeutung
M) Rahmenerzählung

N) Binnenerzählung
O) Zeitdeckung
P) Erzählte Zeit
Q) Erzählzeit
R) Zeitdehnung
S) Zeit-Ellipse
T) Zeitraffung
U) Bewußtseinsstrom
V) Innerer Monolog
W) Erlebte Rede
X) Redebericht
Y) Direkte Rede
Z) Indirekte Rede

(Hinweise zur Auflösung im Anhang)

5. DRAMEN-PARODIEN

5.1. Aufgabe zur Einführung: Aspekte von Dramentexten

(1)   (3)

(2)   (4)

[Wilhelm Busch: Das erste Bad im Freien. In: Ders.: Gesamtausgabe in vier Bänden, hrsg. v. F. Bohne, Bd.1, Wiesbaden o.J., S. 100f.]

AUFGABE:

Formen Sie diese (wortlose) Bildergeschichte in ein Kurzdrama um. Machen Sie sich dabei gleich Notizen, was alles verändert werden muß, damit aus der ‚wortlosen' und unkommentierten Bildergeschichte ein Dramentext wird.

PETERMANNS WAHRHEIT.

Ein bildungsbürgerliches Rührstück in vier Bildern.

Personen:

PROFESSOR DOKTOR JOHANN KARL PETERMANN, etwa 50 Jahre alt, beleibt, glatzköpfig, mit Hut und Stock, insgesamt etwas unreinlich wirkend.

DIE MUSEN, neun uralte Weiber, diabolisch und häßlich.

Ort: Offenes Feld, steinig und staubig, kann durch eine leere Bühne mit einigen kleinen Kisten angedeutet werden. In der Mitte der Bühne befindet sich allerdings ein Kinderplanschbecken.

Zeit: Tag, der Sonnenschein wird durch einen starken Scheinwerfer angedeutet.

1. Szene

PETERMANN: *(kommt von der linken Seite, zum Publikum)* Ich bin Petermann, Professor *(wippt betonend auf den Fußballen)* Doktor *(wippt)* Johann Karl Petermann.

DIE MUSEN: *(stehen als 'Chor' auf der anderen Seite der Bühne, in der Art eines Abzählsingsangs rufend)*
Petermann, geh du voran.
Petermann, geh du voran.
(Hexengekicher)

PETERMANN: Sie sehen mich, den berühmten *(wippt)* Petermann, *(pathetisch)* Mitglied zahlloser Akademien, nebenbei Herausgeber der bekanntesten wissenschaftlichen Zeitschriften, *(geht ein paar Schritte)* Verfasser der berühmtesten Standardwerke meines Faches, *(bedeutend)* Träger des großen Schlüpfergummiordens mit Rosmarin, Sie sehen mich, *(weist auf die Sonne)* Sie sehen mich klar, ja ich sage noch mehr, Sie sehen mich deutlich *(großartig und laut)* im Lichte der Wahrheit.

DIE MUSEN: *(wie oben)*
Petermann, geh du voran.
Petermann, geh du voran.

PETERMANN: Wie einen Heiligenschein trage ich dieses Licht, denn ich bin Petermann, es erhöht mich unter den Wissenschaftlern, ja ich sage noch mehr, es macht mich zum Einäugigen unter den Blinden, denn ich, Petermann ...

DIE MUSEN: *(kichernd)* Petermann, Petermann.

PETERMANN: Ich, Petermann, Kaiser und Gott, *(lächelnd, beschwichtigend)* sozusagen, verstehen Sie mich recht, sozusagen, trage dieses Licht der Wahrheit, mein Licht *(nimmt den Hut ab)* ...

DIE MUSEN:
Geh du voran,
geh du voran.

PETERMANN: ... in alle Winkel der Welt, scheue keine Anstrengung *(wischt sich mit seinem schmuddeligen Taschentuch die Stirn)* und gehe jeden Weg, um das Licht der Wahrheit, mein Licht, erstrahlen zu lassen überall dort, wo Unwahrheit herrscht, mein Licht, per asperam et aschram, denn ich bin Petermann.

DIE MUSEN:
Petermann, geh du voran.
Petermann, geh du voran.

(Scheinwerfer aus)

2. Szene

(Scheinwerfer an)

PETERMANN: *(geht bedeutend um das Kinderplanschbecken herum, scheint es aber nicht zu bemerken)* Die Wahrheit, die Wahrheit, die ist ein köstlich Ding.

DIE MUSEN: *(parodistisch, nach Lortzings Melodie)* Ja er ist klug und weise, und ihn betrügt man nicht.

PETERMANN: *(sieht das Becken)* Nanu! Aha! Ich schließe, ganz klar, denn ich bin Petermann, diese Pfütze, dieser Tümpel, dieser Pfuhl, meine Damen, meine Herren, *(bedeutend)* geben Sie acht, hier können Sie etwas lernen fürs Leben, denn nicht für die Schulen, für das Leben lehre ich...

DIE MUSEN: *(wie oben)*
So klug und weise.
So klug und weise.

PETERMANN: Dieses trübe Etwas, das ist das Unerforschte und darum das Unwahre und darum, *(süßlich lächelnd)* oder wie der Lateiner sagt: ergo, ist es meine Pflicht, jetzt und hier aufzuklären, hineinzutauchen in die Abgründe des Trüben und die Wahrheit hineinzutragen, das Licht, mein Licht...

DIE MUSEN: *(wie oben)*
So klug so klug so klug.
So weise, ja weise.

PETERMANN: *(zieht sich aus, seufzend)* Wer die Wahrheit will, darf nicht davor zurückschrecken, sich zu beschmutzen mit der Unwahrheit, nein, er muß eintauchen in den Morast, um ihn zu reinigen, ja ich sage noch mehr, um ihn zu klären, und, übrigens, wenn ich das hier mal sagen darf, nicht selten fand der Forscher dabei mehr, als er zu finden hoffte! *(steigt mit einem Fuß in das Becken, mit großartiger Gebärde zum Publikum)* Auf nach Jerusalem!

(setzt sich in das Becken, Scheinwerfer aus)

3. Szene

(Scheinwerfer an, Petermann taucht im Planschbecken auf, erhebt sich langsam)

DIE MUSEN: Alles geben die Götter, die unendlichen, ihren Lieblingen ganz.

PETERMANN: *(wie benommen, starrt auf das Wasser, führt langsam die Zeigefinger in die Ohrmuschel)*

DIE MUSEN: Das Erforschliche erforschen, das Unerforschliche ruhig verehren...

PETERMANN: Die Wahrheit, *(zitternd)* die Wahrheit...

DIE MUSEN: Ja das Schreiben und das Lesen...

PETERMANN: Die Wahrheit ist ein Himmelsmacht.

DIE MUSEN: Habe nun ach, habe nun ach...

PETERMANN: *(richtet sich langsam auf, steht selbstbewußt breitbeinig im Planschbecken, an seinem Körper hängen Blutegel, zum Publikum)* Es ist vollbracht.

(Scheinwerfer aus)

4. Szene

(Scheinwerfer an, Petermann wie am Schluß des 3. Bildes)

PETERMANN: Ich, Petermann, habe mich begeben in das Drachenblut der Unwahrheit, habe in die Dunkelheit getragen mein Licht, habe dem Unerforschten die Chance gegeben, erforscht zu werden, *(weist auf die Egel)* habe den Drachen herausgerissen und opfere mich nun für die Sache, denn ich bin Petermann. Befriedigend ist es und groß, im Trüben zu fischen. Das Trübe bleibt trüb nicht, das Klare nicht klar ...

DIE MUSEN: Dubidubi, Dubidubi...

PETERMANN: *(zunehmend unruhig)* Was bleibt, frei und fest, bin ich, Petermann, und ich stehe im Lichte der Wahrheit und, und, und ... *(springt aus dem Becken und rennt schreiend davon, noch immer von Blutegeln behängt)*

DIE MUSEN: *(als Dreiklang CEG singend)*
Petermann, Petermann, Petermann
Petermann, Petermann, Petermann
(eine der Musen vortretend)
Das war die Geschichte von Petermanns Wahrheit.
(alle)
Den Unwissenden zum Unterricht,
Den Gelehrten zu weiterem Nachdenken,
Den Sündern zum Schrecken, und
Den Betrübten und Angefochtenen zum Troste

(Die Musen springen mit Hexengekicher von der Bühne. Vorhang.)

167

5.2. Expositions-Typen und ihre Redeformen

TEXT (1) :

An den Altären hat sich ein greiser Priester und ein Zug
von Knaben und Jünglingen gelagert

OIDIPUS

(tritt heraus; zu den Kindern:)
Ihr junges Laub an Kadmos' altem Baum,
Was trieb euch zu den Göttern meines Tors,
Den Zweig des Beters in der frommen Hand?
(Zu den Jünglingen:)
Was füllt die ganze Stadt mit Weihrauchduft,
Mit Litanei und dumpfem Klageruf?
Bevor mich noch ein fremder Mund belehrt
Tret ich, ihr Lieben, selber vor euch hin,
Der allgerühmte König Oidipus.
(Zum Priester:)
Da dich dein weißes Haar zum Sprecher macht,
So künde du, was euer Herz bewegt,
Furcht oder Bitte? Freudig reich ich euch
All meine Hilfe: Nur ein Herz von Stein
Bleibt ungerührt durch solchen Pilgerzug

PRIESTER

Oh, Oidipus! Oh, Herrscher meines Lands!
Schau her auf diese Stufen! Alt und Jung
Siehst du gelagert: Kaum schon flügge Brut
Und altersmüde Priester so wie mich,
Den Knecht des Zeus, und jugendstarke Schar –
Und so wie wir, die Zweige in der Hand,
Fleht alles Volk am Markt zum Doppelsitz
Der Pallas und Ismenos' Seherherd.
Du weißt es selbst, wie diese Stadt erbebet
Und aus dem Wogensturz der Todesnot
Ihr Haupt nicht mehr zum Licht erheben kann.
Sie stirbt dahin mit ihrer jungen Saat,

Mit ihrem Vieh, mit jedem Frauenschoß,
Der nicht gebären kann. Es sengt und brennt
Der Gott der Seuche. (...)
Du kamst nach Theben, nahmst die schwere Last,
Den Zoll der bösen Sängerin, von uns.
Wir wußten weder Rat noch Hilfe mehr,
Da trat – so glauben und bekennen wir –
Ein Gott zu dir und Theben wurde frei.
So sieh uns flehend vor dir ausgestreckt,
Wir rufen wieder deine starke Macht,
Du mußt uns helfen, ob dir nun ein Gott,
Ob dir ein Mensch den Weg der Rettung zeigt;
Denn wenn ein Mann erfahrnen Rat besitzt,
Hat er schon oft die Nacht zum Tag gemacht. (...)
Willst du in Wahrheit Thebens Herrscher sein,
Was nützt dich eine menschenleere Stadt?
Sie gleicht der Burg, die ohne Krieger steht,
Sie gleicht dem unbemannten Ruderschiff.

OIDIPUS

Ihr armen Kinder, eure Seufzer sind
Mir wohlbekannt, ja allzu wohlbekannt.
Ich weiß, ihr leidet alle; aber kann
Ein Leiden übersteigen meine Qual? (...)
Nach langem Sinnen fand ich einen Weg,
Den ging ich: Kreon, des Menoikeus Sohn,
Entsandt ich zu Apollons Tempelhaus
Nach Delphi, zu erkunden, welche tat,
Welch Wort noch diese Stadt erretten kann. (...)

PRIESTER

Dein Wort ist Trost, und eben zeigen mir
Die Knaben an, daß Kreon wiederkehrt.

OIDIPUS

O Herr Apollon, brächte er das Heil! –
Der Strahl des Glücks erglänzt in seinem Aug!

PRIESTER

Er bringt die Freude, niemals wär er sonst
Vom früchtereichen Lorbeer so umkränzt.

OIDIPUS

Bald wissen wirs, schon hört er unser Wort:
Fürst Kreon! Bruder aus Menoikeus' Stamm!
O bringst du gute Botschaft von Apoll?

KREON
(ist herangekommen)
Ja, gute Botschaft. Auch ihr schweres Teil
Wird sich in Segen wandeln, bringt uns Glück.

OIDIPUS

Wie war der Spruch? Was du bisher gesagt,
Macht mich nicht furchtsam, macht mich nicht getrost. (...)

KREON

So höret, was Apoll uns klar befahl:
Befleckung dieses Bodens, die das Land
Sich selbst erschuf und schier unheilbar nährt,
Muß unverzüglich ausgerottet sein.

OIDIPUS

Durch welche Sühnung? Woher kam der Fluch?

KREON

Hier hilft nur Tötung oder Acht und Bann,
Weil Blutschuld diesen Sturm heraufbeschwor.

OIDIPUS

Und welchen Mannes Schicksal ist gemeint?

KREON

Des Laïos: Er herrschte hier im Land,
Bevor du seine Zügel übernahmst.

OIDIPUS

Ich weiß vom Hören, hab ihn nie gesehn.

KREON

Er ward erschlagen und der Gott befiehlt
Der Täter Strafe, wer es immer sei. (...)

170

OIDIPUS

Von Grund auf werde diese Nacht zerstreut!
Apollon hat uns heut, und du mit ihm,
Mit Fug und Recht an jenen Mord gemahnt;
Als Dritter kämpf ich selber für dies Land
An deiner Seite, im Gefolg des Gotts.
Ich streite nicht für Fremde, treibe nur
Den Greuel fort von meinem eignen Haupt:
Denn wer den alten König schlug, erhebt
Wohl bald die gleiche Mordhand gegen mich,
Und wenn ich jenem diene, dien ich mir.

[aus: Sophokles: König Oidipus, in der dt. Übers. v. Ernst Buschor,
Stuttgart 1977, S. 5–10.]

TEXT (2) :

EINE STRASSE IN DER HAUPTSTADT VON SEZUAN

*Es ist Abend. Wang, der Wasserverkäufer, stellt sich dem
Publikum vor.*

WANG Ich bin Wasserverkäufer hier in der Hauptstadt von
Sezuan. Mein Geschäft ist mühselig. Wenn es wenig Wasser
gibt, muß ich weit danach laufen. Und gibt es viel, bin ich
ohne Verdienst. Aber in unserer Provinz herrscht überhaupt
große Armut. Es heißt allgemein, daß uns nur noch die Götter
helfen können. Zu meiner unaussprechlichen Freude erfahre
ich von einem Vieheinkäufer, daß einige der höchsten Götter
schon unterwegs sind und auch hier in Sezuan erwartet werden
dürfen. Der Himmel soll sehr beunruhigt sein wegen der
vielen Klagen, die zu ihm aufsteigen. Seit drei Tagen warte ich
hier am Eingang der Stadt, besonders gegen Abend, damit ich
sie als erster begrüßen kann. Später hätte ich dazu wohl kaum
mehr Gelegenheit, sie werden von Hochgestellten umgeben
sein und überhaupt stark überlaufen werden. Wenn ich sie nur
erkenne! Sie müssen ja nicht zusammen kommen. Vielleicht
kommen sie einzeln, damit sie nicht so auffallen. Die dort
können es nicht sein, die kommen von der Arbeit. *Er betrachtet vorübergehende Arbeiter.* Ihre Schultern sind ganz einge-

171

drückt vom Lastentragen. Der dort ist auch ganz unmöglich ein Gott, er hat Tinte an den Fingern. Das ist höchstens ein Büroangestellter in einer Zementfabrik. Nicht einmal diese Herren dort – *zwei Herren gehen vorüber* – kommen mir wie Götter vor, sie haben einen brutalen Ausdruck wie Leute, die viel prügeln, und das haben die Götter nicht nötig. Aber dort, diese drei! Mit denen sieht es schon ganz anders aus. Sie sind wohlgenährt, weisen kein Zeichen irgendeiner Beschäftigung auf und haben Staub an den Schuhen, kommen also von weit her. Das sind sie! Verfügt über mich, Erleuchtete! *Er wirft sich zu Boden.*

[aus: Bertolt Brecht: Der gute Mensch von Sezuan. In: Ders.: Gesammelte Werke in zwanzig Bänden, Bd. 4, (c) Suhrkamp Verlag, Frankfurt a.M. 1967, S. 1489.]

TEXT (3) :

EPILOG

Vor den Vorhang tritt ein Spieler und wendet sich entschuldigend an das Publikum mit einem Epilog.

Verehrtes Publikum, jetzt kein Verdruß:
Wir wissen wohl, das ist kein rechter Schluß.
Vorschwebte uns: die goldene Legende.
Unter der Hand nahm sie ein bitteres Ende.
Wir stehen selbst enttäuscht und sehn betroffen
Den Vorhang zu und alle Fragen offen.
Dabei sind wir doch auf Sie angewiesen
Daß Sie bei uns zu Haus sind und genießen.
Wir können es uns leider nicht verhehlen:
Wir sind bankrott, wenn Sie uns nicht empfehlen!
Vielleicht fiel uns aus lauter Furcht nichts ein.
Das kam schon vor. Was könnt die Lösung sein?
Wir konnten keine finden, nicht einmal für Gold.
Soll es ein andrer Mensch sein? Oder eine andre Welt?
Vielleicht nur andre Götter? Oder keine?
Wir sind zerschmettert und nicht nur zum Scheine!
Der einzige Ausweg wär aus diesem Ungemach:
Sie selber dächten auf der Stelle nach

Auf welche Weis' dem guten Menschen man
Zu einem guten Ende helfen kann.
Verehrtes Publikum, los, such dir selbst den Schluß!
Es muß ein guter da sein, muß, muß, muß!

[aus: Bertolt Brecht: Der gute Mensch von Sezuan. In: Ders.: Gesammelte Werke in zwanzig Bänden, Bd. 4, (c) Suhrkamp Verlag, Frankfurt a.M. 1967, S. 1607.]

AUFGABEN:

(1a) Schreiben Sie die Exposition des „König Ödipus" von Sophokles (Text 1) um in eine fiktionsexterne Exposition (etwa als Prolog oder als Rollensprechen ‚ad spectatores‘).
(1b) Schreiben Sie umgekehrt die Einleitungsszene zu Brechts „Der gute Mensch von Sezuan" (Text 2) um in eine fiktionsinterne Exposition.
(2) Schreiben Sie den Epilog zu Brechts „Der gute Mensch von Sezuan" (Text 3) um in
(a) einen Monolog,
(b) einen Dialog mit a-parte-Sprechen,
(c) einen Botenbericht,
(d) eine Teichoskopie.

ERLÄUTERUNGEN ZUR TERMINOLOGIE:

EXPOSITION [lat. expositio: Ausstellung, Darlegung] : Information des Zuschauers über Hauptpersonen und Grundsituation eines Dramas sowie über Ereignisse, die (fiktionsintern) zeitlich vor dem Aufgehen des Vorhangs liegen.

Beispiel:
GAVESTON *liest einen Brief des Königs Eduard*
„Mein Vater, der alte Eduard, ist tot. Flieg her, Gaveston
Und teile England mit deinem Busenfreund
Dem König Eduard dem Zweiten."
Ich komme. Diese deine Liebeszeilen
Pfiffen achter der Brigg von Irland her.
Stadt London sehen ist dem Ausgewiesenen
Wie der Himmel der neu angekommenen Seele.
Mein Vater sagte zu mir oft: du bist
Schon dick vom Ale-Trinken mit achzehn Jahren.

Und meine Mutter sagte: Hinter deiner Leiche
Gehn weniger Leute als ein Huhn Zähne
Im Mund hat. Und jetzt reißt sich ein König
Um ihres Sohnes Freundschaft.

PROLOG [griech. prologos: Vorrede] : Fiktionsexterne oder zumindest deutlich vom fiktionalen Geschehen der Haupthandlung abgesetzte Einleitung in ein Drama.

Beispiel:
DER HEROLD
Im Namen Gottes heb ich an
Und wil euch all gebetten han [...]
Seid still und höret mich ruhig an
Domit ir waren bricht versteht
Was in dem Spil hier für sich geht [...]
Eins mals ein richer vatter was
der selb hat zwen gewachßner Söhn
Der jünger aber under in
Zum vatter kam in hohem mut
Und fordret sin gebürend gut [...]

EPILOG [griech. epilogos: Nachwort] : Fiktionsexterner oder zumindest deutlich vom fiktionalen Geschehen der Haupthandlung abgesetzter Abschluß eines Dramas.

Beispiel:
DIE FRAU
Hilfe! Ihr! Lauft nicht weg! Ihr müßt's bezeugen!
Mein Mann im Wagen dort ist hin! Helft! Helft! [...]
O Gott! So helft doch! Niemand da ... Mein Mann!
Ihr Mörder! Aber ich weiß, wer's ist! Es ist
Der Ui! Rasend: Untier. Du Abschaum allen Abschaums! [...]
Und alle dulden's! Und wir gehen hin!
Ihr! 's ist der Ui! Der Ui!
In unmittelbarer Nähe knattert ein Maschinengewehr, und sie bricht zusammen.

EPILOG
Ihr aber lernet, wie man sieht statt stiert
Und handelt, statt zu reden noch und noch.
So was hätt einmal fast die Welt regiert!
Die Völker wurden seiner Herr, jedoch
Daß keiner uns zu früh da triumphiert –
Der Schoß ist fruchtbar noch, aus dem das kroch.

MONOLOG [griech. monos/logos: Alleinrede] : Vom Zuschauer hörbare, aber nicht an ihn oder an andere Bühnenpersonen adressierte Rede im Drama.

Beispiel:
VON TELLHEIM Gehen Sie, Madam, gehen Sie! [...]
DIE DAME O! Mein Herr [...] *Geht ab*

Siebenter Auftritt
VON TELLHEIM Armes, braves Weib! Ich muß nicht vergessen, den Bettel zu vernichten. *Er nimmt aus seinem Taschenbuche Briefschaften, die er zerreißt* Wer steht mir dafür, daß eigner Mangel mich nicht einmal verleiten könnte, Gebrauch davon zu machen?

Achter Auftritt
JUST. VON TELLHEIM
VON TELLHEIM Bist du da?
JUST *indem er sich die Augen wischt* Ja! [...]

DIALOG [griech. dialogos: Unterredung] : Wechselrede zwischen fiktiven Personen im Drama.

Beispiel:
ANATOL *entschlossen* Else!
ELSE Was denn?
ANATOL Else – du liebst mich -? so sagst du -
ELSE Ich sage es – um Himmels willen – was für Beweise verlangst du denn eigentlich von mir? [...]

BOTENBERICHT: Fiktionsinterne Vermittlung eines bereits abgeschlossenen Geschehens außerhalb der Bühne durch eine Bühnenperson.

Beispiel:
Räuber Moor zu Pferd, Schweizer, Roller, Grimm, Schufterle, Räubertrupp mit Kot und Staub bedeckt, treten auf.
RÄUBER MOOR *vom Pferde springend* Freiheit! Freiheit! –– du bist im Trocknen, Roller! [...] Das hat gegolten! [...]
SCHWEIZER Es war ein Spaß, der sich hören läßt. Wir hatten den Tag vorher durch unsere Spione Wind gekriegt, der Roller liege tüchtig im Salz [...] Auf! sagt der Hauptmann [...] Wir retten ihn. [...] Die Kerl flogen wie Pfeile, steckten die Stadt an dreiunddreißig Ecken zumal in Brand, werfen feurige Lunten in die Nähe des Pulverturms, in Kirchen und Scheunen [...]
ROLLER Es war Hülfe in der Not, ihr könnts nicht schätzen.

175

TEICHOSKOPIE [griech.: Mauerschau] : Fiktionsinterne Vermittlung eines gerade ablaufenden Geschehens außerhalb der Bühne durch eine Bühnenperson.

Beispiel:
ERSTER KNECHT *springt ans Fenster* Hilf, heiliger Gott! sie ermorden unsern Herrn! Er liegt vom Pferd! Georg stürzt!
ZWEITER KNECHT Wo retten wir uns? An der Mauer den Nußbaum hinunter ins Feld! *Ab.*
ERSTER KNECHT Franz hält sich noch, ich will zu ihm. Wenn sie sterben, mag ich nicht leben. *Ab.*

A PARTE [lat.: beiseite] : Fiktionsinternes, in den Dialog eingeschaltetes Monologfragment einer Bühnenperson.

Beispiel:
NATHAN Kann ich von dir verlangen, daß du deine
    Vorfahren Lügen strafst, um meinen nicht
    Zu widersprechen? Oder umgekehrt.
    Das nämliche gilt von den Christen. Nicht?
SALADIN (Bei den Lebendigen! Der Mann hat recht.
    Ich muß verstummen.)
NATHAN Laß auf unsre Ring'
    Uns wieder kommen [...]

AD SPECTATORES [lat.: zu den Zuschauern] : Fiktionsexterne Anrede des Publikums durch eine fiktive Bühnenperson.

Beispiel:
SHEN TE *lacht* Schimpft nur! Ich werde euch gleich das Quartier aufsagen, und den Reis werde ich zurückschütten!
DIE FRAU *entsetzt* Ist der Reis auch von dir?
SHEN TE *zum Publikum*
    Sie sind schlecht.
    Sie sind niemandes Freund.
    Sie gönnen keinem einen Topf Reis.
    Sie brauchen alles selber.
    Wer könnte sie schelten?

5.3. Handlungsstruktur des Geschlossenen Dramas

TEXT:

Urs Widmer:
DAS SCHWEIZER LIED VON GOETHE

Personen: GOETHE, HANSEL
Alpenwiese. Rechts Garten. Vögel, Bienen,
Sommervögel. Im Hintergrund Gebirge.
Goethe tritt auf.

GOETHE *auf das Gebirge weisend* Ufm
Bergli bin i gesässe, ha de Vögle zugeschaut,
hänt gesunge, hänt gesprunge, hänt s Nestli
gebaut. *Auf den Garten weisend.* In ä
Garte bin i gestande, ha de Imbli zugeschaut,
hänt gebrummet, hänt gesummet, hänt Zelli
gebaut. *Auf die Alpenwiese weisend.* Uf d
Wiese bin i gange, lugt i Summervögle a,
hänt gesoge, hänt gefloge, gar z'schön hänts
getan. *Hansel tritt auf, auf diesen weisend.*
Und da kummt nu der Hansel, und da zeig i
em froh, wie sies mache, und mer lache, und
maches au so. *Goethe zeigt es Hansel. Sie*
lachen. Sie machen es auch so.
Vorhang

[Urs Widmer: Das Schweizer Lied von Goethe. In: Karlheinz Braun
(Hg.): Minidramen, (c) Verlag der Autoren, Frankfurt a.M. 1987,
S. 93.]

AUFGABE:

Formen Sie Urs Widmers Minidrama (wenigstens den Grundzügen
nach) um in ein pyramidal gebautes fünfaktiges Drama der Geschlossenen Form. Entwickeln Sie dabei in unterschiedlichen Szenen je ein Beispiel für Retardierung, Peripetie und Anagnorisis.
Achten Sie auf die ‚Drei Einheiten im Drama'. Beachten Sie auch
die ‚Ständeklausel' und das Ziel einer ‚Katharsis'. Führen Sie einen
‚deus ex machina' ein, und konstruieren Sie Ihr Drama auf eine
‚Apotheose' zu.

ERLÄUTERUNGEN ZUR TERMINOLOGIE:

AUFTRITT [in der französischen Tradition häufig auch gleichverwendet „scène" oder „Szene"] : Kleinste Gliederungseinheit
im Drama, deren Anfang und Ende durch einen wenigstens
teilweisen Konfigurationswechsel (s.u.) gekennzeichnet werden.

Beispiel:
MANDELSTAM *wutschnaubend* Herr Maske!
THEOBALD Ein Kerl mit Bombenkräften, Gekrösen wie Pulversäk-
ken.

Zweiter Auftritt
Luise kommt aus der Schlafkammer.
THEOBALD Luise, laß deiner Bürgerlichkeit Gerüche hinter dir.
Mandelstam ist Baron. Dein Liebhaber, und die Welt ist Lüge, basta!

SZENE [in der französischen Tradition häufig auch gleichverwendet
„acte" oder „Akt"] : Mittlere Gliederungseinheit im Drama;
Verknüpfung mehrerer Auftritte, deren Ende durch den
Abgang aller Figuren (vollständiger Konfigurationswechsel)
und/oder die Unterbrechung der raum-zeitlichen Kontinuität
markiert wird.

Beispiel: Schiller, „Die Räuber":
1. Akt, 1. Szene: Franken. Saal im Moorischen Schloß. Franz. Der
alte Moor.
1. Akt, 2. Szene: Schenke an den Grenzen von Sachsen. Karl von
Moor in ein Buch vertieft. Spiegelberg trinkend am
Tisch.
1. Akt, 3. Szene: Im Moorischen Schloß, Amaliens Zimmer. Franz.
Amalia.

AKT: Größte Gliederungseinheit im Drama; Verknüpfung von
mehreren Szenen, die in der Regel einen zusamenhängenden
Abschnitt der Handlung mit einem eigenen inhaltlichen Akzent bietet und bühnentechnisch durch Pausen und/oder das
Öffnen und Schließen des Vorhangs markiert wird.

Beispiel: Gerhard Hauptmann, „Der Biberpelz" (1893):
I. Akt, Küche der Mutter Wolffen (Holzdiebstahl);
II. Akt, Amtszimmer Wehrhahns (Fahndung nach Holzdieb);
III. Akt, Küche der Mutter Wolffen (Pelzdiebstahl);
IV. Akt, Amtszimmer Wehrhahns (Fahndung nach Pelzdieb).

KONFIGURATION: Jeweilige Zusammenstellung von Bühnenpersonen in einer Handlungsetappe des Dramas. Die Veränderung der Konfiguration heißt „Konfigurationswechsel".

Beispiel:
[Konfiguration 1] *Karl. Marie.*
KARL.........
MARIE.......
Hans tritt auf [Konfiguration 2]
KARL.....
HANS.....
MARIE....
Marie geht ab [Konfiguration 3]
HANS....
KARL....

SUKZESSION [lat.: Abfolge] : Gesamtheit der Informationsvergabe eines Dramentextes in ihrer zeitlichen Anordnung (z.B. als Analytisches Drama, s.u.); sie bestimmt somit den dargestellten Handlungsgang und den Spannungsverlauf des Dramas.

Beispiel: Fiktionsexterne Exposition – Steigerndes Moment – Retardierendes Moment – Anagnorisis – Peripetie – Katastrophe – deus ex machina – Fiktionsinterner Epilog.

RETARDIERUNG [lat.-frz.: Hinauszögerung; ähnlich verwendet auch häufig „Retardierendes Moment", „Retardation" „Moment der letzten Spannung"] : Dramatisches Handlungselement, das – im Gegensatz zum ‚Erregenden' oder ‚Steigernden' Moment – zeitweilig Hoffnungen auf Abwendung der Katastrophe (s.u.) weckt.

Beispiel: Der Plan Leicesters, Maria Stuart und Elisabeth zusammenzuführen, erweckt die Hoffnung auf ein gutes Ende (die dann jedoch durch Elisabeths Verhalten und Marias Entgleisung zunichte gemacht wird).

PERIPETIE [griech.: Umkehrung, Wendung] : Dramatisches Handlungselement, das eine zuvor angebahnte Entwicklung auf ein gutes bzw. auf ein schlimmes Ende hin zunichte macht. In der streng gebauten fünfaktigen Tragödie findet sich die P. am Schluß des 3. oder am Anfang des 4. Aktes.

Beispiel: In Schillers Trauerspiel hofft Leicester auf eine Lösung des Konfliktes zwischen Maria Stuart und Elisabeth durch ein Zusammen-

179

treffen der Königinnen. Bei diesem Zusammentreffen in der ‚Garten-szene' (III,5) wird Maria jedoch durch Elisabeths Hochmut zu dem Satz provoziert: „Der Thron von England ist durch einen Bastard / Entweiht." Diese Anspielung auf ihre Herkunft veranlaßt Elisabeth, das Todesurteil gegen Maria zu unterschreiben.

ANAGNORISIS [griech.: Wiedererkennen; ähnlich auch „Erkennungs-szene"] : Fiktionsinternes Erkennen zwischen zwei oder mehr Bühnenpersonen in ihrer wahren, zuvor verkannten oder auch verstellten Identität.

Beispiel:
OREST Es ruft! es ruft! So willst Du mein Verderben?
Verbirgt in dir sich eine Rachegöttin?
Wer bist du, deren Stimme mir entsetzlich
Das Innerste in seinen Tiefen wendet?
IPHIGENIE Es zeigt sich dir im tiefsten Herzen an:
Orest, ich bin's! Sieh Iphigenien!
OREST Du!
IPHIGENIE Mein Bruder!
OREST   Laß! Hinweg!

KATASTROPHE [griech.: Abwärtswendung] : Schlimmer Ausgang einer Tragödienhandlung, traditionell durch den Tod mindestens eines der positiven Protagonisten.

Beispiel: Nachdem sich Ödipus (in der Tragödie des Sophokles) als Vatermörder und Blutschänder selbst entlarvt hat, nimmt sich seine Mutter und Gattin Jokaste das Leben, der König sticht sich die Augen aus und geht in die Verbannung.

DEUS EX MACHINA [lat.: Gott aus der (Theater-) Maschinerie; ähnlich auch „coup de théâtre", „Theatercoup"] : Dramatisch nicht motiviertes Auftauchen oder Eingreifen von rettenden Figuren oder gar höheren Gewalten in den Gang der fiktiven Handlung.

Beispiel: Der zum Galgen geführte Verbrecher Macheath wird in Brechts „Dreigroschenoper" unerwartet durch den König begnadigt. Der ‚deus ex machina' ist des Königs reitender Bote:
PEACHUM Damit ihr wenigstens in der Oper seht
Wie einmal Gnade vor Recht ergeht.
Und darum wird, weil wir's gut mit euch meinen,
Jetzt der reitende Bote des Königs erscheinen.
(Der Bote erscheint im dritten Dreigroschenfinale auf einem hölzernen Roß und übermittelt Macheaths Begnadigung.)

APOTHEOSE [griech.: Vergöttlichung] : Enthüllung des verkannten Göttlichen oder Verklärung des Menschlichen zum Göttlichen am Ende eines Dramas.

Beispiel: Auffahrt des ‚Unsterblichen' Fausts in der Bergschluchtenszene am Schluß von „Faust II".

GESCHLOSSENE DRAMENFORM: Im Gegensatz zur ‚Offenen Dramenform' (s.u. 5.4.) szenische Vermittlung eines exemplarischen Geschehens als geschlossenes Ganzes, und zwar als enger funktionaler Zusammenhang aller Teile der dramatischen Sukzession (s.o.), sodaß Weglassen, Austauschen oder Verschieben einzelner Szenen nicht ohne gravierende Folgen möglich sind.

Beispiel: Goethes „Torquato Tasso"; Kleists „Der zerbrochene Krug".

DREI EINHEITEN IM DRAMA: Extremfall der Geschlossenen Dramenform (s.o.): lückenlose zeitliche Abfolge von funktional verknüpften szenischen Handlungselementen am selben Ort des Geschehens (Einheit von Zeit, Ort und Handlung).

Beispiel: J.Ch. Gottscheds „Cato" (1742). Es heißt im Nebentext (s.u.): „Der Schauplatz ist in einem Saale des festen Schlosses in Utica, einer wichtigen Stadt in Africa. Die Geschichte oder Begebenheit des ganzen Trauerspiels, hebet sich zu Mittage an, und dauret bis gegen der Sonnen Untergang."

STÄNDEKLAUSEL: Literarhistorische – mindestens bis zur Mitte des 18. Jhs. geltende – Dramenkonvention, die tragische Handlungen (wegen der für erforderlich gehaltenen ‚Fallhöhe') nur sozial hochstehenden, komisch-lasterhafte Handlungen dagegen nur sozial tiefer stehenden Bühnenpersonen zubilligt.

Beispiel: Daniel Caspar Lohensteins Tragödie „Cleopatra" (1661), die mit dem Tod der Titelfigur, der ägyptischen Königen Cleopatra, sowie ihres Mannes, des Römers Markus Antonius, endet; dagegen Christian Reuters Komödie „L'Honnète Femme oder die Ehrliche Frau zu Pließine" (1695) mit der „ehrlichen Frau und Gastwirtin im göldenen Maulaffen", Frau Schlampampe, als Haupt- und deren Kindern sowie Hausburschen, Musikanten und lustigen Boten als Nebenfiguren.

KATHARSIS [griech.: Reinigung; Betonung auf 1. Silbe!] : Abfuhr von Emotionen durch den Mitvollzug des fiktionalen Geschehens einer Tragödie, insbesondere von (bzw.: durch) ‚Furcht und Mitleid‘.

Beispiel: Die immer wieder beschworene moralische Läuterung durch die „Antigone" des Sophokles.

PYRAMIDAL GEBAUTES DRAMA: Konventionelle Tragödie in Geschlossener Form (s.o.), deren Handlungsverlauf mit den Elementen ‚Exposition‘, ‚Steigerung‘, ‚Höhepunkt‘, ‚Peripetie‘ und ‚Katastrophe‘ sich die zur Spitze ansteigende und dann wieder abfallende Seitenansicht einer Pyramide schematisierend unterlegen läßt.

Beispiel: Shakespeares „Othello"; Lessings „Emilia Galotti".

ANALYTISCHES DRAMA: Schauspiel, dessen Geschehen in der szenischen Aufklärung eines vor Handlungsbeginn abgeschlossenen Vorgangs besteht.

Beispiel: Heinrich von Kleists „Der zerbrochene Krug"; Hitchcocks „Vertigo".

5.4. Handlungsstruktur des Offenen Dramas

TEXT :

Elke Heidenreich:
MUTTER LERNT ENGLISCH

Ein Drama

Mutter sitzt am Tisch vor einem Buch, liest sehr gedehnt vor. Die Tochter im Sessel, Füße auf dem Tisch, raucht.

MUTTER: Sag, wenn was falsch ist, ich muß ja üben. Oooohh – Henry...what are you do-ing? *Sie sieht hoch.*

TOCHTER schüttelt den Kopf: Es heißt du-ing.

MUTTER *schiebt ihr das Buch hin:* Nein. Es
schreibt sich mit o.

TOCHTER: Trotzdem. Man sagt du-ing.

MUTTER: Ach. Und warum schreiben sie es mit
o, wenn sie u meinen?

TOCHTER: Weiß ich nicht, ist aber so.

MUTTER: Hm. Na gut, Oooohh – Henry... what
are you du-ing. Richtig?

TOCHTER: Richtig. Weiter.

MUTTER: Ooooh – Elizabeth... where are you...
Pause. Where are you...gu-ing.

TOCHTER: Jetzt heißt es go-ing.

Die Mutter sieht sie lange an, klappt das Buch zu, steht auf.

MUTTER: Wenn man dich schon mal um was bittet.
Nur blöde Antworten.

Ende

[Elke Heidenreich: Mutter lernt Englisch. In: Karlheinz Braun (Hg.):
Minidramen, (c) Verlag der Autoren, Frankfurt a.M. 1987, S. 173.]

AUFGABE:

Formen Sie Elke Heidenreichs Minidrama um in ein Stück mit Offener
Dramenform. Verwenden Sie dabei skizzenhaft Techniken des Epischen Theaters (z. B. Projektionen, Spruchbänder u.ä. V-Effekte;
Prolog, Epilog, Chor, Spielleiter, Erzähler etc.; Songs; im Nebentext
fixierte Rollendistanz und Bloßlegung des theatralischen Apparates).

ERLÄUTERUNGEN ZUR TERMINOLOGIE:

OFFENE DRAMENFORM: Im Gegensatz zur ‚Geschlossenen Dramenform' (s.o.5.3.) szenische Vermittlung eines Geschehens in
Ausschnitten, wobei in der dramatischen Sukzession einzelne
Ausschnitte auch ohne gravierende Folgen weggelassen, ausgetauscht oder verschoben werden können.

Beispiel: Goethes „Götz von Berlichingen"; Brechts „Baal".

NEBENTEXT: Teile einer dramatischen Dichtung, die mitgedruckt, aber nicht auf der Bühne gesprochen werden (Titel, ggf. Widmung oder Vorrede, Verzeichnis der ‚dramatis personae‘, Angaben zu Ort und Zeit, Regieanweisungen zu Bühnenbild und Kostümen sowie zur Spiel- und Sprechweise etc.).

Beispiel:
In einem hochgewölbten, engen gotischen Zimmer
Faust unruhig auf seinem Sessel am Pulte.
FAUST . . . .
Er beschaut das Zeichen.

. . . .
Er faßt das Buch und spricht das Zeichen des Geistes geheimnisvoll aus.
Es zuckt eine rötliche Flamme, der Geist erscheint in der Flamme.
GEIST . . . .
FAUST *abgewendet* . . . .

HAUPTTEXT : Teile einer dramatischen Dichtung, die auf der Bühne gesprochen werden.

Beispiel:
. . . .
. . . .
. . . . . Habe nun, ach! Philosophie,
 Juristerei und Medizin [...]
. . . . . Wer ruft mir?
. . . . . Schreckliches Gesicht!

EPISCHES THEATER: Theaterform, die die illusionsbildende Unmittelbarkeit des herkömmlichen (nach Brecht oft ‚aristotelisch‘ genannten) Theaters durch Fiktionsdurchbrechungen (z.B. in Form einer vermittelnden oder kommentierenden ‚Erzähler-‘ oder ‚Spielleiterfigur‘) und andere theatertechnische (Beleuchtung, Dekoration) oder im Dramentext festgelegte (z.B. Songs) Verfremdungs-Effekte (s.u.) vermeidet.

VERFREMDUNG: Künstlerische Abweichung vom alltäglich Gewohnten.

VERFREMDUNGS-EFFEKT [häufig auch „V-Effekt"; nicht zu verwechseln mit dem rein systematisch-poetologischen Begriff der „Verfremdung", s.o.] : Abweichung vom künstlerisch Gewohnten, insbesondere von literar- oder theaterhistorischen Quasi-Normen zur theatralischen Desillusionierung.

5.5. Explizite Figurencharakterisierung im Dramentext

TEXT (1)

GRETCHEN *am Spinnrade allein*

> Meine Ruh' ist hin,
> Mein Herz ist schwer;
> Ich finde sie nimmer
> Und nimmermehr. (...)
>
> Nach ihm nur schau' ich
> Zum Fenster hinaus,
> Nach ihm nur geh' ich
> Aus dem Haus.
>
> Sein hoher Gang
> Sein' edle Gestalt,
> Seines Mundes Lächeln,
> Seiner Augen Gewalt,
>
> Und seiner Rede
> Zauberfluß,
> Sein Händedruck,
> Und ach sein Kuß!
>
> Meine Ruh' ist hin,
> Mein Herz ist schwer;
> Ich finde sie nimmer
> Und nimmermehr.

[aus: Johann Wolfgang von Goethe: Faust. Erster Teil. In: Goethes Werke, Hamburger Ausgabe in 14 Bänden,Bd. 3, 11. Aufl., München 1981, S. 107f.]

TEXT (2)

MARGARETE Nun sag, wie hast du's mit der Religion? (...)
Glaubst du an Gott?

FAUST Mein Liebchen, wer darf sagen:
Ich glaub' an Gott?
Magst Priester oder Weise fragen,
Und ihre Antwort scheint nur Spott
Über den Frager zu sein.

MARGARETE So glaubst du nicht?

FAUST Mißhör mich nicht, du holdes Angesicht!
Wer darf ihn nennen?
Und wer bekennen:
Ich glaub' ihn.
Wer empfinden,
Und sich unterwinden
Zu sagen: ich glaub' ihn nicht?
Der Allumfasser,
Der Allerhalter,
Faßt und erhält er nicht
Dich, mich, sich selbst?
Wölbt sich der Himmel nicht dadroben?
Liegt die Erde nicht hierunten fest?
Und steigen freundlich blickend
Ewige Sterne nicht herauf?
Schau' ich nicht Aug' in Auge dir,
Und drängt nicht alles
Nach Haupt und Herzen dir,
Und webt in ewigem Geheimnis
Unsichtbar sichtbar neben dir?
Erfüll davon dein Herz, so groß es ist,
Und wenn du ganz in dem Gefühle selig bist,
Nenn es dann, wie du willst,
Nenn's Glück! Herz! Liebe! Gott!
Ich habe keinen Namen
Dafür! Gefühl ist alles;
Name ist Schall und Rauch,
Umnebelnd Himmelsglut.

MARGARETE Das ist alles recht schön und gut;
Ungefähr sagt das der Pfarrer auch,
Nur mit ein bißchen andern Worten.

FAUST Es sagen's allerorten
Alle Herzen unter dem himmlischen Tage,
Jedes in seiner Sprache;
Warum nicht ich in der meinen?

MARGARETE Wenn man's so hört, möcht's leidlich scheinen,
Steht aber doch immer schief darum;
Denn du hast kein Christentum.
FAUST Liebs Kind!

[aus: a.a.o., S. 109f.]

AUFGABE:

Überarbeiten Sie Text (2) und charakterisieren Sie dabei Faust und Margarete in ihrem Gespräch über die ‚Gretchenfrage' explizit, also in der Art von Text (1).

ERLÄUTERUNGEN ZUR TERMINOLOGIE:

Unter ‚Figurencharakterisierung im Drama' faßt man alle Informationen über eine fiktive Gestalt zusammen, die der Rezipient einem Drama entnehmen kann und die als Merkmalbündel eine Figur konstituieren. Dabei unterscheidet man im Dramentext zwei Ebenen der ‚Informationsvergabe': (1) die Ebene des Nebentextes und (2) die Ebene des Haupttextes (s.o. 5.2.). Auf beiden Ebenen lassen sich zwei Typen von Informationen unterscheiden: (3) ‚explizite' und (4) ‚implizite' Informationen.

Explizite Informationen auf der Ebene des Nebentextes durch:

BESCHREIBUNGEN IM NEBENTEXT: Der Nebentext bietet (quasi ‚auktoriale') Beschreibungen (Physiognomik, Gestik, Mimik, soziale Rolle, Bühnenaktionen, Situationen etc.) einer Figur (a) schon im Personenverzeichnis (‚dramatis personae') des Stückes, oder auch (b) in den einleitenden Regieanweisungen zu einzelnen Akten, Szenen oder Auftritten, oder auch (c) in eingestreuten Regieanweisungen zum Haupttext.

Beispiel:
(a) Personen
MARQUIS DE SADE
achtundsechzig Jahre alt, außerordentlich beleibt, das Haar ergraut, das Gesicht noch glatt. Er bewegt sich schwerfällig, atmet zuweilen mühsam und asthmatisch. Seine Kleidung ist vornehm, doch verkommen. Er trägt Kniehosen mit Schleifen, ein weitärmliges Hemd mit Brustlatz und Spitzenmanschetten, sowie Schnallenschuhe.

(b) Erster Akt, erster Auftritt, Abend, ein Licht.
Eine kleine bürgerliche Stube in Valerios Haus mit einem Kamin.
Ponce, in einer reichen venetianischen Maske, schwarz mit Brillant-
knöpfen, steht auf einem Tabouret, Valeria, die ihn geputzt hat,
kniet vor ihm und zupft ihm die Schleifen an den Schuhen zurecht.
Ponce ist durch und durch launig, kalt und gut in dieser Szene zu
nehmen.

(c) DER ALTE MOOR Schreib ihm, daß die väterliche Brust – ich sage
dir, bring meinen Sohn nicht zur Verzweiflung. *Geht traurig ab.*
FRANZ *mit Lachen ihm nachsehend* Tröste dich, Alter, du wirst
ihn nimmer an diese Brust drücken, der Weg dazu ist verrammelt
wie der Himmel der Hölle [...].

Explizite Informationen auf der Ebene des Haupttextes durch:

Selbstthematisierung: Thematisierung einer Figur (a) in einem
(uneingeschränkt ,verläßlichen') Monolog oder Monologfragment, (b) in einer (weniger ,verläßlichen', da möglicherweise
auf Verstellung beruhenden) Dialogrede dieser Figur.

Beispiel:
(a) FRANZ [...] Ich habe große Rechte, über die Natur ungehalten zu
sein, und bei meiner Ehre! ich will sie geltend machen. – Warum
bin ich nicht der erste aus Mutterleib gekrochen? Warum nicht der
einzige? Warum mußte sie mir diese Bürde von Häßlichkeit aufla-
den ? [...] Gerade mir diese Lappländernase? Gerade mir dieses
Mohrenmaul? Diese Hottentottenaugen? Wirklich, ich glaube, sie
hat von allen Menschensorten das Scheußliche auf einen Haufen
geworfen und mich daraus gebacken.

(b) RAZMANN *auf den Boden stampfend* Daß mich der Donner da
weg hatte!
SPIEGELBERG Siehst Du? Sag du mehr, ob das kein Luderleben
ist? und dabei bleibt man frisch und stark, und das Korpus ist noch
beisammen, und schwillt dir stündlich wie ein Prälatenbauch – ich
weiß nicht, ich muß was Magisches an mir haben, das dir alles
Lumpengesindel auf Gottes Erdboden anzieht wie Stahl und Eisen.

Fremdthematisierung: Thematisierung einer Figur durch andere
Figuren, und zwar (a) vor dem ersten Auftritt der thematisier-
ten Figur, (b) nach dem ersten Auftritt der thematisierten
Figur, (c) in Anwesenheit der thematisierten Figur oder (d) in
Abwesenheit der thematisierten Figur.

188

Beispiel:
(a) DER HERR Kennst Du den Faust?
MEPHISTOPHELES Den Doktor?
DER HERR Meinen Knecht!
MEPHISTOPHELES Führwahr! er dient Euch auf besondre
Weise.
Nicht irdisch ist des Toren Trank noch Speise.
Ihn treibt die Gärung in die Ferne,
Er ist sich seiner Tollheit halb bewußt;
Vom Himmel fordert er die schönsten Sterne
Und von der Erde jede höchste Lust,
Und alle Näh, und alle Ferne
Befriedigt nicht die tiefbewegte Brust.

(b) *Faust und Mephistopheles ab.*
MARGARETE Du lieber Gott! was so ein Mann
Nicht alles, alles denken kann!
Beschämt nur steh' ich vor ihm da,
Und sag, zu allen Sachen ja.
Bin doch ein arm unwissend Kind,
Begreife nicht, was er an mir find't. *Ab.*

(c) MEPHISTOPHELES Du übersinnlicher sinnlicher Freier,
Ein Mägdelein nasführet dich.
FAUST Du Spottgeburt von Dreck und Feuer!

(d) MARGARETE Es tut mir lang schon weh,
Daß ich dich in der Gesellschaft seh'.
FAUST Wieso?
MARGARETE Der Mensch, den du da bei dir hast,
Ist mir in tiefer innrer Seele verhaßt;
Es hat mir in meinem Leben
So nichts einen Stich ins Herz gegeben,
Als des Menschen widrig Gesicht.

5.6. Implizite Figurencharakterisierung im Dramentext

AUFGABE:

Überarbeiten Sie Text (2) in 5.5. und charakterisieren Sie dabei
Faust und Gretchen implizit (und zwar gemäß den Informationen
aus Gretchens Lied am Spinnrade, a.a.O.).

ERLÄUTERUNGEN ZUR TERMINOLOGIE:

Implizite Informationen auf der Ebene des Nebentextes durch:

KORRESPONDENZ UND KONTRAST: Äquivalenzen und Oppositionen zwischen Figuren werden nicht ausdrücklich formuliert, aber durch Merkmalzuordnung im Nebentext deutlich.

> Beispiel:
> LOUISE *Tritt auf, tanzend und hüpfend.* [...]
> CAROLINE *immer träumend.* [...]

NAMENGEBUNG: Sprechende, klangsymbolische, klassifizierende o.ä. Namen deuten Besonderheiten von Figuren an.

> Beispiel: Im Personenverzeichnis zu Christian Reuters Lustspiel „L'Honnète Femme oder die Ehrliche Frau zu Plißine" (1695) tauchen folgende Namen auf: „Fr. Schlampampe" für die schlampige Hauptfigur; „Schelmuffsky" für ihren schelmischen Sohn; „Servillo" für einen Diener.

Implizite Informationen auf der Ebene des Haupttextes durch:

FIGURALSTIL: Charakteristische Redeweise einer fiktiven Gestalt.

> Beispiel [‚Sempronius', der alte, verdorbene, eingebildete Dorfschulmeister, und ‚Cyrilla', eine einfältige alte Kupplerin, in Andreas Gryphius' „Horribilicribrifax" (1663)]:
>
> SEMPRONIUS Amor vinumque nihil modeabile svavent.
> CYRILLA Schwaden in Milch gekocht ist gut.
> SEMPRONIUS Nihil ad Rhombum.
> CYRILLA Michel worum drum?
> SEMPRONIUS Ego skoroda soi lego, sy de krommy apokrineis.
> CYRILLA Ja freylich muß man das Korn lesen / wenn es krum und nicht grüne ist.
> SEMPRONIUS Ich rede in plaustris, ihr antwortet de trahis.
> CYRILLA Ihr redet von der Plautze / die ich wegtrag itzt?
>
> [Amor...svadent: Liebe und Wein verdienen keine Mäßigung; Schwaden: Hirseart; Nihil ad Rhombum: Das gehört nicht zur Sache. Ego...: Ich sage Knoblauch, und ihr antwortet Zwiebel; de plaustris...de trahis: von Wagen...von Fahrzeug]

190

BEZIEHUNGSSTIL: Für ihr Verhältnis charakteristische Redeweise von Figuren zu einer oder über eine andere fiktive Gestalt (a) in Anwesenheit der betreffenden Figur oder (b) in Abwesenheit der betreffenden Figur.

Beispiel:
(a) FRANZ Wollt ihr euch nicht zu Bette legen, Vater? Es griff Euch hart an.

(b) *Der alte Moor geht traurig ab*
FRANZ *mit Lachen ihm nachsehend* Tröste dich, Alter, du wirst ihn nimmer an diese Brust drücken, der Weg dazu ist ihm verrammelt wie der Himmel der Hölle.

THEMATIK: Charakteristische Bevorzugung bestimmter Inhalte.

Beispiel: Prinz Leonce in Büchners „Leonce und Lena" spricht gern über die Langeweile.

5.7. Formen der Komik im Drama

TEXT :

Andres Müry:
ANALYTISCHES DRAMOLETT
Für Billy Wilder

ERSTER AKT
Böige Aprilnacht, Blockhaus am Fjord. Zoom in das bläulich schimmernde Schlafzimmerfenster: Rentiergeweihe und eine Flinte an der Wand. Mutter im Negligé mit Brille, Sohn im Pyjama nebeneinander aufrecht im Bett. Sie trinken Toddy. Im Fernseher läuft das norwegische Quiz „Hvem er jeg?" [„Was bin ich?"]

MUTTER: Küßchen.

Sohn beugt sich hinüber.
Dunkel

ZWEITER AKT

Böige Aprilnacht. Zehn Jahre später. Mutter im Negligé, Sohn im Pyjama mit Hornbrille aufrecht im Bett. Sie trinken Toddy. Im Fernseher läuft „Hvem er jeg?"

MUTTER: Küßchen.

Sohn beugt sich hinüber, küßt sie.

MUTTER: Dein Vater hätte ja ruhig mal schreiben können.

Sohn ergreift ihre Hand.
Dunkel

DRITTER AKT

Böige Aprilnacht. Fünfzehn Jahre später. Mutter im Negligé, weiß geworden. Sohn schläft neben ihr im Bett. Im Fernsehen läuft „Hvem er jeg?" Läuten an der Haustür. Mutter schlurft hinaus. Kommt mit einem Telegramm wieder. Sohn ist aufgewacht. Er hat einen dichten Bart.

MUTTER: Da. Für dich.

Sohn setzt die Hornbrille auf, liest. Springt hoch.

SOHN: Aaah!

MUTTER: Jörgen! Was ist?

SOHN: Lüüüge! Alles war Lüge! Du bist gar nicht meine Mutter! Unser Glück: Lüüüge! Aaah!

Sohn reißt die Flinte von der Wand, richtet sie auf sich.

MUTTER: Jörgen! Laß dir erklären - !

Sohn drückt ab.
Ende

[Andres Müry: Analytisches Dramolett. In: Karlheinz Braun (Hg.): Minidramen, (c) Verlag der Autoren, Frankfurt a.M. 1987, S. 117f.]

AUFGABE:

Formen Sie Andres Mürys „Analytisches Dramolett" (vgl. o. 5.3.) so um, daß sich mindestens ein (eigenes) Beispiel für alle folgenden Typen theatralischer Komik in Ihrer Umformung findet: Situationskomik / Verwechslungskomik / Charakterkomik / Typenkomik / Sprachkomik / Dialogkomik.

ERLÄUTERUNGEN ZUR TERMINOLOGIE:

CHARAKTER: Durch große Merkmalsdichte und -komplexität individualisierte, durchaus auch widersprüchlich profilierte Figur in dramatischen oder epischen Dichtungen.

Beispiel: Wallenstein, Hamlet, Othello, Tellheim.

TYPUS [griech. typos = Schlag, Abbild, Muster] : Figur in dramatischen oder epischen Dichtungen, die durch wiederkehrende Merkmale eine Gruppe repräsentiert.

Beispiel: Der Gelehrte, der Geizige, der Prahlhans, der eifersüchtige Ehemann; oft entsprechend den Traditionsfiguren der ‚Commedia dell' arte': ‚Pantalone' = der ältliche Schürzenjäger, ‚Brighella' = der verschlagene Diener, ‚Arlecchino' = der listige junge Schelm, ‚Capitano' = der prahlsüchtige Soldat u.ä..

CHARAKTERKOMIK: Erheiternde Wirkung individueller, aber durch Wiederkehren karikierend übertriebener Absonderlichkeiten einer einzelnen Bühnenperson.

Beispiel: Die geschwätzige Lügenhaftigkeit des Dorfrichters Adam in Kleists „Der zerbrochene Krug".

TYPENKOMIK: Erheiternde Wirkung wiederkehrender, karikierend übertriebener Absonderlichkeiten einer Bühnenperson, die darin eine Gruppe repräsentiert.

Beispiel: Der Frauenhaß ‚Wumshäters' in Lessings Lustspiel „Der Misogyn".

VERWECHSLUNGSKOMIK: Erheiternde Wirkung einer vom Publikum durchschauten Täuschung über die Identität einer Bühnenperson, und zwar (a) durch Irrtum oder (b) durch Verstellung.

Beispiel:
(a) MARQUIS [ein Friseur dieses Namens] Drei junge Leute standen
    da, die mich kennen, und schrien aus vollem Halse „Monsieur
    Marquis! Monsieur Marquis! Der Wagen stürzt ins Wasser!"
    TITUS Was? – Ein' Marquis hab ich gerettet? – Das is was Großes!

(b) ULTRA [Wiener Journalist, verkleidet als russischer Fürst] *mit
    furchtbar struppigem Haar und Bart zur Mitteltür eintretend* Schön-
    grussi, bulldoggi, Burgomastrow. [...]
    SPERLING *auf den Bürgermeister zeigend* Seine südwestliche Herr-
    lichkeit sind entzückt über die nordische Ehre –
    BÜRGERMEISTER *zu Sperling* Ich muß einige diplomatische
    Worte fallen lassen. *Zu Ultra.* Ist es nicht gefällig, Platz zu nehmen? –
    ULTRA Nixi sitzi – .

SITUATIONSKOMIK: Erheiternde Wirkung physischer Bühnenaktionen.

Beispiel:
*Während dieser Unterredung hat sich der Teufel beiseit gemacht; er hat
mit schadenfrohem Lächeln einen Stuhl zerbrochen, die einzelnen Stücke
in den Kamin gelegt, sein chemisches Feuerzeug herausgezogen, das
Holz angezündet, die spanische Wand vorgeschoben und sich dahinter
begeben.*
LIDDY Ich weiß nicht, meine Herren, es wird hier im Zimmer außer-
ordentlich schwül.
WERNTHAL *welcher sich schon mehrmal die Stirne gewischt hat* Ja ja,
ich spüre eine zunehmende Hitze! Es ist beinahe, als wenn man einge-
heizt hätte. [...]
WERNTHAL *zum Baron* Bemerken Sie den Rauch, der sich im
Zimmer verbreitet? Unmöglich kommt das von der Sonne! [...]
TEUFEL *aus dem Kamin hinter der spanischen Wand nach der Melodie
von Goethes Fischerliede heraussingend* Ach wüßtest du, wie's wohlig ist
/ Dem Teufel in dem Feur – .

SPRACHKOMIK: Erheiternde Wirkung witziger Formulierungen innerhalb der Reden einer einzelnen Bühnenperson.

Beispiel:
TITUS So kopflos urteilt die Welt über die Köpf' und wann man sich
auch den Kopf aufsetzt, es nutzt nix. Das Vorurteil ist eine Mauer, von
der sich noch alle Köpf', die gegen sie ang'rennt sind, mit blutige Köpf'
zurückgezogen haben. Ich hab meinen Wohnsitz mit der weiten Welt
vertauscht, und die weite Welt ist viel näher, als man glaubt. Aus dem
Dorngebüsch z'widrer Erfahrungen einen Wanderstab geschnitzt, die
Chiappa-via-Stiefel angezogen und 's Adje-Kappel in aller Still' ge-

schwungen, so is man mit einem Schritt mitten drin in der weiten Welt. – Glück und Verstand gehen selten Hand in Hand – ich wollt', daß mir jetzt ein recht dummer Kerl begegnet', ich sähet das für eine gute Vorbedeutung an.

DIALOGKOMIK: Erheiternde Wirkung witziger Beziehungen zwischen den Wechselreden mehrerer Bühnenpersonen.

Beispiel:
NACK Du schickst deine junge Frau in die Oper und dirigierst zu Hause ein Grammophon?
PRÄTORIUS Ich kann unmöglich das Grammophon in die Oper schicken und zu Hause meine junge Frau dirigieren.

5.8. Genres dramatischer Dichtung

TEXT: Franz Kafka: Gibs auf! (s.o. 2.23.)

AUFGABEN:

Sie haben in der Lotterie zwei der folgenden Genres dramatischer Dichtung gewonnen: (1) Antike Tragödie, (2) Mysterienspiel, (3) Bürgerliches Trauerspiel, (4) Milieustück, (5) Geschichtsdrama, (6) Dokumentartheater, (7) Lehrstück, (8) Analytisches Drama, (9) Tragikomödie, (10) Groteske, (11) Absurdes Theater, (12) Monodrama, (13) Einakter, (14) Sketch, (15) Fastnachtsspiel, (16) Commedia dell' arte, (17) Pantomime, (18) Ballett-Szenario, (19) Kasperltheater, (20) Volksstück, (21) Posse mit Gesang, (22) Farce/Schwank, (23) Boulevardkomödie/ Konversationsstück, (24) Kabarett(-programm), (25) Musical, (26) Operette, (27) Oper, (28) Spielfilm(-Drehbuch), (29) Hörspiel, (30) Fernsehspiel.
(a) Informieren Sie sich in einem geeigneten Nachschlagewerk (vgl. Literaturliste im Anhang) über diese beiden Genres, ihre gängigen Begriffsbestimmungen und ihre literarhistorische Entwicklung. Wenn Sie keines der dort erwähnten Beispielwerke des Genres kennen, lesen Sie eines Ihrer Wahl.
(b) Entwickeln Sie auf der Grundlage Ihrer so gewonnenen Informationen eine kurze und möglichst präzise – also gegenüber anderen Genres trennscharfe! - D e f i n i t i o n für die beiden Genres.

(c) Schreiben Sie Kafkas Erzähltext „Gibs auf!" um in je eine Parodie der entsprechenden Gattung. Geben Sie bei einem zu umfangreichen Genre eine Skizze dafür an, die wenigstens folgendes umfaßt:

1. Personenangabe (,dramatis personae'), Ort und Zeit der Handlung, Stichworte zum Szenenbild (bzw. zu den Bildern);

2. den ausgeführten Text der Exposition (in der Regel: in korrekter Dialog-Schreibweise, ggf. mit Regieanweisungen);

3. eine Stichwort-Übersicht der weiteren Akte bzw. Szenen mit ihren wesentlichen Handlungsschritten;

4. den ausgeführten Schluß des Dramas (in der Regel: als Dialog in korrekter Schreibweise, ggf. mit Regieanweisungen).

5.9. Lernzielkontrolle (I): Selbständige Dramenanalyse

TEXT :

Hans Baumann:
KASPERL ALS DETEKTIV

Im Hintergrund ein Haus, über dessen Eingang ein großes Schild angebracht ist, auf dem steht:
  K. A. SPERL
  Privatdetektiv
  Sprechstunden
  von 0–24 Uhr

KASPERL: *(kommt, betrachtet das große Schild)* Na, so was! Wohnt da jetzt ein Privatdetektiv. Wie heißt der? *(Er liest laut vor)* K Punkt A Punkt Sperl. Sprechstunden von null bis vierundzwanzig Uhr. Donnerwetter, das ist aber ein fleißiger Mensch, dieser Herr Sperl! Arbeitet vierundzwanzig Stunden von Mitternacht bis Mitternacht. Wann kommt der denn zum Schlafen? Wollen wir ihn mal fragen, Kinder?

KINDER: Ja!

KASPERL: *(sucht an der Haustür)* Aha, da ist die Klingel. *(Er läutet, wartet)* Da rührt sich nichts. Soll ich noch mal klingeln, Kinder?

KINDER: Ja!

KASPERL: *(klingelt Sturm, wartet)* Scheint nicht daheim zu sein, der Herr Sperl. Na, vielleicht ist er hinter einem Taschendieb her – könnte das sein?

KINDER: Ja!

KASPERL: Oder hinter einem Einbrecher?

KINDER: Ja!!

KASPERL: Ist er aber nicht. Kann er gar nicht sein – und warum nicht?
Jetzt spielen wir mal Privatdetektiv,
ihr und ich zusammen. Wollt ihr?

KINDER: Ja!

(Der Juwelier Blech kommt, sieht erst das Schild an, dann den Kasperl)

JUWELIER: Guten Tag, Herr Sperl!

KASPERL: Guten Tag, Herr –

JUWELIER: Blech.

KASPERL: Nicht Herr Gold?

JUWELIER: Wieso denn Gold?

KASPERL: Sind Sie nicht Juwelier?

JUWELIER: Ganz recht. Woher wissen Sie das?

KASPERL: *(wirft sich in die Brust)* Bin doch Privatdetektiv.

JUWELIER: Ja, natürlich, deswegen komme ich ja zu Ihnen.

KASPERL: Hat man Ihnen etwas – *(er macht eine Handbewegung, die eine Dieberei andeutet)* gemopst? gemaust?

JUWELIER: Noch nicht.

KASPERL: Aha.

JUWELIER: Ich habe Grund anzunehmen, daß mich jemand um eine goldene Armbanduhr erleichtern will.

KASPERL: Wieso?

JUWELIER: Weil fast täglich jemand in meinem Laden erscheint –

KASPERL: Aha.

JUWELIER: – der sich jedesmal diese goldene Armbanduhr ansieht, immer nur diese!

KASPERL: So so.

JUWELIER: Warum sagen Sie immer nur „Aha" und „Soso"?

KASPERL: Die Sache ist erstaunlich.

[aus: Hans Baumann: Kasperl und die alte Dampflok, Ravensburg 1979, S. 95–110, hier S. 96–99; Abdruck mit freundlicher Genehmigung der Witwe des Verfassers.]

AUFGABE:

Beschreiben und erläutern Sie den Text von Hans Baumann unter allen geeigneten dramentheoretischen Gesichtspunkten.

5.10. Lernzielkontrolle (II): Terminologie-Test

AUFGABE:

Schreiben sie links neben jedes der folgenden Beispiele (bzw. Beispielschemata) den Buchstaben A-Z derjenigen Kategorie aus der Liste im Anschluß, unter die dieses Beispiel fällt. (Im Bedarfsfall ist der relevante Teil des Beispiels unterstrichen.)

(1) MUTTER Küßchen. *Sohn beugt sich hinüber*

(2) HERR V. LIPS Laßts mich aus, die Natur kränkelt auch an einer unerträglichen Stereotypikkeit.

(3) STIFLER Ich finde jetzt alles am schönsten.
HERR V. LIPS Ja, wenn man so jung is als wie du!

STIFLER Nu, gar so jung – ich bin wohl erst im Vierundfünf-
zigsten.
HERR V. LIPS Ich aber schon im Achtunddreißigsten!
STIFLER Das schmeckt ja nach dem Flügelkleide!
HERR V. LIPS Und doch schon Matthei am letzten!
STIFLER Laß dir nichts träumen!
HERR V. LIPS Eben die Träume verraten mir's, daß es auf die
Neig' geht, ich mein, die wachen Träum', die jeder Mensch
hat. Bestehen diese Träum' in Hoffnungen, so is man
jung, bestehen sie in Erinnerungen, so is man alt.
Ich hoff nix mehr und erinnere mich an vieles, ergo:
alt, uralt, Greis, Tatl!

(4) KRAUTKOPF *aus der Seitentüre rechts kommend* Au
weh, mein Kopf – g'schwind, Kathi, schau nach –
Lips bemerkend wer is denn das?
KATHI Es is – *für sich* ich trau mir's nicht zu sagen –
stockend es is –
HERR V. LIPS Ein Knecht. (. . .)
KRAUTKOPF Bei wem war Er denn?
HERR V. LIPS *grob* Wo werd ich denn g'wesen sein? Bei ein'
Miliweib.
KRAUTKOPF *über Lips' Ton aufgebracht* Wie red't denn
Er mit mir?

(5) HERR V. LIPS *unten, stößt einen durchdringenden Schrei aus*
Ah – !
GLUTHAMMER *unten, ebenfalls erschrocken aufschreiend* Ah – !!
LIPS *eilig mit der Laterne ganz verstört heraufkommend*
Zu Hilf'! Zu Hilf'! *Schlägt die Falltüre hinter sich zu*
Da drunt' – sein Geist – so deutlich hab ich die Gestalt
noch nie gesehn!
GLUTHAMMER *die Falltür von unten öffnend und heraufkommend.*
Nur bis an die Brust sichtbar; er ist in Krautkopfs Bett-
decke eingehüllt und hat die Schlafhaube auf. In großer
Angst Sein Geist verfolgt mich – Luft – Luft!

(6) DON HORRIBILICRIBRIFAX Ob ich wohl in meiner Gegenwart
mich ungern rühmen lasse / auch meine Diener derowegen
nicht halte / dennoch weil es mein Engel zu wissen begehrt /
geb ich dir Freyheit dieses zu erzehlen. dite pure.

PAGE Der König [von Persien] hatte die Ehre, meinen Capitain neben sich auff der Jagt zu führen. [...] Als der der Perser etliche Pfeile vergebens auf den Hirschen abgehen lassen / ergrimmet mein Capitain, daß er das Jägerhorn von seinem Halse rieß / und mit demselben nach dem Hirschen warf. [...] Das Horn flog just dem Hirsch zum Hindern hinein / und weil das Wild in vollen Fartzen war / gab es so ein wunderlich Getöne / daß alle Hunde herzu gelauffen kamen / und den Hirschen anhielten / also war das Wild gefället.

Coelestina und Camilla fangen an zu lachen.

DON HORRIBILIKRIBRIFAX Du ungehobelter Galgenschwengel [...]

(7) THEODOR *mit erhobener Stimme* Wer solche Ehrenjahre abdient, müßte demgemäß vor einer Mißachtung seiner Person geschützt sein.

BARONIN Ja, wer bezeigt Ihnen denn Mißachtung? Wer untersteht sich das? Setzen Sie sich nieder, Theodor, und sprechen Sie sich aus.

THEODOR *setzt sich auf den Rand des Stuhles* Es sind an mir in diesem Leben viele Ungeheuerlichkeiten begangen worden! Ich hätte bekanntlich eine geistliche Person werden sollen, aber als eine vaterlose Waise bin ich durch Gemeinheit gemeiner Menschen in den dienenden Stand gestoßen worden.

(8) HERR V. LIPS *allein* xxxxxxxxxxxxxxxxxxxxxxxxxxxxxxx

(9) HERR V. LIPS xxxxxxxxxxxxxxxxxxxxxxxxxxxxxxxxxxxxxxxxx
KATHI xxxxxxxxxxxxxxxxxxxxxxxxxxxxxxxxxxxxxxxx
GLUTHAMMER xxxxxxxxxxxxxxxxxxxxxxxxxxxxxxxxx

(10) *Schauspieler tritt zum Schluß noch einmal vor den Vorhang*
SCHAUSPIELER xxxxxxxxxxxxxxxxxxxxxxxxxxxxxxxxxx

(11) *Schauspieler tritt zu Beginn des Stückes vor den Vorhang*
SCHAUSPIELER xxxxxxxxxxxxxxxxxxxxxxxxxxxxxxxxxx

(12) SHEN TE xxxxxxxxxxxxxx
SHUI TA xxxxxxxxxxxxxx
SHEN TE *für sich* xxxxxxxxxxxxxx

(13) SHEN TE *zum Publikum* xxxxxxxxxxxxxxxxxxx

(14) WANG *kommt auf die Bühne gerannt, zu den anderen* Laßt mich erzählen was soeben in den Fabriken sich zugetragen.
xxxxxxxxxxxxxxxxxxxxxxxxxxxxxxxxxxxxxxxxxxxxxxxxx

(15) Sukzession des Dramas: a ---› b---› c---› d---› e

(16) *Die Handlung spielt von Sonnenaufgang bis Sonnenuntergang, der Ort ist die Wohnstube.*

(17) 1. Akt, 1. Szene:
Metzler, Sievers am Tische. Zwei Reitersknechte beim Feuer. Wirt.
SIEVERS Hänsel, noch ein Glas Branntwein, und meß christlich.
WIRT Du bist ein Nimmersatt.
METZLER *leise zu Sievers* Erzähl das noch einmal vom Berlichingen! Die Bamberger dort ärgern sich, sie möchten schwarz werden.
SIEVERS Bamberger? Was tun die hier?
METZLER Der Weislingen ist oben auf'm Schloß beim Herrn Grafen schon zwei Tage; dem haben sie das Gleit geben. Ich weiß nicht, wo er herkommt; sie warten auf ihn; er geht zurück nach Bamberg.
SIEVERS Wer ist der Weislingen?
METZLER Des Bischofs rechte Hand, ein gewaltiger Herr, der dem Götz auf'n Dienst lauert.
SIEVERS Er mag sich in acht nehmen.
METZLER *leise* Nur immer zu! *Laut.* Seit wann hat denn der Götz wieder Händel mit dem Bischof von Bamberg? Es hieß ja, alles wäre vertragen und geschlichtet.
SIEVERS Ja, vertrag du mit den Pfaffen! Wie der Bischof sah, er richt nichts aus und zieht immer den kürzern, kroch er zum Kreuz und war geschäftig, daß der Vergleich zustand käm. Und der getreuherzige Berlichingen gab unerhört nach, wie er immer tut, wenn er im Vorteil ist.

(18) Sukzession des Dramas: a+c+g+x+b+l+z+....n

(19) WANG *kommt auf die Bühne gerannt und zeigt in die Kulissen; zu den anderen* Seht, was dort gerade geschieht. Da läuft gerade jemand am Wald entlang. Er bleibt stehen. Er sieht uns. Jetzt kommt er *auf der Bühne erscheint Sun*

(20) KAPITAIN Mylord, wer sind Sie?
BERKLEY Wer ich bin? – Gott im Himmel! im Himmel! Harry!
du bists –
KAPITAIN Harry Berkley -
BERKLEY Mein Sohn!
KAPITAIN Vater! Mein Vater *an seinen Hals.*

(21) CHACH Schauet! schaut! der Himmel bricht!
Die Wolckenfeste reist entzwey /
Das rechte Recht steht ihrer Sachen bey!
Das Recht ists selbst, das uns das endlich Urtheil spricht.
Princessin Ach! wir sehn sie vor uns stehn!
Nicht mehr mit eigner Röt deß keuschen Bluts gefärbet /
Sie hat ein höher Reich ererbet /
Als dises, das mit uns muß untergehn.
Ihr liblich=zornig Antlitz wird verkehrt in eine lichte Sonne /
Ihr Herz vergist der rauhen Schmerzen und wundert sich ob
neuer Wonne
Sie ist mit schönerm Fleisch umgeben /
Der zarten Glider edles Leben
Trotzt alle Schönheit die die grosse Welt /
In ihren Schrancken helt.
Sie prangt in Kleidern / dafür Schnee kein Schnee!
Ihr wird ein thron gesetzt in der besternten Höh. [...]
CATHARINA Tyrann! der Himmel ists! der dein Verterben sucht /
Gott läst unschuldig Blut nicht ruffen sonder Frucht.

(22) 5. Akt, 10. Szene:
MOHR Bey allen Götter, glaubt mir! Lord Bushy ist nicht tot.
[...]
5. Akt, 11. Szene:
*Lord Bushy tritt mit langsamen matten Schritten überraschend
auf.*
WILD *erstarrt vor Freude.*
CAROLINE *glücklich strahlend* Nun wird alles wieder gut!

(23)   – Andreas Gryphius: Catharina von Georgien. Oder:
Bewehrete Beständigkeit. Trauerspiel (1657).

Personen des Trauerspiels.

CATHARINA. Königin von Georgien.

Salome.
Serena.   Der Königin Jungfrauen
Cassandra.
Der Königin Frauenzimmer.
Procopius.
Demetrius.   Gesandten von Georgien.
Ambrosius. Der Priester.
CHACH ABAS. König der Persen.
Seinel Can.
Iman Culi.   Deß Königs Geheimeste.
Der Gesandte aus Reussen.
Ein Diener.
Der Blutrichter.
Die Ewigkeit.

    – Johann Christoph Gottsched: Der Politische Kanngießer, ein Lustspiel (1742).

                 Personen dieses Lustspiels.
Herrmann Breme.
Frau Breminn, dessen Frau.
Luischen, ihre Tochter.
Meister Ehrlich, ein Liebhaber der Tochter.
Henrich, ein Diener.
Anna, eine Magd.
Zween Knaben.
Franz, ein Messerschmidt.
Ein Hutmacher.
[usw.]

(24)   Spielende Personen:
Herr Glaubeleicht
Herr Liebmann
Herr Magister Scheinfromm
Frau Zanckenheimin
Frau Seuffzerin [...]

(25) MUTTER Küßchen. *Sohn beugt sich hinüber.*

(26) CLAIRE ZACHANASSIAN Unsinn. Du bist fett geworden. Und grau und versoffen.
ILL Doch du bist die gleiche geblieben. Zauberhexchen.

Terminologieliste A-Z:

A) Teichoskopie
B) Geschlossene Dramenform
C) Nebentext
D) ad spectatores
E) Prolog
F) Dialog
G) Typenkomik
H) Verwechslungskomik
I) Dialogkomik
J) Implizite Figurencharakterisierung
K) Explizite Figurencharakterisierung
L) deus ex machina
M) Haupttext

N) Offene Dramenform
O) Drei Einheiten
P) Botenbericht
Q) a parte
R) Epilog
S) Monolog
T) Sprachkomik
U) Charakterkomik
V) Situationskomik
W) Ständeklausel
X) Exposition
Y) Apotheose
Z) Anagnorisis

(Hinweise zur Auflösung im Anhang)

6. ZUR EINÜBUNG IN LITERATURWISSEN-SCHAFTLICHES FORMULIEREN, DEFINIEREN UND ARGUMENTIEREN

6.1. Korrektes und falsches Widersprechen

AUFGABEN:

(1) Bilden Sie die Negation zu den folgenden Sätzen:
   (a) Die Verhältnisse waren günstig für ihn.
   (b) Das ist ein unmoralisches Buch.
   (c) Logik ist eine besonders einfache Disziplin.

(2) Bestimmen Sie, welche der folgenden Sätze (a) – (g) zu dem angegebenen Ausgangssatz das kontradiktorische Gegenteil, welche das konträre Gegenteil, welche das polare Gegenteil und welche eventuell keins davon bilden:
   Ausgangssatz: „Handkes neues Stück hat mir sehr gefallen."
   (a) Handkes neues Stück hat mir sehr mißfallen.
   (b) Handkes neues Stück hat mir gar nicht gefallen.
   (c) Handkes neues Stück hat mir nicht sehr gefallen.
   (d) Handkes neues Stück hat mich kalt gelassen.
   (e) Handkes neues Stück hat mir keineswegs gefallen.
   (f) Daß mir Handkes neues Stück sehr gefallen hat, kann ich nicht sagen.
   (g) Handkes neues Stück hat mir weder gefallen noch mißfallen.

(3) Kritisieren Sie die folgende Äußerung hinsichtlich ihrer logischen Form, d.h. hier: unter dem Aspekt der Frage, ob der Verfasser der von ihm kritisierten These korrekt widerspricht:
   Wofür hat Brandt diesen Nobelpreis eigentlich gekriegt, frage ich mich. Er habe ‚den Frieden sicherer gemacht', sagt er – das soll er doch erst mal beweisen. Will er denn behaupten, eine andere Regierung unter Barzel, Schröder und Strauß hätte den Frieden unsicherer gemacht!
   [Aus einer anonymen Wahlanzeige für die CDU im Wahlkampf 1972: „Luis Trenker sagt seine Meinung".]

(4) Prüfen Sie, ob die folgenden Äußerungen in ihrer logischen Form, d.h. hier: in Hinsicht auf die verwendeten Verneinungen, in Ordnung sind, und schlagen Sie bei Bedarf eine korrigierte Formulierung vor:

(a) Goethe in einem Brief an Lavater (29. 7. 1782): er sei „zwar kein Widerchrist kein Unchrist aber doch ein dezidirter Nichtchrist".

(b) Süddeutsche Zeitung, 23. 10. 1984, S. 1:
Barzel müsse auch einwandfrei widerlegen können, daß seine Tätigkeit für Paul in keinem Zusammenhang mit den Geldern stehen, die der Flick-Konzern im gleichen Zeitraum an Paul zahlte.

(c) Die ZEIT, 2. 10. 1987, S. 41:
Wir finden heraus, daß der Bednarz-Satz von der Pflicht, ‚den Mächtigen unbequem zu sein', tatsächlich drei logische Alternativen hat:
a) Journalistenpflicht ist es, den Macht*losen* unbequem zu sein. Klingt nicht sehr sinnvoll. Der reine Sadismus, also weiter:
b) Journalistenpflicht ist es, den Machtlosen *bequem* zu sein. Das kommt, mit Blick auf ‚unpolitischen' Unterhaltungsjournalismus, der Sache schon näher. Doch knapp vorbei ist auch daneben, deshalb noch ein Blick auf die dritte Alternative:
c) Journalistenpflicht ist es, *den Mächtigen bequem zu sein.*
Sind wir endlich beieinander, Herr Professor?

LOGISCHE UND TERMINOLOGISCHE HINWEISE:

LOGISCHE FORM: Betrifft alle die und nur die Strukturelemente, die für die Wahrheit oder Falschheit einer Aussage von Belang sind.

Hierfür ist zu bedenken: ‚Wahrheit' bzw. ‚Falschheit' kann einer Aussage auf zwei grundverschiedene Weisen zukommen. Z.B. ist von den beiden folgenden Aussagen (a) und (b) der Fall (a) ‚empirisch' wahr bzw. falsch – je nachdem, ob Jean Paul die „Nachtwachen" tatsächlich geschrieben hat oder nicht. Die Aussage (b) hingegen ist schon wegen der Art ihrer inneren Verknüpfung wahr, d.h. aufgrund ihrer ‚logischen Form':

(a) Jean Paul ist der Autor der „Nachtwachen des Bonaventura".
(b) Wenn der Autor der „Nachtwachen des Bonaventura" entweder Jean Paul oder ein Epigone Jean Pauls ist und wenn Jean Paul als Autor ausscheidet, dann ist der Autor der „Nachtwachen" ein Epigone Jean Pauls.

Die ‚logische Form' einer Aussage abstrahiert von allen ‚sprachlichen' oder gar ‚literarischen' Form-Aspekten. Die beiden folgenden Aussagen (c) und (d) sind also in ihrer ‚sprachlichen Form' und ihrer ‚literarischen Form' stark verschieden, aber in Hinsicht auf ihren Wahrheitswert („wahr' bzw. ‚falsch') entweder beide wahr oder beide falsch (unterstellt, es handle sich bei Gretchen und Margarete X. um dieselbe Person):

(c) Meine Ruh ist hin,
    Mein Herz ist schwer,
    Ich finde sie nimmer
    Und nimmermehr.
(d) Die Patientin Margarete X. leidet an Herzbeschwerden und an chronischer nervöser Unruhe.

Um die logische Form einer Aussage – und insbesondere einer komplexen Aussageverknüpfung – durchschauen zu können, ist es zweckmäßig, sie zu vereinfachen: d.h. sie durch reine Abkürzungsmaßnahmen zu reduzieren auf elementare Zeichen, die für alle und nur die ‚wahrheitswertrelevanten' Bestandteile der Aussage stehen (nämlich ‚Variablen' und ‚Junktoren', die in 6.2. näher erläutert werden). Die folgenden Aussagen (e) – (h) sind deshalb in sprachlicher und inhaltlicher Hinsicht stark verschieden, haben aber alle dieselbe logische Form (deren abkürzende Schreibweise in den folgenden Kapiteln schrittweise erläutert wird):

(e) Wenn der Autor der „Nachtwachen" entweder Jean Paul oder Klingemann ist und wenn Jean Paul als Autor ausscheidet, dann ist Klingemann der Autor der „Nachtwachen".
(f) Wenn der Mond aus Käse oder im Himmel Jahrmarkt ist und wenn der Mond nicht aus Käse besteht, dann ist im Himmel Jahrmarkt.
(g) Wenn von zwei Aussagen p und q mindestens eine wahr ist und wenn p falsch ist, dann ist q wahr.
(h) $[\,(\,p \vee q\,) \wedge \neg\,p\,] \rightarrow q$

NEGATION [logisches Zeichen: ¬p (sprich ‚non p‘ oder ‚nicht p‘ = „Es ist nicht der Fall, daß p gilt“); zuweilen auch ~p oder p̄] : Die logische Verneinung (als die Form, in der man einer Aussage korrekt widerspricht) bezieht sich auf eine Gesamtaussage (also nicht auf einzelne Satzteile!) oder auch auf eine gesamte Aussageverknüpfung (s.u. 6.2.). Die verneinte Aussage (b) verwandelt den Wahrheitswert des Ausgangssatzes (a) in den entgegengesetzten Wahrheitswert (also wahr in falsch bzw. falsch in wahr); als Test für korrektes Negieren kann deshalb die doppelte Negation (c) gelten, die wieder genau denselben Wahrheitswert wie der Ausgangssatz (a) hat. (Dabei ist die doppelte Negation natürlich nicht zu verwechseln mit einer alltagssprachlich und besonders dialektal üblichen, ‚redundanten‘ zweiten Verneinungspartikel als Signal für die einfache Negation – z.B.: „Heut hat's ka Weißwürstl net!“)

(a) August Klingemann ist der Autor der „Nachtwachen des Bonaventura“. [p]
(b) August Klingemann ist nicht der Autor der „Nachtwachen des Bonaventura“. [¬p]
(c) Es stimmt nicht, daß August Klingemann nicht der Autor der „Nachtwachen des Bonaventura“ ist. [¬¬p]

Verdeutlichung durch Wahrheitstafel (s. u. 6.2.; w = wahr, f = falsch):

p	¬p	¬¬p
w	f	w
f	w	f

GEGENTEIL [ähnlich auch „Gegensatz“] : Systematisch mehrdeutiger Ausdruck, der wegen seiner notorischen Mißverständlichkeit durch die folgenden drei alternativen Präzisierungen ersetzt werden sollte:

KONTRADIKTORISCHES GEGENTEIL: Beschränkt sich (wie z.B. schwarz/nicht schwarz) ausschließlich auf die Negation des Ausgangssatzes (s.o.), ohne irgendwelche weiteren Behauptungen über die Umkehrung des Wahrheitswertes hinaus aufzustellen. [Logische Form: ¬p]

Beispiel:
These A: Goethes „Maximen und Reflexionen“ sind die besten Aphorismen der Weltliteratur. (Nach J. Hofmiller.)

<u>Kontradiktorische These A'</u>: Goethes „Maximen und Reflexionen" sind nicht die besten Aphorismen der Weltliteratur. (Nach J. P. Stern, der z.B. Lichtenbergs Aphorismen für besser hält.)

KONTRÄRES GEGENTEIL: Schließt (wie z.b. schwarz/rot) die Negation des Ausgangssatzes p ein, geht aber darüber hinaus durch eine andersartige positive Behauptung q, deren Wahrheitswert mit dem Wahrheitswert des Ausgangssatzes unverträglich ist. [Logische Form: $\neg p \land q$; vgl. 6.2.]

<u>Konträre These A''</u>: Goethes „Maximen und Reflexionen" sind gar keine Aphorismen. (Nach H. Fricke, der sie für Thesensammlungen u.a. hält.)

POLARES GEGENTEIL [auch: „polar-konträr", da in gewisser Weise ein Spezialfall des konträren Gegensatzes] : Schließt (wie z.B. schwarz/weiß) die Negation des Ausgangssatzes p ein, geht aber darüber hinaus durch Behauptung der extremen Alternative, d.h. des äußersten gegenüberliegenden Punktes auf einer vorzustellenden polaren Achse derselben Werteskala (gleichsam ‚minus Unendlich' desselben Ausgangswertes: $-\infty p$). [Logische Form: $\neg p \land -\infty p$]

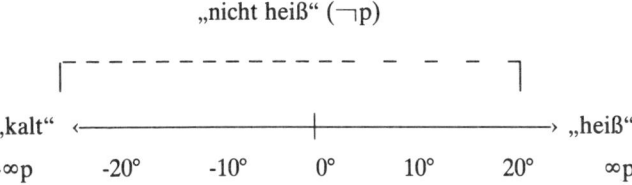

„nicht heiß" ($\neg p$)

„kalt" $\longleftarrow$ $\longrightarrow$ „heiß"

$-\infty p$ $-20°$ $-10°$ $0°$ $10°$ $20°$ ∞p

<u>Polare These A'''</u>: Goethes „Maximen und Reflexionen" sind die schlechtesten Aphorismen der Weltliteratur. (Nach R. H. Stephenson, der ihnen u.a. Banalität zuspricht.)

LOGISCHER WIDERSPRUCH [auch „Kontradiktion", „Selbstwiderspruch"; vgl. dagegen „Paradoxon", s.o. 2.3.] : Widerspruch zwischen Sätzen, nämlich durch gleichzeitige Behauptung einer Aussage p und ihrer logisch korrekten Negation $\neg p$, und zwar in identischer Interpretation des Aussagesatzes – nach der Formulierung des Aristoteles: „Es kann nicht geschehen, daß zur selben Zeit am selben Ort in derselben Hinsicht etwas der Fall ist und nicht der Fall ist". [Logische Form: $p \land \neg p$; vgl. 6.2.]

Beispiel: Der deutsche Bundeskanzler Willy Brandt ist am 6.5.1974 von seinem Amt zurückgetreten und nicht zurückgetreten.

DIALEKTISCHER WIDERSPRUCH [auch: „Antagonismus"] : Widerspruch zwischen S a c h e n, d.h. Behauptung eines Sachverhaltes p und zugleich eines anderen Sachverhaltes q, der in der Realität mit dem ersten Sachverhalt in faktischen Widerstreit, z.B. in politischen (nicht aber in logischen) Konflikt gerät und deshalb zu einer pseudoparadoxen Formulierung mit doppelsinnig gebrauchten Ausdrücken verführt.
[Logische Form: p ∧ q ; vgl. 6.2.]

Beispiel: Verbesserungen im Bildungswesen nützen der Kapitalistenklasse ((nämlich kurzfristig durch bessere Qualifikation der Arbeitskräfte, dadurch höhere Profite)) und nützen ihr zugleich nicht ((nämlich langfristig: bessere Einsicht in die eigene Klassenlage wird die Bevölkerung befähigen, die Herrschaft der Kapitalistenklasse zu brechen)).

Die häufig anzutreffende Verwechslung von dialektischen Widersprüchen mit logischen Widersprüchen hat deshalb so verheerende Folgen, weil man aus einem einzigen logischen Widerspruch, den man akzeptiert hat, dann logisch zwingend jede andere beliebige Aussage (also auch eine unsinnige) und zugleich deren Negation ableiten kann; damit bricht der Unterschied zwischen wahren und falschen Sätzen vollständig zusammen. Deshalb muß auch ein Dialektiker vermeiden, sich selbst logisch zu widersprechen; und deshalb ist es allgemein für wissenschaftliches Formulieren und Argumentieren so wichtig, mögliche Quellen für Mehrdeutigkeiten und Trugschlüsse zu beseitigen, aus denen sich logische Widersprüche ergeben könnten.

Den einfachen logischen Beweis für diese beliebige Ableitbarkeit aus einem logischen Widerspruch (vgl. z.B. Fricke 1977, S. 191) kann man auch in der Form eines üblichen ‚Dialogspiels' wie dem folgenden leicht nachvollziehen:

Proponent:
Als Dialektiker behaupte Ich, daß der Satz „Verbesserungen im Bildungswesen nützen der Kapitalistenklasse" wahr und falsch zugleich ist.

Opponent:
Soso – dann stimmen Sie mir also auch zu, wenn ich sage, daß dieser Satz über die Kapitalisten falsch ist?

Ja – daß ich das akzeptiere, habe ich ja eben gesagt.

O.K. – wieviele von den beiden folgenden Aussagen sind also dann nach Ihrer Meinung wahr:
– „Goethe hat den ‚Faust‘ als Fernsehspiel geschrieben.“
– „Der Kapitalisten-Satz von vorhin ist wahr.“

Eine von den beiden Aussagen ist wahr, und eine ist falsch.

Ganz genau – ich weiß auch schon, welche Sie meinen. Denn daß der Kapitalisten-Satz falsch ist, haben Sie ja schon vorhin zugegeben. Also muß für Sie die wahre der beiden Aussagen sein, daß Goethe den „Faust“ als Fernsehspiel geschrieben hat.

Das mit dem Fernsehspiel ist natürlich Unsinn. Da haben Sie mich irgendwie hereingelegt.

Keineswegs – ich habe Sie nur beim Wort genommen. Hereingelegt haben Sie sich selber: Sie hätten eben gar nicht erst akzeptieren dürfen, daß der Satz über die Kapitalistenklasse sowohl wahr als auch falsch ist. Jetzt müssen Sie Ihre dialektische Suppe auslöffeln und jede Aussage als wahr akzeptieren, die ich Ihnen so wie das Goethe-Fernsehspiel daraus ableite.

So ein Mist – da nehme ich doch lieber die ganze Kapitalisten-Dialektik wieder zurück...

6.2. Korrekte und falsche Aussageverknüpfungen

AUFGABEN :

(1) MUSTER :
A = Sprichwörtliche Form: Dem Glücklichen schlägt keine Stunde

Logische Abkürzungen: p = Jemand ist glücklich
                       q = Jemand achtet nicht auf die Zeit (= ihm schlägt keine Stunde)
                       → = wenn..., dann auch...

A' = Logische Form: p → q
A'' = Logisch eindeutige umgangssprachliche Form: Immer wenn man glücklich ist, achtet man nicht auf die Zeit.

Übersetzen Sie die folgenden Sätze nach diesem Muster (und unter Beachtung der u.a. logischen und terminologischen Hinweise) zunächst in die abkürzende Ausdrucksweise der Aussagenlogik und dann in logisch unmißverständliche umgangssprachliche Sätze (mit wenn-dann-Konstruktionen):

(a) Wer tüchtig ist, der hat auch Erfolg.
(b) Erfolg hat nur der Tüchtige.
(c) Ohne Fleiß kein Preis.
(d) Genaues Lesen ist eine Voraussetzung für das richtige Verstehen eines Textes.
(e) Wer einen Text genau liest, versteht ihn auch richtig.
(f) Nur genaues Lesen ermöglicht und garantiert richtiges Verstehen eines Textes.

(2) Kritisieren und verbessern Sie folgende Zitate unter aussagenlogischem Aspekt:

(a) Anleitung zur Einkommenssteuererklärung 1981, Bundesfinanzministerium der BRD, Bonn 1980, S. 19 (Unfallschaden als Werbungskosten):
Voraussetzung ist, daß sich der Unfall auf der Fahrt zwischen Wohnung und Arbeitsstelle ereignet hat und von Ihnen nicht absichtlich oder nicht unter Alkoholeinfluß verursacht worden ist.

(b) ADAC-Motorwelt 12/1983:
Schlicht eine Lüge ist die Aussage: Nur wer viel aufschreibt, kommt nach oben. Ich könnte mir ein Bein ausreißen und würde deshalb auch nicht früher befördert: keine Planstellen vorhanden.   Udo Rosenquest, Polizeiobermeister, Kiel

(c) Ernst Robert Curtius: Büchertagebuch 1960, zitiert nach: R. W. Leonhardt: Ernst Robert Curtius als Journalist. In: Die ZEIT, 18.4.1986, S. 40:
„Nur wer seiner Zeit sich widmet", erklärte damals Gutzkow, „der gehört auch den späteren Zeiten an." Wie schön, wenn das so einfach ginge! Hat sich das Wort an Gutzkow bewährt?

LOGISCHE UND TERMINOLOGISCHE HINWEISE:

AUSSAGENLOGISCHE FORM: Im Gegensatz zur ‚prädikatenlogischen Form' (s.u.6.4.) achtet man in der Aussagenlogik allein auf die

212

für Wahrheit oder Falschheit relevanten Verknüpfungen der vorkommenden Elementaraussagen, nicht aber auf deren inneren Aufbau – insbesondere nicht darauf, ob in einer Aussage von allen, von einigen oder von namentlich genannten individuellen Gegenständen einer bestimmten Art die Rede ist. Deshalb kommt die Aussagenlogik mit zwei Gruppen von abkürzenden Zeichen aus: ‚Variablen' für Aussagen und ‚Junktoren' für Verknüpfungen (sowie meistens noch Klammern – runde, ggf. eckige, ggf. noch geschweifte –, um die hierarchischen Abhängigkeiten zu verdeutlichen).

VARIABLE: Abkürzung für eine beliebige Elementaraussage, also für einen Satz, der als ganzer wahr oder falsch ist, aber keine Bestandteile mehr enthält, die ihrerseits wahr oder falsch sind; in der Aussagenlogik üblicherweise vertreten durch kleine Buchstaben p, q, r... . Der große Vorteil des Umgangs mit Variablen besteht darin, daß die aus ihnen erstellten korrekten Aussageverknüpfungen für alle beliebigen Aussagen gelten, die man als ‚Konstanten' in die aussagenlogische Form einsetzt – also unabhängig von ihrem jeweiligen Inhalt und Umfang.

JUNKTOR [neulat.: · ‚Verknüpfer'; häufig auch „Operator", „Wahrheitsfunktion"] : Verknüpfungszeichen zwischen Elementaraussagen bzw. aus ihnen gebildeten Aussagekomplexen, die allein die Beziehungen zwischen den Wahrheitswerten der Elementaraussagen und dem Wahrheitswert der daraus gebildeten Aussageverknüpfung regeln. Von den 16 logisch verschiedenen Verknüpfungen zweier Aussagen kommt man für die Analyse umgangssprachlicher Zusammenhänge im allgemeinen bequem mit den hier eingeführten Junktoren für ‚Negation' ($\neg$), ‚Konjunktion' ($\wedge$), ‚Alternation' ($\vee$) und ‚Implikation' ($\rightarrow$) aus; dies wird vor allem durch die wichtige Einsicht erleichtert, daß prinzipiell jeder Junktor auch durch eine Kombination anderer Junktoren ersetzt werden kann (letztlich sogar alle durch einen einzigen, den unter Logikern berühmten ‚Sheffer's stroke'). Jeder einzelne dieser Junktoren wird durch eine ‚Wahrheitstafel' eindeutig definiert; hingegen ist die Identifikation mit umgangssprachlichen Ausdrücken wegen der gerade in diesem Bereich verbreiteten Mehrdeutigkeit unserer natürlichen Sprachen nur mit großer Vorsicht möglich.

WAHRHEITSTAFEL: Die knappste Form der Definition aussagenlogischer Junktoren, nämlich durch tabellarische Eintragung der jeweiligen ‚Wahrheitswertverläufe' einer Aussageverknüpfung, entsprechend den möglichen Kombinationen von Wahrheitswerten der Elementaraussagen. Für den Einsatz im ‚Wahrheitstafel-Verfahren' (s.u. 6.3.) zur aussagenlogischen Überprüfung umgangssprachlicher Argumente kommt man in aller Regel aus mit Wahrheitstafeln für zwei bzw. für drei Variablen (im folgenden Muster jeweils am Beispiel des Junktors ↔ für ‚materiale Äquivalenz', d.h. die u.a. Verbindung von notwendiger und hinreichender Bedingung). [Statt der hier verwendeten Wahrheitswert-Zeichen w = wahr und f = falsch sind nach angelsächsischem Muster verbreitet üblich auch: ⊤ = true, ⊥ = not true/false.]

p q	(p ↔ q)
w w	w
w f	f
f w	f
f f	w

Gemäß dieser Definition ist eine Äquivalenz somit genau dann wahr, wenn die Wahrheitswerte ihrer Elementaraussagen übereinstimmen.

p	q	r	(p ↔ q ↔ r)
w	w	w	w
w	w	f	f
w	f	w	f
w	f	f	f
f	w	w	f
f	w	f	f
f	f	w	f
f	f	f	w

KONJUNKTION [logisch: p ∧ q, zuweilen auch: p · q] : Junktor, der eine Aussageverknüpfung nur in dem einen Falle wahr macht, daß beide Elementaraussagen wahr sind; umgangssprachlich deutlicher als durch „und" auszudrücken etwa durch „sowohl ... als auch ..."; „... und zugleich ..."; „beides, ... und...".

Beispiel: Lessing war ein bedeutender Dichter und Philosoph. (D.h.: Lessing war ein bedeutender Dichter, und zugleich war Lessing ein bedeutender Philosoph.)

Wahrheitstafel:

p q	(p ∧ q)
w w	w
w f	f
f w	f
f f	f

214

ALTERNATION [auch „Adjunktion", „Disjunktion"; logisch p ∨ q] :
Junktor, der eine Aussageverknüpfung nur in dem einen Falle
falsch macht, daß beide Elementaraussagen falsch sind. Es
handelt sich also um das ‚nicht ausschließende oder' (lat.:
vel...vel...) im Gegensatz zum ‚ausschließenden oder' (lat.:
aut...aut...; dt. häufig, aber nicht zuverlässig repräsentiert
durch „entweder...oder...", besser durch „...oder aber...");
umgangssprachlich statt des mißverständlichen „oder" zuverlässiger wiederzugeben durch „...oder auch..."; „...und/
oder...".

Beispiel: Um heute als Autor Erfolg zu haben, muß man schon außergewöhnlich gut sein oder einen cleveren Verleger haben. (Gemeint ist
hier: Wer sowohl außergewöhnlich gut ist als auch einen cleveren
Verleger hat, hat ebenfalls Erfolg.)

Wahrheitstafel:

p	q	(p ∨ q)
w	w	w
w	f	w
f	w	w
f	f	f

IMPLIKATION [genauer ‚materiale Implikation' im Gegensatz zur
tautologischen, schon aus formalen Gründen immer wahren
‚logischen Implikation'; auch „Subjunktion" , „Konditional" ;
logisch : p → q , zuweilen auch : p ⊃ q] : Junktor, der eine
Aussagenverknüpfung nur in dem einen Falle falsch macht,
daß der vor dem Zeichen stehende ‚Vordersatz' wahr und der
rechts vom Zeichen stehende ‚Folgesatz' falsch ist; umgangssprachlich (besser als mit dem oft unklaren „wenn...,
dann...") auszudrücken z.B. durch „immer wenn...,
dann..."; „wenn..., dann auch...". Dabei ist jedoch zu beachten, daß umgangssprachlich in der Regel nur Fälle mit bereits
gesichert wahrem Vordersatz zur Verwendung kommen, während die Implikation im hier erläuterten Sinne auch dann
wahre Aussageverknüpfungen ergibt, wenn der Vordersatz
erkennbar falsch ist. Dies kann anhand der folgenden Fälle
(a) – (d) plausibel gemacht werden.

Beispiel:

(a) Wenn Goethe den „Faust" 1830 vollendet hat, dann hat er 1825
noch gelebt. $[(w \rightarrow w) = w]$
(b) Wenn Goethe den „Faust" 1830 vollendet hat, dann hat er sicher
auch 1835 noch gelebt. $[(w \rightarrow f) = f]$
(c) Und wenn Sie der Kaiser von China sind, auf diesem Flügel darf
nicht gespielt werden. $[(f \rightarrow w) = w]$
(d) Wenn dieser Zug hier nicht hält, dann bin ich ja auch gar nicht
eingestiegen. $[(f \rightarrow f) = w]$

Wahrheitstafel:

p	q	$(p \rightarrow q)$
w	w	w
w	f	f
f	w	w
f	f	w

HINREICHENDE BEDINGUNG: Im Gegensatz zur ‚notwendigen Bedingung' (s.u.) steht die hinreichende Bedingung in der logischen Repräsentation stets als Vordersatz (‚links vom Pfeil'), weil die Erfüllung der im Vordersatz genannten Bedingung ‚hinreicht', um auf den Folgesatz zu schließen. Häufig erweisen sich hier übliche umgangssprachliche Formulierungen (wie z.B. „Wenn ein Text gereimt ist, dann ist er ein Gedicht") als logisch dreideutig (sie werden teils als hinreichende, teils als notwendige Bedingung, teils auch als die u.a. ‚Äquivalenz' gebraucht); deshalb empfiehlt sich eine explizit verdeutlichende, möglichst unmißverständliche Formulierung.

Beispiel (p = ein Text ist gereimt; q = ein Text ist ein Gedicht) :
Immer wenn ein Text gereimt ist, ist er ein Gedicht = Jeder gereimte
Text ist ein Gedicht = Reimform ist eine <u>hinreichende</u> Bedingung für
eine Einordnung als Gedicht. $[p \rightarrow q]$

NOTWENDIGE BEDINGUNG: Im Gegensatz zur ‚hinreichenden Bedingung' (s.o.) steht die notwendige Bedingung in der logischen Repräsentation stets als Folgesatz (‚rechts vom Pfeil'), weil sie hier als für das Bestehen des Vordersatzes ‚notwendig' behauptet wird, so daß man von der Erfüllung des Vordersatzes auf die Erfüllung des dafür ‚notwendigen' Folgesatzes schließen kann.

216

Beispiel: Nur wenn ein Text gereimt ist, ist er ein Gedicht = Jedes Gedicht ist gereimt = Reimform ist eine <u>notwendige</u> Bedingung für eine Einordnung als Gedicht. $[\,q \to p\,]$

ÄQUIVALENZ [genauer ‚materiale Äquivalenz', im Gegensatz zur ‚tautologischen', aus formalen Gründen immer wahrheitswertgleichen ‚logischen Äquivalenz'; üblich auch „Definierende Bedingung"; häufig abgekürzt als „gdw" = genau dann wenn; bzw. engl./international „iff" = if and only if; bzw. frz. „ssi" = si et seulement si] : Verbindung von notwendiger und hinreichender Bedingung, sodaß man sowohl vom Vordersatz auf den Folgesatz als auch vom Folgesatz auf den Vordersatz schließen kann (zur logischen Definition s.o. ‚Wahrheitstafel').

Beispiel: Ein Text ist ein Gedicht dann und nur dann (d.h. genau dann), wenn er gereimt ist = Jeder gereimte Text ist ein Gedicht, und jedes Gedicht ist gereimt = Reimform ist eine <u>notwendige und hinreichende</u> Bedingung für eine Einordnung als Gedicht.

$$[\,(\,p \to q\,) \land (\,q \to p\,)\,]\ \text{oder kurz}\ (\,p \leftrightarrow q\,)$$

6.3. Korrekte und falsche Schlüsse aus Aussageverknüpfungen

AUFGABEN:

(1) Überprüfen Sie die Korrektheit der folgenden Argumentation mit Hilfe des unten erläuterten Wahrheitstafel-Verfahrens (hier mit 2 Variablen):
Wenn jemand ein großer Dichter ist, dann ist er auch berühmt. Die Berühmtheit eines Autors läßt also darauf schließen, daß er ein großer Dichter ist.

(2) Überprüfen Sie die Korrektheit der folgenden Argumentation mit Hilfe des Wahrheitstafel-Verfahrens (hier mit 3 Variablen):
Durch Parodienschreiben lernt man Literaturwissenschaft. Wer hingegen keine Parodien schreibt, hat keine Begabung für Poesie. Nur der poetisch Unbegabte aber lernt Literaturwissenschaft. Wenn folglich jemand poetisch begabt ist, schreibt er keine Parodien.

(3) Welche der beiden folgenden Schlußketten (a) und (b) ist korrekt? Was für ein Fehler liegt bei der anderen vor?
(a) Verkaufserfolge beweisen die Popularität eines Autors, und aus der Popularität eines Autors kann man auf die Trivia-

lität seiner Werke schließen. Verkaufserfolge stellen sich also nur bei trivialen Werken ein.

(b) Verkaufserfolge beweisen die Popularität eines Autors ebenso, wie sie die Trivialität seiner Werke beweisen. Populär werden also nur die Verfasser von Trivialliteratur.

(4) Kommentieren Sie die folgende Äußerung unter logischen Aspekten:

Nixon hat bereits vor längerer Zeit erklärt, wenn die Bedingungen für eine friedliche Lösung in Vietnam erfüllt seien, werde er die militärischen Aktionen sofort einstellen. Da Nixon gestern die Bombardierung gestoppt hat, darf man annehmen, daß diese Bedingungen erfüllt sind.

[Nach: ‚Mittagskommentar' des Deutschlandfunks, 16.1.1973, 13.10 Uhr.]

LOGISCHE UND TERMINOLOGISCHE HINWEISE:

TAUTOLOGIE [griech.: Selbstaussage – vgl. auch die gleich benannte Stilfigur, s.o. 2.7.; häufig auch „Logisches Gesetz", „Theorem", „Logisch wahrer Satz"] : Aussageverknüpfung, die bei jeder beliebigen Belegung ihrer Elementaraussagen mit Wahrheitswerten insgesamt den Wahrheitswert „wahr" ergibt, also niemals falsch werden kann. Ungeachtet ihrer vermeintlichen ‚Leere' sind Tautologien für Begründungszusammenhänge deshalb so wichtig, weil nur in tautologischen ‚wenn-dann-Verknüpfungen' der Übergang von der Wahrheit des Vordersatzes (der ‚Prämisse' bzw. den ‚Prämissen') zur Wahrheit des Folgesatzes (der ‚Conclusio') formal gesichert und damit zuverlässig ist.

Beispiel: Wenn der Hahn kräht auf dem Mist, ändert sich das Wetter, oder es bleibt, wie es ist. $[\,p \to (\,q \vee \neg\, q\,)\,]$

MODUS PONENS [lat.: einsetzende Schlußweise; auch „Hypothetischer Syllogismus"]: Aussagenlogische Schlußform, bei der im Rahmen einer formalen ‚Tautologie' zunächst die sachliche Berechtigung einer materialen Implikation $p \to q$ nachgewiesen und anschließend die Wahrheit des Vordersatzes p empirisch belegt wird; in diesem Fall kann dann zuverlässig auf die empirische Wahrheit von q geschlossen werden (deshalb besonders wichtig und häufig in wissenschaftlichen Argumentationen).

218

Beispiel: Wenn wir in Karl Mays Romanen starre Erzählschemata nachweisen können, dürfen wir diese Texte als Trivialliteratur bezeichnen; und da an solchen Schemata in Karl Mays Werken kein Mangel ist, gehören sie eindeutig zur Trivialliteratur.

$$[(p \rightarrow q) \wedge p] \rightarrow q$$

Ein häufiger Fehler, der in diesem Zusammenhang vorkommt, ist neben der Verwechslung von ‚notwendiger' und ‚hinreichender Bedingung' (Vertauschung von p mit q; s.o. 6.2.) die falsche ‚Kontraposition' (s.u.), nämlich die Einsetzung der Negation des Vordersatzes statt des Vordersatzes selbst:

Beispiel: *Wenn wir in Segals „Love Story" starre Erzählschemata nachweisen können, dürfen wir diesen Text als Trivialroman bezeichnen. Solche Schemata gibt es aber nicht. Also ist die „Love Story" keine Trivialliteratur. $\quad *[(p \rightarrow q) \wedge \neg p] \rightarrow \neg q$

KONTRAPOSITION [lat.: Umkehrstellung] : Äquivalente Umformung einer ‚wenn-dann-Verknüpfung' durch Vertauschung von Vordersatz und Folgesatz bei gleichzeitiger Negation beider:

Beispiel: Wenn dichterisches Talent literarischen Erfolg garantiert, dann fehlt es dem Erfolglosen an Talent.

$$(p \rightarrow q) \leftrightarrow (\neg q \rightarrow \neg p)$$

Ein häufig vorkommender Fehler hingegen ist es, ohne Umdrehung der Positionen nur die negierten Sätze in die materiale Implikation einzusetzen (‚falsche Kontraposition').

Beispiel: *Wer Talent hat, hat auch Erfolg; also ist der Talentlose auch erfolglos. $\quad *(p \rightarrow q) \rightarrow (\neg p \rightarrow \neg q)$

KETTENSCHLUSS [auch „Transitiver Schluß", analog zur ‚Transitivität' z. B. von Größenbeziehungen: Wenn Fritz größer als Lotte und Lotte größer als Peter ist, dann ist Fritz zwangsläufig auch größer als Peter] : Aussagenlogische Schlußweise, bei der von zwei inhaltlich nachgewiesenen materialen Implikationen auf das Bestehen einer dritten geschlossen werden kann.

Beispiel: Wenn dichterisches Talent literarischen Erfolg garantiert, und wenn literarischer Erfolg Reichtum garantiert, dann garantiert dichterisches Talent also Reichtum. $\quad [(p \rightarrow q) \wedge (q \rightarrow r)] \rightarrow (p \rightarrow r)$

WAHRHEITSTAFEL-VERFAHREN: Verfahren zur Überprüfung der aussagenlogischen Korrektheit eines umgangssprachlichen Arguments in 8 Schritten.

Beispiel: Wenn der Autor der „Nachtwachen des Bonaventura" Jean Paul oder Klingemann ist und wenn Johann Paul Friedrich Richter als Verfasser ausscheidet, dann ist dieser Text ein Werk des Braunschweiger Theaterdirektors.

1. Schritt: Jeder Teilaussage des Schlusses wird eine Variable der Reihe p,q,r... zugeordnet. Dabei ist besonders darauf zu achten, welche Teilaussagen etwa trotz unterschiedlicher Formulierung zueinander im Verhältnis der Äquivalenz oder der Negation stehen und somit durch denselben Buchstaben ausgedrückt werden können:

p = Jean Paul ist der Autor der „Nachtwachen"
¬ p = Jean Paul ist nicht der Autor der „Nachtwachen" (= Johann Paul Friedrich Richter scheidet als Verfasser aus)
q = Klingemann ist der Autor der „Nachtwachen" (= dieser Text ist ein Werk des Braunschweiger Theaterdirektors)

2. Schritt: Die Teilaussagen werden nun durch die verschiedenen Aussagefunktionen verknüpft. Man beginnt mit den einfachsten Verknüpfungen und baut aus diesen dann die komplexeren Schemata auf:

p ∨ q = Der Autor der „Nachtwachen" ist Jean Paul oder auch Klingemann
(p ∨ q) ∧ ¬p = Der Autor der „Nachtwachen" ist Jean Paul oder Klingemann, und Jean Paul scheidet als Verfasser aus
[(p ∨ q) ∧ ¬p] → q = Wenn der Autor der „Nachtwachen" Jean Paul oder Klingemann ist und wenn Jean Paul als Verfasser ausscheidet, dann ist Klingemann der Autor der „Nachtwachen"

Dabei ist besonders auf den in der Umgangssprache nicht immer klar ausgedrückten Unterschied zwischen hinreichender und notwendiger Bedingung (s.o. 6.2.) zu achten: Die hinreichende Bedingung („immer wenn...", „falls...", „gesetzt den Fall, daß..." u.ä.) steht links vom Pfeil, die notwendige Bedingung („nur wenn...", „dies setzt voraus, daß..." u. ä.) steht rechts vom Pfeil.

3. Schritt: Nun wird das gewonnene aussagenlogische Schema in eine Wahrheitstafel (s.o. 6.2.) eingetragen; links stehen dabei die Teilaussagen mit allen Kombinationsmöglichkeiten ihrer Wahrheitswerte, rechts das zusammengesetzte Schema.

4. Schritt: Jetzt wird der Wahrheitswertverlauf der Teilaussagen von links nach rechts unter jeden Buchstaben p, q, r... übertragen; bei negierten Variablen ¬p, ¬q, ¬r... wird anschließend sofort jeder Wahrheitswert durch den jeweils entgegengesetzten ersetzt:

p	q	[	(	p	∨	q	)	∧	¬p	]	→	q
w	w			w		w			f [w]			w
w	f			w		f			f [w]			f
f	w			f		w			w [f]			w
f	f			f		f			w [f]			f

↑←↓

5. Schritt: Nun beginnt man in den innersten Klammern, den Wahrheitswertverlauf der aus den Teilaussagen kombinierten Aussageverknüpfungen zu ermitteln, indem man ihn entsprechend der Definition der verschiedenen Aussagefunktionen unter die jeweilige Verknüpfung schreibt; zweckmäßigerweise werden die nach ihrer Zusammenfassung nicht mehr benötigten Kolumnen sofort eingeklammert oder durchgestrichen:

p	q	[	(	p	∨	q	)	∧	¬p	]	→	q
w	w			[w]	w	[w]			f			w
w	f			[w]	w	[f]			f			f
f	w			[f]	w	[w]			w			w
f	f			[f]	f	[f]			w			f

↓ ↑ ↓
→→ ←←

6. Schritt: Die so entstandenen Wahrheitsverläufe werden nun innerhalb der nächstgrößeren Klammern zusammengefaßt, dann wieder in den nächstgrößeren usw.:

221

p	q	[(p ∨ q) ∧ ¬p] → q
w	w	[w] f [f] w
w	f	[w] f [f] f
f	w	[w] w [w] w
f	f	[f] f [w] f

↓→→→→→→↑←←←↓

7. Schritt: Haben auf diese Weise auch die äußersten Klammern nur noch je einen Wahrheitswertverlauf, so werden auch diese (sowie ggf. verbliebene Teilaussagen ohne Klammern) noch entsprechend der zwischen ihnen bestehenden Verknüpfung zum endgültigen Wahrheitsverlauf zusammengefaßt:

p	q	[(p ∨ q) ∧ ¬p] → q
w	w	[f] w [w]
w	f	[f] w [f]
f	w	[w] w [w]
f	f	[f] w [f]

↓→→→→→→↑←←↓

8. Schritt (Auswertung): Weist der somit gewonnene Wahrheitswertverlauf des gesamten Schemas überall den Wert „wahr" auf, so handelt es sich bei dem Schema um eine korrekte Schlußweise (um eine ‚Tautologie', ein ‚logisches Gesetz', ein ‚logisches Theorem', einen ‚logisch wahren Satz'); und das bedeutet, daß bei wahren Prämissen auch die Wahrheit der Conclusio (des abgeleiteten Satzes) gesichert ist.

Kommt im Wahrheitsverlauf sowohl „wahr" als auch „falsch" auf, so ist der Schluß nicht korrekt (das Schema ist ‚kontingent'), d.h., auch bei wahren Prämissen kann die Conclusio falsch sein.

Weist der Wahrheitswertverlauf sogar an allen Stellen den Wert „falsch" auf, so stehen Prämissen und Conclusio im logischen Widerspruch (in ‚Kontradiktion', s.o. 6.1.) zueinander, d.h., die Wahrheit der Prämissen schließt die Wahrheit der Conclusio aus.

6.4. Korrekter und falscher Aufbau von Aussagen

AUFGABEN:

(1) Klären Sie den inneren Aufbau der folgenden fünf Aussagen durch Übertragung in die unten eingeführte Zeichensprache der Prädikatenlogik. Wie verhalten sich die Sätze (a) – (e) zueinander?
   (a) Alle gereimten Texte sind Gedichte.
   (b) Es gibt reimlose Gedichte.
   (c) Kein Text, der kein Gedicht ist, ist gereimt.
   (d) Mindestens ein Gedicht ist gereimt.
   (e) Nur reimlose Texte sind keine Gedichte.

(2) „Alle Tage ist kein Sonntag."
Dieses Sprichwort erweist sich bei genauerer Betrachtung als doppelsinnig. Bitte geben Sie für beide Lesarten die prädikatenlogische Strukturanalyse an: einmal dem Wortlaut entsprechend, einmal dem sprichwörtlich gemeinten Sinn entsprechend. Schlagen Sie jeweils vor, wie man das Gemeinte auch umgangssprachlich unmißverständlich ausdrücken könnte.

(3) Weisen Sie nach, daß der folgende Satz einen Widerspruch enthält, erklären Sie ihn prädikatenlogisch und verbessern Sie den Text so, daß er widerspruchsfrei wird:
   In naher Zukunft wird es an Niedersachsens Schulen generell keine Fünf-Tage-Woche geben. Auf eine Anfrage des CDU-Landtagsabgeordneten Nickel (Lüneburg) berichtete Kultusminister von Oertzen am Dienstag im niedersächsischen Parlament in Hannover, aufgrund eines Erlasses sei bis Ende des vergangenen Jahres an 98 Schulen die Genehmigung für einen unterrichtsfreien Sonnabend erteilt worden.

   [dpa-lni-Meldung aus dem „Göttinger Tageblatt" vom 21.3.1973, S. 5.]

(4) Weisen Sie durch prädikatenlogische Analyse nach, daß die folgenden drei Zitate Mehrdeutigkeiten oder auch Widersprüche enthalten, und machen Sie einen umgangssprachlichen Vorschlag zur Verbesserung der Formulierungen:
(a) Wilhelm Stekel: Dichtung und Neurose, Wiesbaden 1909, S. 6:
   Meine Forschungen haben mir den sichern Beweis erbracht, daß zwischen dem Neurotiker und dem Dichter gar kein Unterschied besteht. Nicht jeder Neurotiker ist ein Dichter. Aber jeder Dichter ist ein Neurotiker.

(b) Wegleitung zum Ausfüllen der Steuererklärung für natürliche Personen, hrsg. v.d. Kantonalen Steuerverwaltung des Kantons Freiburg, Januar 1983:

> In Abzug gebracht werden können die durch den Steuerpflichtigen an Fürsorgeeinrichtungen (Pensionskassen) bezahlten Beiträge und die Prämien an Versicherungen, deren Leistungen als Einkommen ihrer Bezugsberechtigten besteuert werden.

(c) Ernst Schumacher: „Leben des Galilei" und Leben und Werk Brechts. In: Weimarer Beiträge 11 (1965), S. 846–864, hier S. 846f.:

> ... diese politisch-moralischen Vorwürfe (...) nehmen sich ebenso unangemessen wie lächerlich aus, stammen sie doch von Menschen, die (...) in kurzen Aufschwüngen ihres Geistes sich für kurze Zeit auf die Seite der Kräfte geschlagen haben, die diesem permanenten System der Unterdrückung, der Ausbeutung und des Krieges ein Ende zu machen beschlossen und in großen Teilen der Welt auch bereitet haben, aber dann wieder mit fliegenden Fahnen zu den Kapitalisten überliefen...

LOGISCHE UND TERMINOLOGISCHE HINWEISE:

PRÄDIKATENLOGISCHE FORM: Im Unterschied zur ‚Aussagenlogik', die elementare Aussagen nur als insgesamt wahre oder falsche Einheiten behandelt und ihren inneren Aufbau nicht beachtet, beschäftigt sich die ‚Prädikatenlogik' mit der Form derjenigen Bestandteile und Zusammensetzungen einer Aussage, die für die Wahrheit der Aussage relevant sind. Diese Detailanalyse der Aussagen erweist sich z.B. als unumgänglich, um Argumentationen von der Art der folgenden auf ihre Korrektheit prüfen zu können:

> Alle Stücke Schillers sind aristotelische Dramen.
> Einige Stücke Schillers haben eine politische Wirkung.

Also: Einige aristotelische Dramen haben eine politische Wirkung.

[Aussagenlogische Form: $(p \wedge q) \rightarrow r$]

Diese Schlußfolgerung scheint unmittelbar zwingend zu sein; die aussagenlogische Analyse ergäbe aber ein ‚kontingentes‘ Schlußschema, also eine logisch unzuverlässige Argumentation. Denn die Aussagenlogik besitzt keine Mittel, um die wichtigen Beziehungen zwischen „Alle Stücke...“, „Einige Stücke...“ und „Einige aristotelische Dramen...“ bestimmen zu können, sondern erkennt hier nur drei voneinander beliebig verschiedene Aussagen. Deshalb führt die Prädikatenlogik neben den bereits in der Aussagenlogik (s.o. 6.2.) verwendeten Junktoren (sowie den ähnlich abgrenzenden Klammern) drei weitere Gruppen von Zeichen ein, mit deren Hilfe man dann alle ‚wahrheitswertrelevanten‘ Binnenstrukturen von Aussagen analysieren kann: die im folgenden erläuterten ‚Prädikate‘, ‚Individuenkonstanten‘ und ‚Quantoren‘.

PRÄDIKATE [auch „Prädikatoren“, „Terme“, „ungesättigte Ausdrücke“] : Jede Aussage benötigt mindestens einen bedeutungstragenden Ausdruck mit einer ‚Leerstelle‘ (‚Variable‘), die dann durch Einsetzung einer ‚Individuenkonstante‘ gesättigt oder durch einen ‚Quantor‘ gebunden, ‚quantifiziert‘ werden kann. Üblicherweise werden die Prädikatsausdrücke durch große Buchstaben der Reihe F, G, H... dargestellt (in der Praxis bietet sich oft aus mnemotechnischen Gründen eine Abkürzung des zu vertretenden Begriffs an, z.B. „AD“ für „Aristotelisches Drama“); die Leerstellen werden repräsentiert durch kleine Buchstaben der Reihe x,y,z... (teilweise ist es üblich, die Variablen dabei nochmals in Klammern zu setzen: „F(x)“, bzw. sie wie Indizes tiefzustellen: „$F_{x,y}$“). Je nach der Zahl der einem Prädikat unveränderlich zugeordneten Leerstellen unterscheidet man hier (da mehr als dreistellige Prädikate in der Praxis kaum vorkommen dürften):

Fx, Gx...   (einstellige Prädikate/‚Begriffe‘, z. B.: „x ist ein Drama“)

Fxy, Gxy...   (zweistellige Prädikate/‚Relationen‘ [s.u. 6.5.], z. B.: „x ist ein Drama von y“)

Fxyz, Gxyz... (dreistellige Prädikate/‚Relationen‘, z. B.: „x steht in der Literaturgeschichte zwischen y und z“)

INDIVIDUENKONSTANTEN [auch „Eigennamen“, „Konstanten“, „Kennzeichnungen“] : Bezeichnungen für alle Arten semantisch abgeschlossener Komplexe, die man in die Leerstelle eines Prädikats einsetzen kann, um eine wahre oder falsche Aussage zu erhalten. Prinzipiell kommt alles, was sich im Satz durch die Pronomina ich/du/er/sie/es ersetzen läßt, als Individuenkonstante in Frage – also nicht nur Personennamen wie „Brecht" und Werktitel wie „das Drama ,Baal' ", sondern auch Personenkennzeichnungen (,definite descriptions') wie „der Autor des ,Baal' " und Sachkennzeichnungen wie „Brechts erstes veröffentlichtes Stück"; aber auch komplexe Gebilde, über die man im ganzen mit Hilfe eines Prädikates ,prädizieren' kann, wie z.B. „die Tatsache, daß Brecht den ,Baal' im Alter von 20 Jahren schrieb". Graphisch repräsentiert werden Individuenkonstanten üblicherweise durch kleine Buchstaben der Reihe:

a, b, c... (hier empfiehlt sich wieder mnemotechnische Auswahl abkürzender Buchstaben, z.B. „g" für „Goethe")

QUANTOREN [auch „Quantifikatoren"] : Außer durch Einsetzung von Individuenkonstanten kann man die Leerstellen von Prädikaten auch dadurch sättigen, daß man behauptet, das entsprechende Prädikat gelte für ,alle' Einsetzungen des in Rede stehenden Gegenstandsbereiches (des ,universe of discourse'); bzw. es gelte für ,wenigstens eine' Einsetzung in diesem Bereich (womit also das Prädikat nicht leer ist, sondern ,mindestens ein' oder ,einige' Gegenstände existieren, für die es zutrifft). Dementsprechend unterscheidet man die beiden folgenden Quantoren:

Allquantor: $(x)\ldots, (y)\ldots$ („Für alle x (bzw. y) gilt: ...")
Existenzquantor: $(\exists x)\ldots, (\exists y)\ldots$ („Für einige x, d.h. für mindestens ein x (bzw. y) gilt: ...")

Außer den hier verwendeten Bezeichnungen findet man auch die Bezeichnungen „Universalquantor" bzw. „universeller Quantifikator" für den Allquantor, für den Existenzquantor gelegentlich auch „Einsquantor", „Manchquantor", „partikulärer (bzw. existentieller) Quantifikator". Als prädikatenlogische Zeichen trifft man (außer gelegentlich auf $\forall x$ für den Allquantor, parallel zu $\exists x$ für den Existenzquantor) sehr häufig auch auf die folgenden Zeichen: Λx für den Allquantor (mit der einleuchtenden Begründung, daß eine Allquantifikation eigentlich eine Konjunktion aller einzelnen Prädikationen darstellt: a ∧ b ∧ c ∧ ...) sowie Vx für den Existenzquantor (mit der einleuchtenden Begründung, daß eine Existenzquantifikation eigentlich eine Alternation aller einzelnen Prädikationen darstellt, von denen wenigstens eine wahr sein muß, um die Verknüpfung insgesamt wahr zu machen: a ∨ b ∨ c ∨ ...).

INDIVIDUALAUSSAGEN: Die einfachste prädikatenlogische Aussagestruktur besteht in der Einsetzung einer Individuenkonstante in die Leerstelle eines einstelligen Prädikates. Die auf diese Weise gewonnenen Individualaussagen (a) lassen sich genau nach den Regeln der Aussagenlogik (s.o. 6.1.–6.3.) negieren (b) oder auch durch Konjunktion, Alternation und Implikation miteinander verbinden (c).

Beispiel: (Abkürzungen: ADx = „... ist ein aristotelisches Drama"; b = „das Drama ‚Baal' von Brecht"; k = „das Drama ‚Kabale und Liebe' von Schiller")
(a) ADk = „Kabale und Liebe" ist ein aristotelisches Drama.
(b) ¬ADb = „Baal" ist kein aristotelisches Drama.
(c) (ADk ∧ ¬ADb) = Im Unterschied zu „Kabale und Liebe" ist „Baal" kein aristotelisches Drama.

EXISTENZAUSSAGEN: Will man sich in seiner Aussage nicht auf bestimmte Individuenkonstanten festlegen, sondern nur behaupten, daß es überhaupt Gegenstände gibt, auf die das Prädikat zutrifft (d.h. wenigstens einen Gegenstand), so setzt man den Existenzquantor vor das Prädikat und verwendet dabei jeweils dieselbe Variable (z.B. x). Die korrekte Verneinung (e) erfolgt durch Vorsetzen des Negationszeichens vor den Gesamtausdruck (d); wird hingegen das Negationszeichen zwischen den Existenzquantor und das Prädikat gesetzt, so ergibt sich der veränderte Sinn einer Existenzbehauptung für das negierte Prädikat (f):

Beispiel:
(d) (∃x) ADx = Es gibt aristotelische Dramen.
(e) ¬(∃x) ADx = Es gibt keine aristotelischen Dramen.
(f) (∃x) ¬ADx = Es gibt etwas, was kein aristotelisches Drama ist = Nicht alles ist ein aristotelisches Drama.

ALLAUSSAGE: Will man die Geltung eines Prädikates für ausnahmslos jeden möglichen Gegenstand im zur Rede stehenden

Diskussionsbereich behaupten, so setzt man den Allquantor vor das entsprechende Prädikat und verwendet jeweils dieselbe Variable (z.B. x). Die korrekte Verneinung (h) erfolgt durch Vorsetzen des Negationszeichens vor den Gesamtausdruck (g); setzt man hingegen das Negationszeichen zwischen den Allquantor und das Prädikat, so ergibt sich der veränderte Sinn einer Allaussage über das negierte Prädikat (i). Steht in beiden Positionen das Negationszeichen, so wird die Allaussage des negierten Prädikats insgesamt verneint (k); daran wird besonders deutlich, daß sich jede Formulierung mit einem Allquantor in eine äquivalente Formulierung mit einem Existenzquantor übersetzen läßt.

Beispiel:
(g) (x) ADx = Alles ist ein aristotelisches Drama.
(h) $\neg(x)$ ADx = Nicht alles ist ein aristotelisches Drama: äquivalent mit (f).
(i) $(x)\, \neg$ADx = Für alles gilt, daß es kein aristotelisches Drama ist = Es gibt keine aristotelischen Dramen: äquivalent mit (e).
(k) $\neg(x)\, \neg$ADx = Nicht alles ist kein aristotelisches Drama = Es gibt aristotelische Dramen: äquivalent mit (d).

PRÄDIKATSVERKNÜPFUNGEN: Wissenschaftlich interessante Aussagen enthalten in aller Regel mehr als einen Prädikatsausdruck und stellen häufig quantifizierte Behauptungen über die Beziehungen zwischen Prädikaten auf. Die prädikatenlogische Struktur solcher Aussagen besteht deshalb in der Verknüpfung von zwei oder mehr Prädikaten durch aussagenlogische Junktoren, die dann im ganzen eingeklammert und einem Quantor untergeordnet wird.
Dabei ist als allgemeine Regel zu beachten: Allaussagen werden im Inneren der Klammer durch *Implikationszeichen* zwischen den beiden Prädikaten aufgebaut (wobei natürlich wiederum dringend auf die Unterscheidung von ‚notwendiger‘ und ‚hinreichender‘ Bedingung zu achten ist, s.o. 6.2.); denn eine Allaussage wie „Alle Einhörner sind Huftiere“ sagt nichts über die Existenz von Einhörnern, sondern legt nur fest: ‚Für alle x gilt: *Wenn* x ein Einhorn ist, dann ist es auch ein Huftier.‘ Existenzaussagen hingegen werden im Inneren der Klammer durch *Konjunktionszeichen* zwischen den beiden Prädikaten gebildet (sodaß hier die Reihenfolge der Konjunktionsglieder, wie in jeder Konjunktion, beliebig ist, anders als bei der

Implikation in der Allaussage); denn eine Existenzaussage wie „Manche Huftiere sind Einhörner" behauptet, daß es wenigstens einen Gegenstand *gibt*, der sowohl zu den Huftieren als auch zu den Einhörnern gehört.

Auch in diesem Zusammenhang bestätigt sich wieder, daß jede Allaussage auch durch entsprechenden Einsatz von Negationszeichen als Existenzaussage formuliert werden kann; in den folgenden Beispielsätzen sind also jeweils (a) und (a') usw. logisch vollkommen äquivalent. Dabei ist jedoch auf umgangssprachliche Mehrdeutigkeiten acht zu geben: Eine Formulierung wie „Alle Dramen sind nicht politisch" kann je nach Intonation (Betonung auf „alle" bzw. „nicht") im Sinne von (b/b') oder aber im Sinne von (c/c') verwendet bzw. verstanden werden.

Beispiel: [Abkürzungen: Dx = „... ist ein Drama"; Px = „... ist politisch")

(a) (x) (Dx → Px) = Alle Dramen sind politisch.
(a') ¬(∃x) (Dx ∧ ¬Px) = Kein Drama ist unpolitisch.

(b) (x) (Dx → ¬Px) = Alle Dramen sind unpolitisch.
(b') ¬(∃x) (Dx ∧ Px) = Kein Drama ist politisch.

(c) ¬(x) (Dx → Px) = Nicht alle Dramen sind politisch.
(c') (∃x) (Dx ∧ ¬Px) = Es gibt unpolitische Dramen.

(d) ¬(x) (Dx → ¬Px) = Nicht alle Dramen sind unpolitisch.
(d') (∃x) (Dx ∧ Px) = Es gibt politische Dramen.

6.5. Korrekte und falsche Formulierung von Aussagestrukturen

AUFGABEN:

(1) Analysieren Sie die prädikatenlogische Struktur der folgenden, grammatisch gleich gebauten Sätze. Für welche Sätze gibt es mehr als nur eine Analyse?
(a) Hans und Grete streiten sich.
(b) Hans und Grete wundern sich.
(c) Hans und Grete kämmen sich.
(d) Hans und Grete lieben sich.
(e) Hans und Grete ärgern sich.

(2) Kontrollieren Sie das folgende literaturwissenschaftliche Zitat auf Relationen mit ungesättigten Leerstellen und überprüfen Sie, welche Einsetzungen sich hier in einer präzisierten Formulierung allenfalls rechtfertigen ließen:

Das Gedicht berührt durch die Klage über unerfüllte Beziehungen zwischen dem Ich und der größeren Gemeinschaft, und es lenkt die Teilnahme auf Verlust, auf Unentfaltetes.

[aus: Silvia Schlenstedt: Das Wir und das Ich des Volker Braun. In: Weimarer Beiträge 18 (1972), Heft 10, S. 52–69, hier S. 69.]

(3) Der folgende Beispielsatz (aus einem literatursoziologischen Vortrag) läßt je nach Art der an mehreren Stellen möglichen Generalisierungen acht logisch verschiedene Interpretationen zu. Geben Sie für jeden der acht Fälle eine eindeutige umgangssprachliche Präzisierung sowie mindestens die prädikatenlogische Kombination von Quantoren an:

Kunstproduktion vollzieht sich nach den Gesetzen der Warenproduktion.

(4) Kritisieren Sie die folgenden Äußerungen unter prädikatenlogischem Aspekt. Sehen Sie eine Möglichkeit, den Sinn der Äußerung jeweils deutlich auszudrücken?

(a) Wolfgang Kayser: Das Groteske. Seine Gestaltung in Malerei und Dichtung, Oldenburg 1957, S. 199:

Wer aber bewirkt die Entfremdung der Welt, wer kündigt sich in der bedrohlichen Hintergründigkeit an? (...) Was einbricht, bleibt unfaßbar, undeutbar, impersonal. Wir könnten eine neue Wendung gebrauchen: *das Groteske ist die Gestaltung des „Es", jenes „spukhaften" Es*, das Ammann als die dritte Bedeutung des Impersonale (...) bestimmt hat.

(b) Martin Heidegger: Was ist Metaphysik? Frankfurt a.M. 1929, S. 7:

Erforscht werden soll nur das Seiende und sonst – nichts; das Seiende allein und weiter – nichts; das Seiende einzig und darüber hinaus – nichts. Wie steht es um dieses Nichts?

(c) Richard Alewyn: Über Hugo von Hofmannsthal, (c) Vandenhoeck & Ruprecht, 4. Aufl. Göttingen 1967, S. 71:

Obwohl ein alternder Mann, ist er [Claudio in Hofmannsthals Drama „Der Tor und der Tod"] unerfahren wie ein Kind. Und der Grund seines Leidens ist auch nicht einfach vitale Schwäche oder Überfeinerung der Nerven oder Wucherung des

Bewußtseins, sein Leiden ist das ungelebte Leben. Dieses ungelebte Leben aber ist nicht bloß nicht, es ist das N i c h t s . Das Nichts aber hat eine Wirklichkeit, die nicht geringer ist als die des All.

(5) Überprüfen Sie, inwieweit die folgenden Überlegungen Lichtenbergs (vom Kenntnisstand des 18. Jahrhunderts geprägt) aus der Sicht der modernen Prädikantenlogik überzeugen können. Geben Sie dort, wo es Ihnen nötig erscheint, eine bessere bzw. präziser formulierte Erklärung des ‚Scheinschlusses'.

A leg of mutton is better than nothing.
Nothing is better than heaven.
Therefore a leg of mutton is better than heaven.

In diesem Schluß ist, so wie in mehreren Scheinschlüssen worin das Wort Nichts vorkommt, die Zweydeutigkeit des Worts schuld. In der ersten Zeile schließt das Wort n i c h t s nur solche Güter in der Welt aus, die s c h l e c h t e r sind als eine Hammelkeule, worunter Nichts auch gehört; in der zweyten Zeile hingegen schließt das Wort Nichts alles in der Welt, es mag so klein oder so groß sein als es will, aus, folglich das Nichts wieder. Das Nichts der ersten Zeile ist nur eine Spezie des letzteren, wovon auf das Ganze nicht kann geschlossen werden.

[aus: Cod. MS. Licht. IV, 27, Universitätsbibliothek Göttingen; nach Zählung Leitzmann C 177.]

LOGISCHE UND TERMINOLOGISCHE HINWEISE:

GRAMMATISCHE STRUKTUR: Als Bestandteil der indogermanischen Sprachengruppe weicht das Deutsche in seinem syntaktischen Aufbau vielfach grundlegend von der jeweils zugeordneten prädikatenlogischen Struktur einer Aussage ab; deshalb bedarf es für wissenschaftliche Zwecke der ständigen Aufmerksamkeit auf das, was Sprachphilosophen seit Wittgenstein die ‚Verhexung des Verstandes durch die Sprache' nennen. So weisen die drei folgenden Beispielsätze (a) bis (c) alle die gleiche grammatische Struktur auf: Subjekt – Kopula – Prädikatsnomen (bzw. in neuerer Terminologie: Nominalphrase/ NP_1 – Verbalphrase/VP, bestehend aus Auxiliar und Nominalphrase/NP_2). Prädikatenlogisch liegen aber drei substantiell verschiedene Strukturen vor, die dementsprechend ganz unterschiedliche wissenschaftliche Vorgehensweisen bei der Wahrheitsprüfung der Aussagen verlangen. In (a) handelt es sich um die Identifikation zweier Individuenkonstanten; in (b) um die Einsetzung einer Individuenkonstante in ein einstelliges Prädikat; in (c) um eine zweistellige (,asymmetrische‘, also nicht umkehrbare) Relation, in die zwei Individuenkonstanten eingesetzt werden:

Beispiel:
(a) Jean Paul ist Johann Paul Richter.   [j = r]
(b) Jean Paul ist Humorist.   [H j]
(c) Jean Paul ist Schüler Laurence Sternes.   [SCH j e]

RELATION [vgl. o. 6.4.: ,Prädikate‘] : Während die Prädikatenlogik sorgfältig zwischen ein-, zwei-, und mehrstelligen Prädikaten unterscheidet, ebnet die indogermanische Syntax diesen Unterschied zugunsten der einstelligen Prädikate ein, nämlich zugunsten der Grundstruktur ,Satzsubjekt + grammatisch kongruentes finites Verb‘. So sehen sich die beiden Beispielsätze (a) und (b) sprachlich zum Verwechseln ähnlich, obwohl es sich logisch bei (a) um die Konjunktion zweier einstelliger Individualaussagen handelt, bei (b) hingegen um eine zweistellige Relation mit zwei Individuenkonstanten:

Beispiel:
(a) Goethe und Schiller waren zwei bedeutende Dichter.
    [BDg ∧ BDs = Goethe war ein bedeutender Dichter, und Schiller war ein bedeutender Dichter.]
(b) Goethe und Schiller waren zwei befreundete Dichter.
    [FRgs = Zwischen den Dichtern Goethe und Schiller bestand eine freundschaftliche Beziehung.]

Das grammatische Grundmuster des einstelligen Subjekt-Prädikat-Schemas erlaubt es in der Umgangssprache auch, logisch mehrstellige Prädikate durch mehr oder weniger geschickte Auslassung einer der Leerstellen wie einstellige Begriffe zu behandeln:

Beispiel:
(a) Nur der Blinde erkennt sie. Das bedeutet! (Nach einer Kleist-Interpretation von Max Kommerell.)
(b) In der romantischen Dichtung wird dem Bekannten die Würde des Unbekannten, dem Unbekannten dagegen der Ausdruck des Geläufigen verliehen. (Nach einem Fragment von Novalis.)

Während diese Möglichkeit dem Dichter eine größere poetische Freiheit einräumt, ist in wissenschaftlichen Zusammenhängen immer auf der Klärung auch der sprachlich unterdrückten Leerstelle zu bestehen. So liegt bei (a) die zweistellige Relation „x bedeutet y" zugrunde (was nämlich bedeutet das Erkennen des Blinden?); in (b) die zweistellige Relation „x ist y bekannt/unbekannt/geläufig" (hier nämlich z.B.: wem unbekannt – allen? dem romantischen Dichter? seinem Lesepublikum?).

GENERALISIERUNG: Ebenso wie den Unterschied zwischen Begriffen und Relationen ebnet die natürliche Sprache häufig auch den Unterschied zwischen Allaussagen, Existenzaussagen und Individualaussagen ein. So kann die Pluralform ohne Artikel sowohl für (a) existenzquantifizierte als auch für (b) allquantifizierte Aussagen stehen:

Beispiel:
(a) Dramen stehen im Mittelpunkt von Brechts Werk.
　　[D.h. ‚einige Dramen': $(\exists x) (Dx \land Mx)$]
(b) Dramen sind Texte fürs Theater.
　　[D.h. ‚alle Dramen': $(x) (Dx \to Tx)$]

Auch der bestimmte Artikel vor einer Singularform kann (c) für die Allquantifikation, aber auch (d) für eine Individuenkonstante stehen:

(c) Das Drama Brechts zielt noch deutlicher als seine Lyrik auf unmittelbare politische Wirkung ab.
　　[D.h. ‚alle Dramen Brechts']
(d) Das Drama Brechts spielt in den Schlachthöfen Chicagos.
　　[D.h. „Die heilige Johanna der Schlachthöfe"]

Entsprechendes gilt für den unbestimmten Artikel in der folgenden Allquantifikation (e) und der Individualaussage (f):

(e) Ein Roman von Jean Paul ist sicher nicht so spannend wie ein Kriminalroman.
　　[D.h. ‚alle Romane von Jean Paul']
(f) Ein Roman von Jean Paul schildert die Flucht eines Ehemannes aus der Ehe durch vorgetäuschtes Ableben.
　　[D.h. der „Siebenkäs"-Roman]

Durch Überlagerung solcher Unklarheiten über die Quantifikation umgangssprachlicher Ausdrücke können sich die logischen Interpretationsmöglichkeiten leicht multiplizieren:

(g) Mit Hilfe der Tiefenstruktur können wir Mehrdeutigkeiten der Oberflächenstruktur von Sätzen klären.

Aufgrund der wenigstens zwei zweideutigen Quantifikationen dieses Satzes (alle/einige Mehrdeutigkeiten? von allen/einigen Sätzen?) ergeben sich die folgenden vier substantiell verschiedenen wissenschaftlichen Behauptungen mit jeweils verschiedenen Ansprüchen an ihre Wahrheitsprüfung:

(g')   Mit Hilfe der Tiefenstruktur können wir einige Mehrdeutigkeiten der Oberflächenstruktur von einigen Sätzen klären =
$$(\exists x)\,(\exists y)\,[Mx \wedge Sy \wedge TKOxy]$$

(g'')   Mit Hilfe der Tiefenstruktur können wir alle Mehrdeutigkeiten der Oberflächenstruktur von einigen Sätzen klären =
$$(x)\,(\exists y)\,[\,(Mx \wedge Sy) \rightarrow TKOxy\,]$$

(g''')   Mit Hilfe der Tiefenstruktur können wir einige Mehrdeutigkeiten der Oberflächenstruktur von allen Sätzen klären =
$$(\exists x)\,(y)\,[\,(Mx \wedge Sy) \rightarrow TKOxy\,]$$

(g'''')   Mit Hilfe der Tiefenstruktur können wir alle Mehrdeutigkeiten der Oberflächenstruktur von allen Sätzen klären =
$$(x)\,(y)\,[\,(Mx \wedge Sy) \rightarrow TKOxy\,]$$

ONTOLOGISIERUNG: Durch das grundlegende syntaktische Subjekt-Prädikat-Schema werden in den indogermanischen Sprachen in der Regel auch Quantoren grammatisch wie Individuenkonstanten an Subjektstelle behandelt; damit werden diese bloßen logischen Funktionen gleichsam zu substantiellen Objekten ‚ontologisiert‘. Das bekannteste Beispiel ist das häufig als bloßer Existenzquantor fungierende impersonale „es“, das nicht allein im Zusammenhang mit den geläufigen meteorologischen Verben immer wieder einmal als ‚Gott‘ bzw. ‚Das kollektive Unbewußte‘ bzw. als ‚Unbekannte Ursache des Geschehens‘ mystifiziert wird:

Beispiel:
(a) Es regnet. [= Es existiert Regen/ es gibt Regentropfen: $(\exists x)\,Rx$]

Dieselbe einfache Existenzquantifikation ohne Bezugnahme auf irgendeinen bestimmten individuellen Gegenstand kann dabei grammatisch ganz unterschiedlich zum Ausdruck gebracht werden, z.B. sowohl durch Passiv als auch durch Aktiv:

(b)   Jemand tanzt.   [$(\exists x)\,Tx$]
(b')   Es wird getanzt.   "
(b'')   Man tanzt.   "

Dasselbe impersonale „man" kann aber statt wie in (b'') für den Existenzquantor auch generalisierend für den Allquantor stehen:

(c) Man lernt nur dann schreiben, wenn man sprechen kann.
$$[\,(x)\,(SCHx \rightarrow SPx\,)\,]$$

Für den negierten Existenzquantor trifft man besonders häufig auf die Pronomina „nichts" bzw. „niemand" an Subjektstelle:

(c') Niemand lernt schreiben, ohne sprechen zu können.
$$[\,\neg(\ni x)(SCHx \wedge \neg SPx)\,]$$

Das aus der Odysseus-Polyphem-Geschichte bekannte Mißverständnis des negierten Existenzquantors „niemand" als Eigenname/Individuenkonstante kann bei der Einsetzung in sonst vollkommen korrekte logische Schlußformen wie (d) zu höchst verwirrenden Trugschlüssen wie (d') führen:

(d)   Brentano schrieb musikalischere Lyrik als Schiller.
       Rilke schrieb musikalischere Lyrik als Brentano.
       _____

Also: Rilke schrieb musikalischere Lyrik als Schiller.

(d') *Brentano schrieb musikalischere Lyrik als Schiller.
       Niemand schrieb musikalischere Lyrik als Brentano.
       _____

Also: Niemand schrieb musikalischere Lyrik als Schiller.

Wesentlich häufiger und tiefgreifender noch als das personale „niemand" hat das impersonale „nichts" seit altersher Anlaß zu mißverständlichen Ontologisierungen zu „Das Nichts" gegeben:

Beispiel:
Alles Seiende hat einen hinreichenden Grund. Denn gäbe es etwas, das keinen hinreichenden Grund hätte, so müßte n i c h t s sein hinreichender Grund sein. Das Nichts kann aber gar nichts sein, also auch nicht der Grund von etwas. Also kann es ein Seiendes ohne hinreichenden Grund nicht geben. [Nach Christian Wolffs „Ontologia" von 1730.]

Ganz allgemein ist immer dann, wenn in einem Text – besonders in ‚nihilistischen' Zusammenhängen – vom substantivierten „Nichts" die Rede ist, erhöhte Aufmerksamkeit gegenüber der Frage anzuraten, ob es sich dabei nicht lediglich (ähnlich wie beim „Es" oder beim „All") um eine unzulässige Ontologisierung von Quantoren handelt.

235

6.6. Korrekte und falsche Schlüsse aus Aussagestrukturen

AUFGABEN :

(1) Überprüfen Sie die Korrektheit der folgenden Argumentationen mit Hilfe des unten angegebenen Einsetzungsverfahrens. Überlegen Sie bei allen nicht korrekten Schlüssen, durch welche Veränderungen der Prämissen die Argumentationen formal in Ordnung gebracht werden könnten – und ob sich die Prämissen in diesem Fall auch inhaltlich noch vertreten ließen:

(a) Einige Dramen sind gereimt, und manche gereimten Texte gehören zur Lyrik. Es gibt also Texte, die sowohl der lyrischen als auch der dramatischen Gattung zuzuordnen sind.

(b) Nur wer die formale Logik beherrscht, bringt gesicherte Erkenntnisse zustande. Kein prominenter Literaturwissenschaftler beherrscht die formale Logik; also bringt kein prominenter Literaturwissenschaftler gesicherte Erkenntnisse zustande.

(c) Alle Dichter der Romantik waren auf der Flucht in die Innerlichkeit; und deshalb wäre es falsch, auch Rilkes Haltung als eine solche Flucht in die Innerlichkeit zu bezeichnen, denn Rilke war eindeutig kein Romantiker.

(2) Ergänzen und prüfen Sie bei den folgenden Sätzen die jeweils stillschweigend vorausgesetzten Prämissen (,Zwischenhypothesen‘), die die Argumentationen erst zu formal korrekten machen.

(a) Goethe verwendet in „Wanderers Nachtlied" vorwiegend dunkle Vokale, weil er hier den Zustand der Ruhe zum Ausdruck bringen will.

(b) Gibt es eine Literatur ohne gesellschaftliche Funktion? Da es keinen Schriftsteller gibt, der nicht unter gesellschaftlichen Bedingungen lebt und produziert, so gibt es auch keine Literatur, die außerhalb gesellschaftlicher Bestimmungen existiert.

[aus: Was ist marxistische Literaturwissenschaft? Reader des MSB Spartakus/Sektion Germanistik, Göttingen 1974, S. 28.]

LOGISCHE UND TERMINOLOGISCHE HINWEISE:

SYLLOGISMUS [griech.: Vereinigungsschluß] : Prädikatenlogische Schlußweise, bei der eine ,Conclusio‘ aus zwei (oder auch mehr) ‚Prämissen' abgeleitet wird. Mindestens eine dieser beiden Prämissen (in der klassischen aristotelischen Syllogistik sogar: jede dieser Prämissen) muß dabei durch eine Allaussage (als ‚praemissa maior') gebildet werden (bzw. durch deren Umformung in eine Existenzaussage gemäß 6.4.). Für die weitere(n) Prämisse(n) (‚praemissa minor') kann außer einer weiteren Allaussage auch eine Existenzaussage oder auch eine Individualaussage gewählt werden.

Beispiel:
    Nur Reaktionäre kämpfen gegen die Drittelparität
    (= praemissa maior) $(x) (Dx \rightarrow Rx)$
    Professor A. kämpft gegen die Drittelparität.
    (= praemissa minor) Da

Also:
    Professor A. ist ein Reaktionär. Ra
    (= conclusio)

Auch hier ist wieder streng auf die richtige Plazierung von ‚notwendiger' und ‚hinreichender Bedingung' (s.o.6.2.) zu achten. Andernfalls ergeben sich Trugschlüsse von der Art des folgenden (in verschiedener Abwandlung immer wieder anzutreffenden):

    *Alle Kommunisten verlangen eine Änderung des Bodenrechts.
                              $*(x) (Kx \rightarrow Bx)$
    Auch die Jusos verlangen eine Änderung des Bodenrechts.
                              $(x) (Jx \rightarrow Bx)$

Also:
    Alle Jusos sind Kommunisten. $(x) (Jx \rightarrow Kx)$

ZWISCHENHYPOTHESE [auch „Enthymem"; „backing", als impliziter ‚Hintergrund' für ein als explizite Prämisse angeführtes „warrant"] : Verschwiegene Prämisse in Gestalt einer Allaussage, deren Geltung implizit unterstellt werden muß, um die explizit vorgetragene Argumentation vollständig und damit ggf. korrekt zu machen. (Häufig weckt die explizite Reformulierung einer bloß ‚ad hoc' unterstellten Zwischenhypothese dabei Zweifel an ihrer wissenschaftlichen Haltbarkeit.)

Beispiel:

Jerry-Cotton-Romane sind Trivialromane par excellence; denn ihre Handlung vollzieht sich nach immer denselben starren Schemata.

Zwischenhypothese: Alle Romane, deren Handlung sich nach vorgegebenen starren Schemata vollzieht, sind Trivialromane (,par excellence').

Explizite Argumentation:

Alle Romane mit schematischer Handlung sind Trivialromane.

$(x) (HSx \rightarrow TRx)$

Alle Jerry-Cotton-Romane haben schematische Handlung.

$(x) (JCx \rightarrow HSx)$

Also:

Alle Jerry-Cotton-Romane sind Trivialromane. $(x) (JCx \rightarrow TRx)$

EINSETZUNGSVERFAHREN: Praktikabler Weg für die Überprüfung prädikatenlogischer Schlüsse im Bereich umgangssprachlicher Argumentation (ein mechanisch anwendbares Verfahren wie das in 6.3. eingeführte ,Wahrheitstafel-Verfahren' für die Aussagenlogik existiert für die Prädikatenlogik aus zwingenden Gründen nicht).

Beispiel:

Der Stellungswechsel des Verbs im Satz von der Zweitstelle zur Endstelle ist ein Wechsel des Tempus. Es wird dadurch im Deutschen genau das gleiche bewirkt, was im Französischen durch die Vertauschung eines Passé simple gegen ein Imparfait bewirkt wird. Der Satz rückt dadurch in den Hintergrund und wird ein „Nebensatz".

[aus: Harald Weinrich: Tempus. Besprochene und erzählte Welt, (c) Kohlhammer-Verlag, Stuttgart 1964, S. 222.]

1. Schritt: Die Teilaussagen des Arguments werden nach Prämissen (mindestens eine) und Conclusio geordnet und auf die Normalform eines ,syllogistischen' Schlusses (s.o.) gebracht. Die Prämissen sind dabei das, was im Rahmen des jeweiligen Arguments als wahr anerkannt und bereits vorausgesetzt ist; die Conclusio ist die im betreffenden Kontext neue oder noch umstrittene Behauptung. In vielen Fällen müssen erst noch ,Zwischenhypothesen' (s.o.) als nicht explizit gemachte, aber faktisch vorausgesetzte Prämissen ergänzt werden:

P$_1$: Der Wechsel Passé simple/Imparfait macht einen Satz zum Nebensatz.

P$_2$: Der Stellungswechsel Zweitstelle/Endstelle macht einen Satz zum Nebensatz.

P$_3$: Der Wechsel Passé simple/Imparfait ist ein Tempuswechsel.

C: Der Wechsel Zweitstelle/Endstelle ist ein Tempuswechsel.

2. Schritt: Durch Übersetzung in die Formelsprache der Prädikatenlogik wird die genaue logische Struktur des Schlusses ermittelt:

P$_1$: (x) (Wx → Nx)   (Hier ist jeweils eingesetzt:)

     Wx = x ist ein Wechsel zwischen Passé simple und Imparfait

P$_2$: (x) (Zx → Nx)   Nx = x macht Satz zum Nebensatz

P$_3$: (x) (Wx → Tx)   Zx = x ist ein Stellungswechsel zwischen Zweitstelle und Endstelle

_____   Tx = x ist ein Tempuswechsel

C: (x) (Zx → Tx)

oder, anders geschrieben:

[(x) (Wx → Nx) ∧ (x) (Zx → Nx) ∧ (x) (Wx → Tx)] → (x) (Zx → Tx)

3. Schritt: Bei Bedarf vereinfachende logische Umformungen (s.o. 6.4.) vornehmen und dabei möglichst immer denselben Quantor verwenden:

Beispiel: Statt ¬(∃x) (Zx ∧ ¬Tx)
            einfacher: (x) (Zx → Tx)

4. Schritt: In die nunmehr klar bestimmten prädikatenlogischen Formen des Arguments setzt man andere, zweckmäßigerweise möglichst triviale und leicht überschaubare Beispielfälle ein: z.B. biologische Klassen, Städte/Regionen/Nationalitäten wie „Churer/Graubündner/Schweizer" (oder auch die üblichen graphischen Mengendarstellungen):

Alle Menschen sind Säugetiere.
Alle Schimpansen sind Säugetiere.
Alle Schimpansen sind Affen.

Also: Alle Menschen sind Affen.

Lassen sich – wie in diesem Fall – Einsetzungen für die Formeln finden, bei denen offensichtlich trotz wahrer Prämissen eine falsche Conclusio möglich ist, so ist die Schlußform nicht korrekt.

6.7. Korrekte und falsche Begriffsdefinitionen

AUFGABEN:

(1) Jeder der drei folgenden Auszüge aus literaturwissenschaftlichen Lexikonartikeln dient teils einer Realdefinition, teils einer Nominaldefinition. Welche Textteile sind jeweils objektsprachliche Sachaussage, welche sind metasprachliche Begriffserläuterung?

(a) Reim, vollständiger lautlicher Gleichklang zweier oder mehrerer Wörter vom letzten betonten Vokal an; eindrucksstarkes, magisches Klangspiel zur melodischen Gliederung der Strophen, akustischen Abgrenzung der Verse und deren Verbindung zu Sinn- und Klangeinheiten.

(b) Assonanz, vokalischer Halbreim von klangmagischer Wirkung: Gleichklang nur der Vokale vom letzten Akzent der Verszeile an, Mittel der Versbindung in den vokalreichen romanischen Sprachen; entstanden in Spanien.

(c) Mimesis, Nachahmung allgemein, besonders im Anschluß an Aristoteles und Plato die Nachahmung der Natur als dichterische Darstellung. Als Zeichen der Diesseitigkeit der Kunst besonders in Renaissance, französischem Klassizismus und deutscher Klassik wichtig und erst von der Romantik aufgegeben.

[nach: Gero von Wilpert: Sachwörterbuch der Literatur, Stuttgart 1955 u.ö.]

(2) Welche literaturwissenschaftliche Annahme unterstellt nach Ihrem Eindruck der Verfasser der folgenden Sätze über Hölderlins Gedicht „Hälfte des Lebens"? Bringen Sie bitte die verschiedenen möglichen Annahmen durch eindeutige Formulierung unmißverständlich zum Ausdruck:

In der „Hälfte des Lebens" verdunkelte sich sein Geist immer mehr. Am 7. Juni 1843 ist er in Tübingen gestorben.

[aus: Günther Mieth: Nachwort. zu: Friedrich Hölderlin: Gedichte. Leipzig 1963, S. 200.]

(3) Kritisieren Sie die beiden folgenden Äußerungen im Hinblick auf ihre definitionstheoretische Argumentation. Um welche Bedeutung(en) des Wortes „Definition" geht es dabei?

(a) Mir ist keine wissenschaftliche Untersuchung bekannt, durch die empirisch nachgewiesen wäre, daß durch die Ganzheitsmethode bei Kindern Verhaltensstörungen ausgelöst werden können. Von daher erübrigt sich auch eine Definition des Begriffs „Verhaltensstörungen".

[nach: ARD-Ratgeber: ‚Schule und Beruf', NDR III, 2.3.1974, 17.15 Uhr (Prof. Schmalohr, Berliner Psychologe).]

(b) Wir haben auf der Schule gelernt, eine gute Methode erweise sich darin, daß sie gleich am Anfang ihre Begriffe definiert. Ich werde mich hüten, dieser Forderung zu entsprechen. Man wird also an dieser Stelle keine Definition des Begriffes Tempus finden. Wie könnte ich sie auch geben! Was ich definieren kann, kenne ich. Wenn ich es kenne, brauche ich es nicht mehr zu untersuchen. Gerade weil ich noch nicht weiß, was Tempus ist, mache ich es zum Gegenstand der Untersuchung.

[aus: Harald Weinrich: Tempus. Besprochene und erzählte Welt, (c) Kohlhammer-Verlag, Stuttgart 1964, S. 26.]

LOGISCHE UND TERMINOLOGISCHE HINWEISE:

PARALOGISMUS [griech.: Schlußverfehlung; auch „Äquivokations-Argument", „Kalauer", „calembourg"] : Fehlschluß trotz logisch korrekter Schlußform durch Mehrdeutigkeit eines wiederholt in den Prämissen auftretenden Prädikats (des ‚Mittelbegriffs'). Der Schlußfehler beruht also auf einem Definitionsfehler, nämlich auf unterschiedlicher Definition desselben Ausdrucks.

Beispiel:
Die 5b ist eine Klasse.
Die Säugetiere sind eine Klasse.
Zwischen allen Klassen herrscht Klassenkampf.

Also:
Zwischen der 5b und der Klasse der Säugetiere herrscht Klassenkampf.

Ein Paralogismus droht jedoch nicht nur bei grober oder feiner Verschiedenheit in der Bedeutung der verbindenden ‚Mittelbegriffe', sondern ebenso bei völlig unklarer Definition, bei der durch völlig vagen Wortgebrauch eine Überprüfung der Argumentation gar nicht möglich ist.

Beispiel:
> Das Kleistische Ich ist der Mittelpunkt des Alls im Gefühl.
> Der Mittelpunkt des Alls im Gefühl ist der Kleistische Gott.

Also:
> Das Kleistische Ich ist der Kleistische Gott.

REALDEFINITION [auch „Wesensdefinition"] : Empirische Sachaussage über das zu Definierende in der ‚Objektsprache' (s.u.). Hier wird also nicht über das Wort und seine semantische Verwendung gesprochen, sondern über die damit bezeichnete Sache (z.B. über ihr ‚eigentliches Wesen' oder auch über ihre Geschichte).

Beispiel:
Das Sonett ist die bekannteste, wichtigste und am weitesten verbreitete der aus Italien stammenden Gedichtformen.

NOMINALDEFINITION: Sprachbezogene Begriffserläuterung des zu definierenden Wortes in der ‚Metasprache' (s.u.). Hier werden also keine Aussagen über die Sache gemacht, sondern nur über die Verwendung sprachlicher Ausdrücke – sei es über ihre ‚richtige', sei es über ihre ‚übliche' Verwendung (s.u. 6.8.). In Kants berühmter Terminologie ist eine Nominaldefinition also ein ‚analytisches Urteil' (ein ‚Erläuterungsurteil' ohne inhaltlichen Erkenntnisgewinn), die Realdefinition dagegen ein ‚synthetisches Urteil' (ein ‚Erweiterungsurteil').

Beispiel:
Ein „Sonett" ist ein Gedicht aus 14 Verszeilen, das entweder aus 2 Quartetten und aus 2 Terzetten oder aus 3 Quartetten mit einem abschließenden Reimpaar besteht.

In terminologischen Nachschlagewerken wird häufig nicht zwischen Real- und Nominaldefinition unterschieden, sondern es werden Informationen zu beiderlei Definitionstypen eingearbeitet. In günstigen Fällen stehen dabei Nominal- und Realdefinition in getrennten Sätzen hintereinander:

Beispiel:

J a m b u s, 3-zeitiger und 2-teiliger Versfuß im Gegensatz zum Trochäus, aus einer kurzen mit folgender langen bzw. unbetonten mit betonten Silbe bestehend. Ursprünglich in altgriechischen volkstümlichen Spottgedichten verwendet, von Archilochos von Paros in die Lyrik eingeführt.

Sehr häufig trifft man jedoch sogar innerhalb der ‚definierenden' Sätze ein Hin und Her zwischen der erwarteten Nominaldefinition (im folgenden unterstrichen, im Zweifelsfall gestrichelt) und solchen Informationen an, die man allenfalls als ‚Realdefinition' oder auch als sonstige historische, vergleichende oder bewertende Sachaussagen einordnen muß:

Beispiel:

M e t a p h e r, die dichterischste der rhetorischen Figuren, uneigentliche Redeform : bildlicher Ausdruck für einen Gegenstand (oft zur Verlebendigung und Veranschaulichung von abstrakten Begriffen), eine Eigenschaft oder ein Geschehen.

OBJEKTSPRACHE: Diejenige Sprachebene, in der man über die ‚Objekte' selbst spricht und dabei ihre sprachlichen Bezeichnungen lediglich ‚verwendet', aber nicht thematisiert. In objektsprachlichem Gebrauch dürfen also (a) keine Anführungszeichen verwendet werden, sondern (b) allenfalls einfache ‚Häkchen' – nämlich genau dann, wenn man einen Ausdruck objektsprachlich zur Bezeichnung der gemeinten Sache verwenden, sich aber gleichzeitig leicht von dem gewählten Wort distanzieren möchte (sei es, weil es einer fremden Sprache oder einer fremden Terminologie entstammt, sei es, weil man diesen Ausdruck aus bestimmten Gründen für problematisch hält).

Beispiel:

(a) Bonn liegt auf der Zugstrecke zwischen Köln und Mainz.
(b) Der ‚verlorene' Sohn von Benjamin Britten ist gestern in den USA wohlbehalten wieder aufgetaucht.

METASPRACHE: Diejenige Sprachebene, auf der man einen Ausdruck ‚erwähnt', um ihn selbst als sprachliches Zeichen (ggf. einschließlich seiner Bedeutung) zu thematisieren. Die Metasprache ist also die Sprache, in der man über die Objektsprache spricht; die Objektsprache dagegen ist die Sprache, über die gesprochen wird – auch wenn sie sich, wie in Linguistik und Literaturwissenschaft häufig, selbst wieder auf ‚sprachliche Objekte' bezieht. In der Metasprache (und nur hier) müssen deshalb doppelte Anführungszeichen als klares metasprachliches Signal angebracht werden – sowohl (a') bei metasprachlichen Worterwähnungen (besonders in der Linguistik statt durch Anführungszeichen häufig auch durch Kursivierung gekennzeichnet) als auch (b') bei metasprachlicher Zitierung (wozu in der Literaturwissenschaft auch die Erwähnung eines Textes durch Angabe des Werktitels gehört).

Beispiel:
(a') „Köln" liegt im Telephonbuch zwischen "Bonn" und "Mainz".
(b') „Der verlorene Sohn" von Benjamin Britten hat am 22. Februar 1984 Premiere am Stadttheater Bern.

LEXIKALISCHE DEFINITION [auch „Bedeutungsanalyse", „Deskriptive Definition"] : Definition in Form einer empirischen Aussage über den bestehenden Sprachgebrauch. Hierbei handelt es sich um eine in üblicher Weise begründungsbedürftige Aussage, die deshalb (c) empirisch wahr oder aber (c') empirisch falsch sein kann.

Beispiel:
(c) Unter einem „Satz" versteht man im allgemeinen eine in einem Zuge gesprochene Äußerung zu einem Sachverhalt.
(c') Unter einem „Satz" versteht man im allgemeinen eine Folge von fünf oder mehr Wörtern.

BEDEUTUNGSPOSTULAT [auch „Stipulative Definition", „Begriffsnormierung", „Explizite Sprachkonvention"] : Definition in Form einer Festsetzung derjenigen Begriffsverwendung, die für einen wissenschaftlichen Zusammenhang, z.B. für die Dauer eines Buches, gelten soll. (‚Normativ' ist ein Bedeutungspostulat also ausschließlich für den normierenden Verfasser selbst.) Als Anforderung an eine zukünftige Sprachverwendung kann ein Bedeutungspostulat weder wahr noch falsch sein, obwohl somit jedermann die Freiheit hat, seine Begriffe für sich selbst nach Belieben zu definieren, sind auch solche Definitionen kritisierbar: Sie können nämlich (d) zweckmäßig oder aber (d') unzweckmäßig für den jeweils in Angriff genommenen Forschungszusammenhang sein.

Beispiel:
(d) Mit dem Terminus „Satz" bezeichne ich im folgenden genau das, was innerhalb eines Textes zwischen zwei Zeichen aus der Menge { . ? ! ; } steht.
(d') Mit dem Terminus „Satz" bezeichne ich im folgenden genau das, was innerhalb eines Textes zwischen zwei Punkten steht.

BEGRIFFSEXPLIKATION [auch „Präzisierung", „Rationale Rekonstruktion"] : Verbindung von ‚Lexikalischer Definition' und ‚Bedeutungspostulat' (s.o.). Man expliziert einen Begriff, indem man in einem ersten Schritt seine übliche Verwendung analysiert und dann in einem zweiten Schritt festsetzt, mit welcher präzisierten Bedeutung man selbst den Ausdruck im folgenden wissenschaftlichen Zusammenhang gebrauchen will. Eine Explikation enthält also sowohl Bestandteile, die wahr oder falsch sein können, als auch Bestandteile, die nur nach Gesichtspunkten der Zweckmäßigkeit kritisiert werden können.

Beispiel:
Unter einem „Satz" versteht man im allgemeinen eine in einem Zuge gesprochene Äußerung zu einem Sachverhalt; ich schließe mich im folgenden an diesen Sprachgebrauch an, präzisiere jedoch den umgangssprachlich etwas unscharfen Begriff in der Weise, daß ich mit dem Ausdruck „Satz" eine durch eine einheitliche Intonationskurve begrenzte verbale Äußerung als sprachliche Repräsentation einer Sinneinheit bezeichne.

6.8. Korrekte und falsche Definitionsverwendungen

AUFGABEN:

(1) Kritisieren Sie die folgende Definitionskette:
[S. 183:] von den *semantischen Quasi-Implikationen* bzw. *Präsuppositionen* können wir die *pragmatischen* unterscheiden, d. h. solche Propositionen, die Annahmen über die von der Äußerung implizierte pragmatische Situation/Sprechsituation (...) ausdrücken

[S. 268:] das kulturelle Wissen läßt sich beschreiben als Gesamtmenge dessen, was eine Kultur, bewußt oder unbewußt, explizit-ausgesprochen oder implizit-unausgesprochen, über die „Realität" annimmt, inklusive die Frage selbst, was sie überhaupt als „Realität" annimmt; d. h. als die Menge aller von dieser Kultur für wahr gehaltenen Propositionen
[S. 268:] Jeder „Text" präsupponiert pragmatisch das kulturelle Wissen der Kultur, der er angehört.

[aus: Michael Titzmann: Strukturale Textanalyse, München 1977.]

(2) Der folgende Text enthält eine Definition und Beispiele für die Anwendung des definierten Begriffs. Wie verhalten sich beide zueinander? Machen Sie Vorschläge für bessere begriffliche Lösungen.

Das Wort „pantomimisch" möge hier, obschon es eigentlich auf ein Drama ohne Worte deutet, die Wortlosigkeit und die dafür eintretenden Ersatzmittel an fast allen wesentlichen Wendepunkten des Kleistischen Dramas bezeichnen. Die Vertrauenskrise und Probe zwischen den Liebenden in der „Familie Schroffenstein" (III,1) ist in die Pantomime des Trunks gelegt. Ein „Nun ja" und ein „Sie küßt ihn" genügt im beredtesten Kleistischen Dialoge, um Alkmenens endliche Versöhnung mit dem Liebenden und sich selbst auszudrücken. Das „Ach" am Schlusse des „Amphitryon" ist eine sehr berühmte Pantomime Kleists. Adam, der Schuldige auf dem Richterstuhl ist eine einzige, durch das Verhör des ganzen Stücks dauernde Pantomime.

[aus: Max Kommerell: Die Sprache und das Unaussprechliche. Eine Betrachtung über Heinrich von Kleist. In: Ders.: Geist und Buchstabe der Dichtung, (c) Verlag Vittorio Klostermann, 5. Aufl. Frankfurt a.M. 1962, S. 243–317, hier S. 305f.]

(3) Kritisieren Sie die folgende Definition des Begriffs „Politische Lyrik":

Herrschaftsverhältnisse existieren, wo immer Menschen Macht über andere Menschen ausüben. Sie sind nicht auf politische Verhältnisse im engeren Sinne, also die Staatsorganisation beschränkt, sondern erstrecken sich auch auf ökonomische, juristische, soziale und religiöse Bereiche des öffentlichen Lebens. Die allgemeinste Definition des Begriffs der politischen Lyrik heißt den beiden gemachten Voraussetzungen gemäß: Wo auf Herrschaftsverhältnisse gerichtete Intentionen sich mit Lyrik verbinden, entsteht politische Lyrik.

[aus: Alwin Binder: Kategorien zur Analyse politischer Lyrik. In: Der Deutschunterricht 24 (1972), Heft 2, S. 26–45, hier S. 27.]

Berücksichtigen Sie bei Ihrer Kritik u.a. Gedichte wie „Meine Ruh' ist hin", Gedichte wie „Es braust ein Ruf wie Donnerhall" und die folgende Definition des Begriffs „Lyrik":

Lyrik, die subjektivste der 3 Naturformen der Dichtung; unmittelbare Gestaltung innerseelischer Vorgänge im Dichter, die durch gemüthafte Weltbegegnung entstehen, in der Sprachwerdung aus dem Einzelfall ins Allgemeingültige, Symbolische erhoben werden und sich dem Aufnehmenden durch einfühlendes Mitschwingen erschließen.

[nach: Gero von Wilpert: Sachwörterbuch der Literatur, Stuttgart 1955 u.ö.]

LOGISCHE UND TERMINOLOGISCHE HINWEISE:

DEFINIENDUM [lat.: das zu Definierende; ggf. auch „Explicandum", s.o. 6.7. ‚Begriffsexplikation'] : Derjenige Teil einer Definitionsgleichung, der denjenigen Ausdruck einführt, dessen Verwendung dann durch das ‚Definiens' (s. u.) bestimmt werden soll.

Beispiel:
Unter einem „Satz" versteht man im allgemeinen eine in einem Zuge gesprochene Äußerung zu einem Sachverhalt.

DEFINIENS [lat.: das Definierende; ggf. auch „Explicans", s.o.6.7. ‚Begriffsexplikation'] : Derjenige Teil einer Definitionsgleichung, in dem die vollständige semantische Bestimmung des einzuführenden ‚Definiendums' (s.o.) angegeben wird.

Beispiel:
Unter einem „Satz" versteht man im allgemeinen <u>eine in einem Zuge gesprochene Äußerung zu einem Sachverhalt</u>.

EXTENSIONALE DEFINITION [lat.: ‚Begriffsumfangs-Abgrenzung'; für „Extension" konkurrierend gebraucht, aber etwas anders abgegrenzt auch „Bedeutung", „denotation", „reference"] : Bestimmung eines Begriffs durch vollständige Aufzählung aller Gegenstände (mit Hilfe von ‚Individuenkonstanten‘, s.o. 6.4.), die unter den zu definierenden Begriff fallen.

Beispiel:
Mit dem Ausdruck „heller Vokal" bezeichne ich die Laute i/ü/e/ä und nur diese.

INTENSIONALE DEFINITION [lat.: ‚Begriffsinhalts-Abgrenzung‘; für „Intension" konkurrierend gebraucht, aber etwas anders abgegrenzt auch „Sinn", „connotation", „meaning"] : Bestimmung eines Begriffs durch Angabe aller und nur derjenigen Merkmale, welche die mit diesem Begriff bezeichneten Gegenstände miteinander gemeinsam haben.

Beispiel:
Mit dem Ausdruck „heller Vokal" bezeichne ich alle und nur diejenigen Vokale, die mit hoher Zungenstellung gebildet werden.

SYNONYME DEFINITION: Form der intensionalen Definition, in der das Definiens aus einem einzigen Prädikat besteht, das mit dem im Definiendum eingeführten Prädikat vollständig äquivalent gesetzt wird (z.B. zu reinen Abkürzungszwecken).

Beispiel:
Mit dem Ausdruck „heller Vokal" bezeichne ich die Palatalvokale und nur diese. $HVx \leftrightarrow PVx$

KLASSIFIZIERENDE DEFINITION: Form der intensionalen Definition, in der im Definiens eine Konjunktion von zwei oder mehr Prädikaten angegeben wird; sie folgen in der Regel dem alten Schema „genus proximum – differentia specifica" (lat. ‚nächsthöhere Gegenstandsklasse – spezifische Differenz zu anderen Gruppen dieser Gegenstandsklasse‘; entgegen antiker Tradition können ggf. auch mehrere ‚differentiae specificae‘ angeführt werden).

Beispiel:
Mit dem Ausdruck „heller Vokal" bezeichne ich alle und nur die palatal gebildeten Monophtonge. $HVx \leftrightarrow (Mx \wedge Px)$

FAMILIENÄHNLICHKEIT: Form der intensionalen Definition, die im Definiens durch eine reine Alternation (s.o. 6.2.) gebildet wird. Dadurch müssen die unter den definierten Begriff fallenden Gegenstände kein einziges Merkmal per definitionem gemeinsam haben, sondern stimmen lediglich (wie die Mitglieder einer weitverzweigten Familie) teils in diesem, teils in jenem Merkmal überein. (Anmerkung: Eine verschärfte Interpretation von Wittgensteins Konzept der ‚Familienähnlichkeit' wäre auch so möglich, daß man die Erfüllung nicht nur von einem, sondern von wenigstens zwei oder drei oder mehr unter den alternativ aufgeführten Merkmalen verlangt; ein so definierter Begriff ist jedoch noch immer deutlich weniger trennscharf als die ‚Flexible Definition' (s.u.) und steht wie die einfache Familienähnlichkeit weiterhin in der Gefahr einer beliebigen Manipulierbarkeit.)

Beispiel:
Mit dem Ausdruck „heller Vokal" bezeichne ich genau das, was palatal oder präpalatal oder dental gebildet wird. $HVx \leftrightarrow (Px \lor PRx \lor Dx)$

FLEXIBLE DEFINITION: Form der intensionalen Definition, in der das Definiens durch eine Konjunktion von ‚notwendigen Merkmalen' und ‚alternativen Merkmalen' gebildet wird. Die notwendigen Merkmale, die von jedem unter die Definition fallenden Gegenstand erfüllt werden müssen, sichern die Trennschärfe des Begriffs von anderen Begriffen; die alternativen Merkmale, von denen nur jeweils eines zu den notwendigen Merkmalen hinzutreten muß, verschaffen dem Begriff eine höhere Flexibilität gegenüber historischen bzw. individuellen Varianten eines Grundschemas.

Beispiel:
Mit dem Ausdruck „heller Vokal" bezeichne ich alle und nur die Monophtonge, die palatal oder präpalatal oder dental gebildet werden.
$$HVx \leftrightarrow [Mx \land (Px \lor PRx \lor Dx)]$$

Insofern die Flexible Definition die Vorzüge der größeren Trennschärfe einer ‚Klassifizierenden Definition' und der größeren Flexibilität von ‚Familienähnlichkeit' in sich integriert, empfiehlt sie sich besonders für die Präzisierung literarhistorisch traditionsreicher Begriffe in ‚Explikationen' (s.o. 6.7.).

Beispiel:
Ein Aphorismus ist ein (1) co-textuell isoliertes Element einer Kette von (2) nichtfiktionalen (3) Prosatexten, das in einem (4a) verweisungsfähigen Einzelsatz bzw. (4b) in konziser Weise formuliert oder auch (4c) sprachlich bzw. (4d) sachlich pointiert ist.

$$Ax \leftrightarrow [KIx \land \neg Fx \land \neg VEx \land (ESx \lor KOx \lor SPx \lor SAx)]$$

DEFINITIONSKETTE: Als erst in seinem Gebrauch festzulegender Ausdruck kann das Definiendum auch ein vollkommen unbekanntes Wort sein, z.B. eine neue Abkürzung oder neuartige Wortableitung (in den Geisteswissenschaften empfiehlt sich allerdings in aller Regel eher das Verfahren der ‚Explikation‘ bereits gebräuchlicher Ausdrücke). Dagegen darf das Definiens nicht unbekannt sein und auch kein einziges unbekanntes Prädikat enthalten, weil sonst die Definition nur scheinbar zu einer Klärung der Begriffsverwendung führt:

* Mit dem Ausdruck „Tragelaphos" bezeichne ich einen gebrommelten Spunk.

Häufiger als unbekannte Vokabeln tauchen in literaturwissenschaftlichen Begriffserläuterungen freilich solche Ausdrücke auf, die zwar keine neuen Vokabeln enthalten, aber durch neuartige Verwendung oder Zusammenstellung bekannter Vokabeln im Definiens keinen Gewinn an Klarheit gegenüber dem Definiendum bringen und deshalb die Definition gleichfalls leerlaufen lassen:

* Kleists Ich-Begriff bezeichnet den Mittelpunkt des Alls im Gefühl.

Sinnvoll kann es hingegen sein, in einem ersten Schritt ein Definiens anzuführen, das noch einzelne selbst erläuterungsbedürftige Prädikate enthält, die dann jedoch in einem oder mehreren weiteren Schritten einer ‚Definitionskette‘ ausreichend präzisiert werden. Dabei sind allerdings unbedingt die Gefahren eines ‚regressus ad infinitum‘, einer ‚Paradoxen Definition‘ (s.u.) und eines ‚circulus vitiosus‘ (s.u.) zu vermeiden.

Beispiel:
Mit dem Ausdruck „Tragelaphos" bezeichne ich einen Bockhirsch. Als Bockhirsch gilt jede und nur diejenige Kreuzung zweier Paarhufer, bei der entweder der Vater ein Rehbock und die Mutter eine Hirschkuh oder aber der Vater ein Hirsch und die Mutter eine Ricke ist.

REGRESSUS AD INFINITUM [lat.: Rückgang bis ins Unendliche; auch „unendlicher Regreß"] : Fehlerhafte ‚Definitionskette‘ (s.o.), in der die weiteren Schritte der Definition durch Verwendung von unbekannten bzw. unklaren Prädikaten im Definiens nicht zu einem klärenden Abschluß gebracht werden können, sondern potentiell unendlich weitergehen müßten.

Beispiel:
Mit dem Ausdruck „das All" bezeichne ich die Welt; der Begriff „Welt" steht hier einfach für das Universum. Das „Universum" meint natürlich den Kosmos; unter „Kosmos" verstehe ich das Sein als Ganzes. Das „Sein als Ganzes" gebrauche ich dabei gleichbedeutend mit „absolute Totalität"; mit dem Terminus „absolute Totalität" bezeichne ich …

OPERATIONALE DEFINITION: Um der Gefahr eines ‚regressus ad infinitum‘ (s.o.) zu entgehen, empfiehlt es sich, in den weiteren Gliedern einer ‚Definitionskette‘ (s.o.) die Prädikate im Definiens schrittweise zu reduzieren auf etwas unstreitig gemeinsam Entscheidbares, auf unproblematische ‚Grundoperationen‘ – in der Literaturwissenschaft meist auf die elementare Fähigkeit, lesen (d. h. hier nur: Buchstaben identifizieren) zu können.

Beispiel:
Der Terminus „Anapher" bezeichnet die Übereinstimmung eines oder mehrerer Wörter an den Anfängen mindestens zweier aufeinander folgender Teilsätze oder auch Sätze oder auch Absätze.
Ein Satz ist genau das, was zwischen zwei Zeichen aus der Menge { . ! ? ; } steht.
Ein Teilsatz ist genau das, was zwischen zwei Zeichen aus der Menge { . , – : ; ! ? } steht.
Ein Absatz ist genau das, was zwischen zwei Zeichen aus der Menge { Leerzeile, Zeileneinzug } steht.
Ein Wort ist ein Buchstabe oder eine Folge von Buchstaben in einem geschriebenen Text beliebiger Art mit je einer Lücke links und rechts des Buchstabens bzw. der Folge von Buchstaben.
Zwei Wörter stimmen überein, wenn und nur wenn sie dieselbe Folge von Buchstaben aufweisen.
Ein Buchstabe ist ein Buchstabe im Sinne des Alphabets.

PARADOXE DEFINITION: Im Verlauf einer ‚Definitionskette' (s.o.) ist sorgfältig darauf zu achten, daß ein Definiens an einer späteren Stelle nicht in logischen Widerspruch zu früher eingeführten definitorischen Bestimmungen gerät und damit zu Paradoxien führt.

Beispiel:
Oxymoron, die sinnreich pointierte Verbindung zweier einander scheinbar widersprechender, sich gegenseitig ausschließender Begriffe zu einer Einheit. Bei tatsächlichem Widerspruch Übergang zum → Paradoxon.

Paradoxon, scheinbar widersinnige und zunächst nicht einleuchtende Behauptung, z.B. Vereinigung gegensätzlicher Begriffe und Aussagen über ein Objekt, die sich jedoch bei näherer Betrachtung als richtig erweist.

[nach: Gero von Wilpert: Sachwörterbuch der Literatur, Stuttgart 1955 u.ö.; unsere Hervorhebungen.]

CIRCULUS VITIOSUS [lat.: verhängnisvoller Zirkel, ‚Teufelskreis'; auch „Zirkuläre Definition", „Definitionszirkel", „questionbegging"] : Taucht das Definiendum an offener oder versteckter Stelle im Definiens wiederum auf, so ist durch diese zirkuläre Begriffserläuterung nichts an Klarheit gewonnen: die Katze beißt sich in den Schwanz. Dies geschieht gelegentlich sogar (a) als ‚enger Zirkel', indem durch andere Flexionsform o.ä. der zu definierende Ausdruck in der Definition unmittelbar untergebracht wird; oder – häufiger, weil unauffälliger – (b) als ‚weiter Zirkel', indem eine ‚Definitionskette' (s.o.) gebildet wird, in der das ursprüngliche Definiendum bei einem späteren Definitionsschritt als Teil des Definiens Verwendung findet.

Beispiel:
(a) Unter einer „Dichtung" versteht man im allgemeinen einen dichterischen Text.
(b) Ein „Satzzeichen" ist genau das, was vor und hinter einem Satz steht. Ein Satz ist eine abgeschlossene sprachliche Äußerung. Abgeschlossen ist eine sprachliche Äußerung genau dann, wenn sie durch Satzzeichen begrenzt ist.

REKURSIVE DEFINITION: Die einzige korrekte Form einer Definition, in der das Definiendum wiederum im Definiens auftauchen kann, ist die Verwendung als Glied einer Alternation, bei der das aus dem Definiendum stammende Alternationsglied in weiteren Schritten einer ‚Definitionskette' (s.o.) ‚rekursiv' auf eines der anderen, problemlosen Alternationsglieder reduziert werden kann.

Beispiel:
Ein epigonaler Text ist ein Text, der einen klassischen Text oder einen epigonalen Text nachahmt. $EPx \leftrightarrow [\,(\,\ni y\,)\,(\,KLy \lor EPy\,) \land NAxy\,]$

Im gegebenen Beispiel kann ein Epigone statt unmittelbar einen Klassiker natürlich auch einen anderen Epigonen imitieren, der seinerseits einen Klassiker imitiert (mit beliebig vielen Zwischenstufen); wichtig ist nur, daß am Anfang der Kette immer ein Klassiker steht, sodaß ein ‚circulus vitiosus' (s.o.) hier vermieden wird.

6.9. Trugschlüsse und Ersatzargumente

AUFGABEN:

(1) Ordnen Sie die folgenden Zitate (mindestens) einem der unten erläuterten Typen schiefer Argumentation zu:

(a) Liebt Männer, Ihr Männer – Millionen Frauen können nicht irren!

[Grafitto auf einer Germanisten-Toilette (Herren)]

(b) Laufen Sie doch mal Amok,
Laufen Sie doch mal Amok,
Laufen macht doch frei und ist gesund!

[aus: Konstantin Wecker: LP „Wecker-Leuchten".]

(c)   Union : Entwurf der Grünen
             zum Sexualstrafrecht pervers

Bonn (dpa)

Die Rechtspolitik der Grünen ist von der CDU/CSU erneut kritisiert worden. Der rechtspolitische Sprecher der Fraktion, Fritz Wittmann, wandte sich in Bonn gegen einen Gesetzentwurf der Grünen, der nach seinen Angaben die Verführung

von Mädchen unter 16 Jahren zum Beischlaf sowie homose-
xuelle Handlungen an Kindern und Jugendlichen nicht mehr
unter Strafe stellt. Als Begründung hätten die Grünen angegeben, die Strafandrohung behindere Kinder und Jugendliche
beim „Herausfinden der ihnen gemäßen Sexualität". Wittmann nannte den Entwurf „pervers". Er sei wirklichkeitsfern
und nur durch eine verblendete Ideologie zu erklären.

[aus: Süddeutsche Zeitung, 12.2.1985, S. 2.]

(2) Erzeugen Sie drei neue Trugschlüsse Ihrer Wahl (aus dem
Spektrum der unten erläuterten Typen) zur Verteidigung der
folgenden literaturwissenschaftlichen Argumentation:

Fast alle Graffiti enthalten poetische Abweichungen auf der
grammatischen oder semantischen Ebene. Abweichungen von
der Grammatik bzw. von der Semantik charakterisieren aber
auch die Gattungsformen der Lyrik bzw. der Epik. Es kann
also gesagt werden: Poetische Graffiti haben immer mit lyrischen oder epischen Texten zu tun.

[aus einer germanistischen Examensarbeit]

LOGISCHE UND TERMINOLOGISCHE HINWEISE:

PETITIO PRINCIPII [lat.: ‚Unterstellung des Grundsatzes'; auch „Zir-
kelschluß", „question-begging" – vgl.o. 6.8. ‚circulus vitiosus'] :
Stillschweigende Voraussetzung des erst zu Beweisenden; oft
verschleiert durch Gebrauch wertender Ausdrücke oder durch
die Art der vorausgeschickten bzw. vorausgesetzten Definitionen.

Beispiel:
A: Alle echten Literaturkenner halten Arno Schmidt für einen großen
Dichter.
B: Das stimmt nicht! Der Literaturkritiker Arm-Argwitzky hält ihn
nicht dafür.
A: Das zeigt eben, daß er kein echter Literaturkenner ist.

ARGUMENTUM EX AUCTORITATE [lat.: ‚Autoritäts-Argument'] : An-
stelle einer Begründung für die These selbst wird als Ersatzargument die Berufung auf eine von den Kommunikationspart-
nern gleichermaßen hochgeschätzte Person oder Publikation
angeführt, die ebenfalls für diese These eintritt.

Beispiel:
EIN SEHR DÜNNER MÖNCH: Was steht hier in der Schrift?
„Sonne, stehe still zu Gibeon und Mond im Tale Ajalon!" Wie kann die
Sonne stillstehen, wenn sie sich überhaupt nicht dreht, wie diese Ketzer
behaupten? Lügt die Schrift?
DER ERSTE ASTRONOM: Nein, und darum gehen wir.

ARGUMENTUM EX MAIORITATE [lat.: ‚Mehrheits-Argument'] : An-
stelle einer Begründung für die These selbst wird als Ersatzargument die Berufung darauf angeführt, daß eine Mehrheit
oder doch eine bestimmte Anzahl von Personen ebenfalls für
diese These eintritt.

Beispiel:
Der Nixon hat mit der Watergate-Sache bestimmt etwas zu tun gehabt,
wo sogar viele Amerikaner es glauben.

ARGUMENTUM AD HOMINEM [lat.: ‚auf den Menschen zielendes
Argument'] : Aus positiven bzw. negativen Eigenschaften oder
auch Taten von Personen wird auf die Wahrheit oder Falschheit ihrer Behauptungen geschlossen.

Beispiel:
Rousseaus pädagogische Theorien können nichts taugen, da er doch
seine beiden eigenen Kinder vor fremder Leute Tür ausgesetzt hat.

ARGUMENTUM AD MISERICORDIAM [lat.: ‚auf Mitleid zielendes Argument'] : Erweckung von Voreingenommenheit gegenüber dem
umstrittenen Sachverhalt durch Erregung von Mitleidsgefüh-
len.

Beispiel:
RICHTER: Junger Mann, Sie haben Ihre Eltern umgebracht. Haben
Sie irgendwelche mildernden Umstände anzuführen?
ANGEKLAGTER: Haben Sie Mitleid, Hohes Gericht, ich bin doch
Waise!

ARGUMENTUM AD POPULUM [lat.: ‚auf die Volksmassen zielendes
Argument'] : Erweckung von Voreingenommenheit gegenüber
dem umstrittenen Sachverhalt durch Erregung von massenhaf-
ten Emotionen.

Beispiel:
ERSTER BÜRGER: Der Cäsar war ein Tyrann.
DRITTER BÜRGER: Ja, das ist sicher. (…)

ANTONIUS: Hier ist das Testament mit Cäsars Siegel. Darin vermacht er jedem Bürger Roms, auf jeden Kopf von euch fünfundsiebzig Drachmen. (...)
DRITTER BÜRGER: O königlicher Cäsar!

CAPTATIO BENEVOLENTIAE [lat.: ‚Gewinnung von Wohlwollen‘] : Spezifischer Einsatz der rhetorischen ‚captatio benevolentiae‘ (s.o. 2.16.) als Ersatzargument: Erweckung von Voreingenommenheit gegenüber dem umstrittenen Sachverhalt durch Erregung von persönlichem Wohlwollen beim Angesprochenen, damit er gleichfalls der These zustimmt.

Beispiel:
Du bist doch ein kluger Kopf, also mußt du doch auch einsehen, daß es stimmt, was ich dir sage.

IGNORATIO ELENCHI [lat.: ‚Übersehen einer Unstimmigkeit‘; ähnlich auch „Non sequitur", lat. ‚das folgt nicht daraus‘] : Verfehlen des Beweisziels; Beweis von etwas, was mit dem eigentlich zu Beweisenden logisch nichts zu tun hat bzw. für die Fragestellung gar nicht relevant ist.

Beispiel:
Mitbestimmung in der Universität, das ist einfach Unsinn; man kann doch nicht darüber abstimmen, ob zwei mal zwei vier ist.

NATURALISTIC FALLACY [engl.: ‚naturalistischer Fehlschluß‘] : Spezialform der ‚ignoratio elenchi‘ (s.o.); Verwechslung von Norm und Aussage. Statt der Begründung einer präskriptiven Norm wird lediglich die Begründung einer ‚natürlichen‘ Tatsachenbehauptung geliefert, aus der die Norm keineswegs folgt.

Beispiel:
Nach dem Prinzip der Gleichheit müssen entweder alle Mörder bestraft werden oder keiner. Es werden aber nachweislich nicht alle bestraft; also darf keiner bestraft werden.

GENETIC FALLACY [engl.: ‚Fehlschluß aus der Entstehung‘] : Spezialform der ‚ignoratio elenchi‘ (s.o.); Verwechslung von Genese und Geltung (z.B. von Beweisgrund und Motiv). Eine Behauptung soll bewiesen oder widerlegt werden, indem man zeigt, daß die Motive, die zur Aufstellung der Behauptung geführt haben, lobenswert bzw. verwerflich sind. (Entsprechend dazu muß auch in wissenschaftlichen Zusammenhängen immer zwischen subjektiv motivierendem ‚context of discovery‘ und intersubjektiv argumentierendem ‚context of justification‘ unterschieden werden.)

Beispiel:
Daß du kein Geld hast, das stimmt doch nicht; das behauptest du doch nur, weil du mir nichts leihen willst.

INTENTIONAL FALLACY [engl.: ‚Fehlschluß aus der Absicht‘] : Spezialform der ‚ignoratio elenchi‘ (s.o.); Verwechslung von Intention und daraus resultierender Tatsache. Eine Behauptung soll bewiesen oder widerlegt werden, indem man zeigt, daß eine am Sachverhalt beteiligte Person erklärtermaßen die Absicht hatte, den behaupteten Sachverhalt herzustellen bzw. zu vermeiden.

Beispiel:
Natürlich gehören Wedekinds ‚Lulu‘-Dramen zur Gattung „Komödie“ – in seinem Tagebuch aus dieser Zeit schreibt er ja ausdrücklich, er habe „am Plan für die Lulu-Komödie weitergearbeitet“.

(Vgl. auch 6.7.: ‚Paralogismus‘)

6.10. Lernzielkontrolle : Argumentations-Test

(1.a) „Der Meteor“ ist Dürrenmatts bestes Drama.
Bestimmen Sie, welche der folgenden Sätze (b) – (g) zu dem o.a. Satz (1.a) das kontradiktorische Gegenteil, welche das polare Gegenteil, welche die Negation und welche keines davon bilden:
  (b) „Der Meteor“ ist Dürrenmatts langweiligstes Drama.
  (c) „Der Meteor“ ist Dürrenmatts schlechtestes Drama.
  (d) Dürrenmatts andere Stücke waren alle besser als „Der Meteor“.
  (e) Es stimmt nicht, daß „Der Meteor“ Dürrenmatts bestes Drama ist.
  (f) Es ist nicht der Fall, daß „Der Meteor“ das beste unter Dürrenmatts Werken ist.
  (g) „Der Meteor“ ist nicht besser als das beste von Dürrenmatts anderen Dramen.

(2.a) <u>Wenn ein Roman mit der Jugend des Helden einsetzt, dann handelt es sich um einen Entwicklungsroman.</u>

(2.b) <u>Nur wenn ein Roman mit der Jugend des Helden einsetzt, handelt es sich um einen Entwicklungsroman.</u>

Übersetzen Sie (mit den folgenden Abkürzungen: „p = Ein beliebiger Roman XY setzt mit der Jugend des Helden ein"; „q = Ein beliebiger Roman XY ist ein Entwicklungsroman") die folgenden Sätze (c) – (h) in die Sprache der Ausagenlogik und geben Sie jeweils in Klammern an, ob der entsprechende Satz mit einem der Sätze (2.a) oder (2.b) äquivalent ist.

(c) Das Einsetzen mit der Jugend des Helden ist ein notwendiges Merkmal von Entwicklungsromanen.

(d) Wenn ein Roman gar kein Entwicklungsroman ist, dann setzt er doch auch nicht mit der Jugend des Helden ein.

(e) Genau dann, wenn es sich nicht um einen Entwicklungsroman handelt, setzt er nicht mit der Jugend des Helden ein.

(f) Ausschließlich bei Texten außerhalb der Gattung „Entwicklungsroman" beginnt die Handlung später als mit der Jugend des Helden.

(g) Nur dann, wenn wir es nicht mit einem Entwicklungsroman zu tun haben, setzt der Text nicht mit der Jugend des Helden ein.

(h) Daß ein Roman die Jugend des Helden darstellt, bildet eine hinreichende Bedingung dafür, daß es sich um einen Entwicklungsroman handelt.

(3) Überprüfen Sie mit Hilfe des Wahrheitstafel-Verfahrens (mit 2 Variablen), ob die folgende Argumentation korrekt ist:

Aphorismen sind poetische Texte, oder die Literaturwissenschaftler haben ihre eigenen Theorien nicht kapiert. Wenn die Literaturwissenschaftler ihre Theorien kapiert haben, dann sind Aphorismen keine poetischen Texte. Daraus folgt: Dann und nur dann, wenn Aphorismen poetische Texte sind, haben die Literaturwissenschaftler ihre eigenen Theorien kapiert.

(4) Überprüfen Sie mit Hilfe des Wahrheitstafel-Verfahrens (mit 3 Variablen), ob die folgende Argumentation korrekt ist:

Wenn Günter Grass progressive Bücher schreibt, bekommt er gute Rezensionen. Wenn er keine progressiven Bücher schreibt, wird er viel gelesen. Wenn er keine guten Rezensionen bekommt, wird er nicht viel gelesen. Folglich bekommt er gute Rezensionen.

(5) Der folgende Satz läßt sich auf zweierlei Weise verstehen; geben Sie für jede der beiden Interpretationen die genaue Übersetzung in die Sprache der Prädikatenlogik an und finden Sie jeweils eine umgangssprachliche Formulierung, die das Gemeinte logisch eindeutig zum Ausdruck bringt:

Alle Probleme der Lehre an Hochschulen lassen sich sicherlich nicht durch vermehrten Einsatz technischer Hilfsmittel lösen.

[aus: Göttinger Allgemeine, 15.3.1974: Hochschuldidaktisches Zentrum der Universität Göttingen.]

(6) Kritisieren und verbessern Sie die folgende Äußerung unter prädikatenlogischem Aspekt:

Für den rationalistischen Teufel ist diese metaphysische Seite der Erscheinungen nur ein Nichts, wenn er auch nur schaudernd und nicht ohne geheime Anteilnahme von diesem Nichts zu reden wagt. Faust hingegen hofft, in diesem Nichts das All zu finden.

[aus: Benno von Wiese: Die deutsche Tragödie von Lessing bis Hebbel, 6. Aufl. Hamburg 1961, S. 149.]

(7) Überprüfen Sie mit Hilfe des Einsetzungsverfahrens, ob die folgende Argumentation korrekt ist. Falls Sie sie fehlerhaft finden, verbessern Sie sie bitte so, daß sich ein gültiger Schluß ergibt:

Alle Autoren von Trivialliteratur schließen mit einem Happy-End; und so dürfen wir auch Simmel, der ja eine besonders notorische Vorliebe für das Happy-End hat, als Trivialautor bezeichnen.

(8) Überprüfen Sie auf gleiche Weise die folgende Argumentation:

Wenn ich das „Beispiel" bestimme als ein in bestimmter Weise ausgezeichnetes Verhältnis zwischen etwas Besonderem und etwas Allgemeinem; und wenn ich außerdem die schon von Aristoteles vertretene Auffassung übernehme, daß Dichtung überhaupt durch Besonderes Allgemeines vermittle, dann kann ich folgern, daß alle Dichtung beispielhaft ist.

(9) Alle vier folgenden Sätze (a) – (d) würde man umgangssprachlich als „Definitionen" der Definition bezeichnen; es handelt sich jedoch um jeweils verschiedene Typen. Benennen Sie diese mit

einem der dafür üblichen Termini und bezeichnen Sie (mit 2–3 Stichworten) den sachlichen Unterschied zwischen den vier Sätzen (unter Berücksichtigung der Frage, welche Art von Einwänden man gegen die verschiedenen Definitionstypen vorbringen kann) :

(a) Mit dem Ausdruck „Definition" bezeichne ich hier, unter Präzisierung des üblichen Sprachgebrauchs im Sinne etwa von ‚Begriffsabgrenzung', ein metasprachliches Bedeutungspostulat in Gestalt einer logischen Äquivalenz.

(b) Definition: Hilfsmittel zur genaueren sprachlichen Verständigung, besonders in Fachsprachen und in der Wissenschaft.

(c) Mit dem Ausdruck „Definition" bezeichnet man eine genaue Angabe über die Bedeutung eines Wortes.

(d) Unter einer „Definition" verstehe ich im folgenden eine explizit eingeführte semantische Konvention in Gestalt einer metasprachlichen logischen Äquivalenz.

(10) Erörtern Sie kritisch das folgende Zitat und differenzieren Sie dabei den Ausdruck „Begriffsbildung" in der erforderlichen Weise:

Begriffsbildung in unserem Sinne bildet immer einen wenigstens relativen *Abschluß* einer Untersuchung, d.h. im Begriff stellt sich als fertig dar, was durch die Forschung geleistet ist.

[aus: Heinrich Rickert: Die Grenzen der naturwissenschaftlichen Begriffsbildung. Eine logische Einleitung in die historischen Wissenschaften, 5. Aufl. Tübingen 1929, S. 19.]

7. ZUR INTEGRATION STILISTISCHER, METRISCHER, DRAMEN- UND ERZÄHLTECHNISCHER ASPEKTE BEI DER TEXTINTERPRETATION

7.1. Aufgaben zur abschließenden Lernzielkontrolle:

AUFGABE :

Untersuchen Sie wenigstens einen der im folgenden genannten Texte unter allen bisher behandelten Aspekten – also in stilistischer, metrischer und dramen- bzw. erzählanalytischer Hinsicht. Führen Sie die Einzelergebnisse in einer integrierenden Gesamtinterpretation zum jeweils untersuchten Text zusammen.

TEXT (1):

Peter Weiss: Die Verfolgung und Ermordung Jean Paul Marats, dargestellt durch die Schauspielgruppe des Hospizes zu Charenton unter Anleitung des Herrn de Sade. Drama in zwei Akten, Frankfurt a. M. 1964 u.ö., hier 1. Akt, Szene 1–9.

TEXT (2)

Theodor Fontane: John Maynard. In: Ders.: Werke, Schriften und Briefe. Hgg.v. W. Keitel u. H. Nürnberger. I. Abt., Bd. 6, Darmstadt ²1978, S. 287ff; oder in einer Gedicht-Anthologie Ihrer Wahl, z.B.: Karl Otto Conrady (Hg.): Das große deutsche Gedichtbuch, Kronsberg/Ts. 1977, S. 561f.

TEXT (3)

Gotthold Ephraim Lessing: Nathan der Weise: ‚Die Ringparabel‘. In: Gotthold Ephraim Lessings sämtliche Schriften. Hgg.v. K. Lachmann. 3., durchges. u. verm. Aufl., besorgt

durch F. Muncker. Dritter Band, Stuttgart 1887, S.90–95;
oder in einer Lessing-Leseausgabe Ihrer Wahl, z.B:
Gotthold Ephraim Lessing: Nathan der Weise, Stuttgart:
Reclam [1978], S. 71–75.

7.2. Lösungsbeispiel: Interpretation der ‚Ringparabel'

Gotthold Ephraim Lessing nannte sein 1779 erschienenes Drama
„Nathan der Weise" im Untertitel ein „dramatisches Gedicht in
fünf Aufzügen". Schon dieser Untertitel deutet die besondere
Stellung des Stückes an – und zwar in gattungssystematischer
Hinsicht: Es ist nicht einfach, dem Zeitgeschmack entsprechend,
eine ‚Tragödie' oder ein ‚Lustspiel' und doch vielleicht mehr als
jede der beiden Gattungen.

Der dramentektonische Ort der Ringparabel

Exemplarisch läßt sich die Sonderstellung des Stückes, die es u.a.
auch durch seine charakteristische Verbindung von verschiedenarti-
gen und gewöhnlich eher getrennten poetischen Elementen ge-
winnt, insbesondere im siebten Auftritt des dritten *Aktes* zeigen.
Erläuternd sei hier in Parenthese angemerkt, daß der *Nebentext* des
Stückes von „Aufzügen" spricht, wo Akte gemeint sind, und von
„Auftritten", wo *Szenen* oder *Auftritte* gemeint sind. Der Ausdruck
„Auftritt" in Anführungszeichen gilt im folgenden als Zitat aus dem
Nebentext, der Terminus *Auftritt* hingegen wird jeweils ohne Anführungszeichen verwendet (und wie alle in Kap. 1.-6. erläuterten
Fachausdrücke wenigstens bei der ersten Verwendung durch Kursivierung gekennzeichnet).
　Der siebte „Auftritt" also findet sich an einer dramentektonischen Zentralstelle etwa in der Mitte des Stückes, das fünf *Akte* mit
sechs, neun, zehn, acht und noch einmal acht – zum Teil sehr
kurzen [z. B. II,6 oder III,3; III,6 u.a.] – *Szenen* oder auch *Auftritten* umfaßt. Das besondere Gewicht des siebten „Auftritts" des
dritten Aktes wird zudem dadurch unterstrichen, daß es sich nicht
nur um den umfangreichsten Auftritt des dritten Aktes handelt: im
ganzen Stück findet sich weder eine andere Szene noch ein anderer
Auftritt, der umfangreicher wäre als III,7.

Der Nebentext in III,7 nennt zu Beginn das anwesende Personal, „Saladin" und „Nathan" nämlich. Der Ort der Handlung wird nicht mehr eigens genannt, da er seit dem vierten „Auftritt" des dritten Aktes unverändert ist: Es handelt sich um einen „Audienzsaal in dem Palaste des Saladin". In III,4 betreten zunächst Saladin und seine Schwester Sittah die Bühne, in III,5 verläßt Sittah die Bühne und Nathan tritt auf, am Schluß von III,5 verläßt Saladin die Bühne und Nathan bleibt während der Szene III,6 allein auf der Bühne. Hier wie andernorts haben wir es also lediglich mit *Konfigurations-wechseln* zu tun, seltener jedoch auch mit dem Wechsel des Handlungsortes.

Nathan spricht in III,6 seinen ‚Sammlungs'-*Monolog*, der mit den berühmten Worten „Nicht die Kinder bloß, speist man / Mit Märchen ab" ausklingt. Die letzten Worte dieses Auftritts sind eine gesprochene Regieanweisung im Haupttext: „Er kömmt. Er kömme nur!", heißt es dort, die Rückkehr Saladins fiktionsintern ankündigend und dramentechnisch anweisend.

Die im orientierenden Nebentext genannten Namen „Saladin" und „Nathan" geben – als Elemente der *impliziten Figurencharak-terisierumg im Nebentext* – ebenso wie die der anderen ‚*dramatis personae'*, die das wenig umfangreiche Personal des Stückes bilden, Aufschluß über die ‚Gruppenzugehörigkeit' der Personen und also auch über die Verkörperung der Rollen: Der Name „Nathan" evoziert – zumal als alttestamentarisch belegter Name – das semantische Merkmal [+Jude], „Saladin" evoziert das semantische Merkmal [+Moslem]. „Die Szene ist in Jerusalem", weist der Nebentext im Anschluß an das Personenverzeichnis an und markiert so auch den räumlichen Kontext der Rollen, in dem den genannten Namen die angeführten semantischen Merkmale konnotativ verbunden sind.

Die Verfremdung durch den Vers

Saladin spricht seine ersten Worte in III,7 a parte: „(So ist das Feld hier rein!)". Dieses *a-parte-Sprechen* wird zwar nicht wortwörtlich durch den Nebentext gefordert, zum Beispiel durch die Anweisung „bei sich" oder „zur Seite". Die Funktion des a-parte-Sprechens wird jedoch typographisch durch die runden Klammern angedeutet. Technisch motiviert ist dieses a-parte-Sprechen durch Saladins – ebenfalls a parte gesprochene – Bemerkung in III,5, die er unmittelbar vor seinem Abgang am Schluß der Szene macht: „(Ob sie wohl horcht? / Ich will sie doch belauschen; / Will hören, ob ichs recht gemacht. -)". Das Personalpronomen „sie" bezieht sich auf Saladins Schwester Sittah, die – wie der Leser des Dramentextes aus II,3 weiß – ihren Bruder dazu überredet, Nathan in den Palast kommen zu lassen, um ihn kennenzulernen und von ihm zu borgen.

Saladin betritt also in III,7 wieder die Bühne, und der Dramentext ordnet ihm den ersten Wortbeitrag in einem *Dialog* zwischen Nathan und Saladin zu. Hier wie auch sonst sprechen die Personen des Stückes nicht etwa in Prosa, sondern in Versen; und sie sprechen nicht etwa in dem zur Entstehungszeit dieses Stückes wichtigsten deutschen Dramenvers, im *Alexandriner* nämlich, sondern sie sprechen in *Blankversen*. Der Blankvers war bis zum ‚Nathan' im deutschen Versdrama fast völlig unbekannt. Lediglich Christoph Martin Wieland hatte ihn schon vor Lessings Drama als Dramenvers in seinem Stück „Lady Johanna Gray" erprobt; selbst Shakespeares Blankvers-Dramen wurden in den ersten Versuchen der Verdeutschung in Prosa oder aber in Alexandriner-Paaren wiedergegeben. Wegen der mangelnden Gewöhnung des zeitgenössischen Theaterpublikums an den Blankvers hatte Lessing zu Recht annehmen können, daß der Vers fremdartig, ja exotisch und – wie er an seinen Bruder Karl schrieb – geradezu ‚orientalisch' in den Ohren des Publikums klingen würde. Dem Blankvers in Lessings „Nathan der Weise" kommt also eine *verfremdende* und gleichzeitig die ‚morgenländische' Handlung in redeklanglicher Hinsicht orientalisch ‚kolorierende' Funktion zu.

Dabei sind die Blankverse keineswegs durchgehend gleichartig gebaut. Mal handelt es sich um Blankverse mit *stumpfer*, mal mit *klingender Kadenz*, und gelegentlich finden sich (wie im Fall von Vers 390 in III,7 [in der o. a. Ausgabe von Lachmann; o.a. Reclam-Ausgabe = 1906] auch Verse, denen sich keine regelmäßige Abfolge von *Jamben* unterlegen läßt. Der angesprochene Vers lautet:

NATHAN [...]
    Erzählen?
SALADIN   Warum das nicht? Ich bin stets

Die metrische Interpretation dieses als *Antilabe* auf zwei Personen und damit auf zwei Zeilen verteilten Verses ergibt auf keinen Fall die blankverstypische Alternation von *Hebung* und *Senkung*, sondern könnte so aussehen:

(1) v-v v- v- -v-
Oder so:

(2) v-v -vv- vv-
Oder auch so:

(3) v-v v- v- v--

In jedem dieser drei Fälle handelt es sich nicht gerade um einen
‚Blitzblankvers' (um einen Ausdruck von Karl Kraus zu verwenden), und wir können allenfalls von einer *poetischen Lizenz* sprechen und den Vers wegen seiner fünf Hebungen unter zehn Silben
bei gleichzeitiger Umgebung von regelrechten Blankversen als
Blankvers gelten lassen. In der überwiegenden Zahl der Verse
nicht nur dieses „Auftritts" wird die metrische Abgeschlossenheit
der einzelnen Verszeile durch *Enjambement* oder gar durch die
Verteilung des Blankverses auf zwei Sprecher, durch eine Antilabe
also, abgeschwächt oder gar aufgehoben, so daß schon durch diese
rhythmische Strukturierung – unbeschadet aller oben angeführten
Verfremdungserwägungen – eine prosanahe *Rezitation* vorgezeich-
net ist. Übereinstimmend hiermit ist darauf hinzuweisen, daß es
insbesondere in der ‚Ringparabel' zahlreiche zumindest auch *metrisch* bedingte Besonderheiten (a) im Bereich des Wortmaterials
wie auch (b) im Bereich der Syntax gibt, die zumeist eine prosanahe Rezitation als Elemente stilisierter Mündlichkeit unterstützen
(gelegentlich – wie im zweiten Beispiel zum Wortmaterial – dieser
aber auch zuwiderlaufen).

(a) Im Hinblick auf das Wortmaterial sei beispielsweise auf die
Verse 411 [=1927] und 422 [=1938] verwiesen:
Vers 411: „Des Rings, das Haupt, der Fürst des Hauses werde.-"
Vers 422: „Des Ringes; den er denn auch einem jeden".

Beiden Versen läßt sich übereinstimmend eine regelmäßige,
blankverstypische Abfolge von Jamben unterlegen (v- v- v- v- v-v).
Im Vers 411 liegt im Unterschied zu Vers 422 jedoch eine *Elision*
des Genitiv-e in „Rings" vor, die notwendig wird durch das Bestre-
ben um eine regelmäßige metrische Strukturierung. Haben wir es
hier mit einer – metrisch motivierten – leichten stilistischen Unein-
heitlichkeit der Wortverwendung zu tun, die den Eindruck prosana-
her Mündlichkeit nur unterstützt, so wirkt in Vers 484 [=2000] das
Schema des Blankverses durch die Elision eines e's dagegen geradezu erzwungen:
Vers 484: „Beteu'rte jeder, könne gegen ihn".

Statt „Beteuerte" (v-vv) schreibt Lessing lieber „Beteu'rte" (v-v) und ermöglicht auf diese Weise zwar eine blankversgerechte alternierende Verteilung von Hebungen und Senkungen auf die Silben der Zeile, fordert aber gleichzeitig intonatorische Kunststückchen sowohl bei der Skansion als auch bei der Rezitation der Zeile heraus.

(b) Im Hinblick auf die Syntax sei hier lediglich auf die zahlreichen *Ellipsen* hingewiesen, die nicht selten auch metrisch motiviert sind. Als Beispiel für eine elliptische Satzkonstruktion können die Verse 521ff. [=2035ff.] genannt werden:

> Möglich; daß der Vater nun
> Die Tyrannei des Einen Rings nicht länger
> In seinem Hause dulden wollen! – Und gewiß;
> Daß er euch alle drei geliebt, und gleich
> Geliebt: indem er zwei nicht drücken mögen,
> Um einen zu begünstigen.

Das (mindestens) dreimalige Fehlen einer Form des Hilfsverbs „haben" ist für die elliptische Konstruktion des Textabschnittes verantwortlich. Eine ‚korrekte' Satzkonstruktion mit allen nötigen Formen von „haben" würde jedoch den (bis auf Vers 523 [=2037]) gleichmäßigen metrischen Aufbau der Passage ebenso zunichte machen wie die stilistische Funktion der Ellipse, die in der Vorspiegelung von gesprochener Sprache zu sehen ist.

Gleichzeitig macht die Passage auf eine weitere charakteristische Besonderheit des Dramentextes aufmerksam, die auch für das Verhältnis von metrischer Struktur und rezitativer Interpretation von Belang ist. Die Auflösung der metrischen Geschlossenheit wird nämlich auch häufig durch die Interpunktion des Textes angezeigt. Ähnlich wie die runden Klammern in bezug auf das a-parte-Sprechen übernehmen Gedankenstriche oder – wie oben – Semikola die Funktion eines typographischen Ersatzes für ausdrückliche Anweisungen im Nebentext. Sie zeigen Sprechpausen an, die als dramentechnische Unterbrechungen des Redeflusses natürlich auch die Realisierung des Metrums des jeweiligen Verses betreffen (und deshalb auch in ‚Leseausgaben' nicht zu Kommas modernisiert werden dürfen).

Für die Ringparabel sind die metrische Strukturierung und hiervon abhängige oder diese unterstützende stilistische Aspekte von ganz besonderer Bedeutung, weil es sich hier um einen der beiden Höhepunkte in „Nathan der Weise" handelt. In dramentektonischer Hinsicht lassen sich nämlich wenigstens zwei Höhepunkte zeigen:

(1) Der Höhepunkt in der *story* am Schluß dieses *Analytischen Dramas*, wenn die verwandtschaftlichen Beziehungen zwischen dem christlichen Tempelherrn, dem ‚Judenmädchen‘ Recha und dem moslemischen Fürsten Saladin offenbar werden.

(2) Der *thematische* Höhepunkt in III,7, der in der ‚Ringparabel‘ zu sehen ist.

Neben der dramentektonischen Zentralposition dieser in Blankversen gestalteten Erzählung ist insbesondere auf die charakteristische Verbindung von erzähltechnischen, rhetorisch-stilistischen und dramentechnischen Elementen auf nahezu allen Ebenen des Textes aufmerksam zu machen. Um in der eingangs skizzierten dramatischen Gesprächssituation als rhetorisches Überzeugungsmittel verwendbar zu sein, darf die Parabel beispielsweise nicht allzu lang sein. Die gattungstypische Knappheit der Ringparabel wird im wesentlichen durch die Aktualisierung grundlegender Erzähltechniken erreicht, Erzähltechniken allerdings, die hier von einem ‚Erzähler‘ besonderer Art angewendet werden.

Die erzähltechnische Verknappung

Die *Erzählinstanz* der Ringparabel ist ja weder eine episch integrierte *Erzählerfigur* noch eine reine *Erzählfunktion*, sondern eine Rolle: eine Dramenfigur, die durch Informationen auf den Ebenen des Haupttextes bzw. des Nebentextes des Dramas charakterisiert wird. Nicht zuletzt das Erzählen der Ringparabel selbst ist ein dramatisches Element der *impliziten Figurencharakterisierung auf der Ebene des Haupttextes*, das die ‚Nathan‘ genannte Figur auch als einen ‚Weisen‘ (nicht bloß als einen ‚Schlauen‘) erscheinen läßt.

Die dramatisch konstituierte Erzählinstanz ‚Nathan‘ bedient sich im ersten Teil der *Er-Erzählung* der erzählerischen Grundform des verknappenden und stark raffenden Berichtes mit dominantem *telling* und nur sporadisch eingestreuten Signalen einer *auktorialen Erzählsituation*. Das *Erzählprofil* des Textes bleibt dadurch gleichmäßig ruhig, es liegt kein sprunghafter und häufiger Wechsel von Erzählsituationen vor. In der verknappten Erzählung, in der *story* und *plot* in bezug auf die Abfolge der Handlungselemente parallel verlaufen, wird durch gestufte *Raffungen* ein unbestimmt langer, wohl in Jahrzehnten oder Jahrhunderten zu messender Zeitraum der *erzählten Zeit* in wenige Augenblicke *der Erzählzeit* gezwängt.

Ergänzt werden diese Elemente der Handlungskonstruktion durch das auf das Nötigste restringierte Figural. Die Erzählung beschränkt sich bei der *expliziten Figurencharakterisierung* auf der *Ebene der Erzählinstanz*, die insbesondere im ersten Teil der Erzählung als dominante Charakterisierungstechnik anzusprechen ist, auf wenige Informationen über die Figuren.

Insgesamt kommen in der Ringparabel sieben handelnde Figuren vor: der ‚Mann in Osten‘, der ‚Vater‘ der drei Söhne, seine drei Söhne, der Künstler und der Richter. Daneben gibt es noch einige rein ‚technische Figuren‘. So könnte man Figuren oder Figurenskizzen bezeichnen, die am Rande der Erzählung lediglich punktuell aus erzähltechnischen Gründen auftauchen. So heißt es beispielsweise in Vers 413 [=1929]: „So kam nun dieser Ring, von Sohn zu Sohn, / Auf einen Vater endlich von drei Söhnen." Die ‚Söhne‘, die in der Formulierung „von Sohn zu Sohn" genannt werden, haben ihre erzähltechnische Funktion in der Gestaltung von *zeitraffendem* Erzählen (hier durch eine *iterative Raffung*) und in der vorbereitenden Motivierung der Erbfolge des Vaters mit den drei Söhnen. Ansonsten erfahren wir nichts über die ‚Söhne‘, ihre Präsenz in der Erzählung beschränkt sich auf diesen einen Punkt der Handlung. In ähnlicher, nämlich technischer Weise werden die Söhne des ‚Mannes in Osten‘ erwähnt, und gleich zu Beginn der Erzählung wird *metonymisch* von einer ‚lieben Hand‘ gesprochen. Die Funktion der ‚Söhne‘ des ersten ‚Mannes in Osten‘ ist es, am Anfang der Erbenreihe zu stehen, die Funktion der ‚lieben Hand‘ ist es, überhaupt den Besitz des Ringes in der Familie der Ringerben zu motivieren.

Die Charakterisierung der Figuren im engeren Sinne setzt ein mit dem ‚Mann in Osten‘, der einen Ring nie vom Finger läßt. Dieser Ring wird eingehender beschrieben als der Mann selber. Der Leser erfährt in dieser ansonsten mit Informationen geizenden Erzählung sogar das Detail, daß der Stein ein Opal sei. Dieses Detail taucht in der (internationalen) *Stoff*-Tradition der ‚Ringparabel‘ vor Lessings Version nirgendwo auf, weder in Giovanni Boccaccios „Decamerone" noch in den „Gesta Romanorum", weder in Rabbi Salomon Ibn Vergas „Schebet Jehuda" noch in Etienne de Bourbons „Anecdotes Historiques. Légendes et Apologues". Die *Erzählinstanz* konzentriert sich jedoch zunächst auf den ‚Mann in Osten‘ und hier nur auf die Tatsache des Ringbesitzes, der Besitzer bleibt darüber hinaus unkonturiert, ein namenloses, lediglich räumlich und geschlechtlich spezifiziertes X. Auch die Zeitorientierung in der

Erzählung bleibt ebenso wie die räumliche Orientierung weitgehend indefinit. Wie der Mann in den Besitz des Ringes gerät, wird nur knapp angedeutet. In einer *durativen Raffung* wird der wichtigere Umstand mitgeteilt, daß der Mann den Ring nie vom Finger läßt. Außerdem erfährt der Leser (oder Hörer), welche Maßnahmen der Mann zum Erhalt des Ringes im Familienbesitz trifft. Eine noch extremere *Sprungraffung* als Cäsars ‚veni, vidi, vici' läßt den Ring über Generationen hinweg nicht nur bei irgendeinem Mann, sondern bei einem Mann, der Vater dreier Söhne ist, ankommen.

Dieser Vater nun wird eingehender – und doch knapp genug – charakterisiert als der ‚Mann in Osten'. Ganz bestimmte Momente werden hervorgehoben: Daß der Vater alle drei Söhne gleich liebt, doch jeden von ihnen manchmal mehr als die anderen; jedem verspricht er denn auch den Ring, was der Erzähler auktorial als „fromme Schwachheit" kommentiert. Der ganze Zeitraum, in dem sich das abspielt, wird in den Sätzen „Das ging nun so, so lang es ging. – Allein / Es kam zum Sterben" *zeitraffend* zusammengefaßt, um dann eine Intensivierung der Erzählung durch eine *Tempusmetapher* und die damit verbundene Annäherung an *zeitdeckendes* Erzählen zu forcieren. Der Erzähler wechselt vom *Epischen Präteritum ins praesens historicum* und berichtet über die inneren Nöte des Vaters in einem zusammenfassenden „Es schmerzt ihn". Kurz wird sogar mit der *erlebten Rede* – „Was zu tun?" – ein Wechsel der *Erzählperspektive* vom *telling* der *Erzählinstanz* zur Perspektive des Vaters angedeutet und gleichzeitig der Wendepunkt von der inneren Bedrängnis des Vaters zu der Lösung des Problems markiert.

Hier kommt nun die Figur des Künstlers ins Spiel. Neben dem Richter ist der Künstler die einzige Figur des Textes, die durch eine explizite Berufsbezeichnung charakterisiert wird. Bemerkenswert an dieser Figur ist außerdem, daß sie – ebensowenig wie der Opal – schon vor Lessings Version in der *Stoff*-Tradition der Ringparabel auftaucht. Zu Recht muß man sich deshalb fragen, wozu in Lessings Version der Ringparabel der Opal und der Künstler überhaupt erwähnt werden. Im Hinblick auf den Künstler ist zunächst zu sagen, daß er derjenige ist, bei dem der Vater „nach dem Muster" des Originalrings mit dem Opal zwei andere, zwei Imitationen bestellt. Der Text teilt mit, daß es dem Künstler gelinge, die Imitationen so gut herzustellen, daß selbst der Vater seinen Musterring von den beiden anderen nicht unterscheiden könne. Selbst für den langjährigen Besitzer des Musterringes ist es nicht mehr zu entscheiden, welcher der drei Ringe der Originalring ist, weil die drei

Ringe, die der Künstler abliefert, „gleich, vollkommen gleich" aussehen. Andererseits besteht an dieser Stelle des Textes weder fiktionsintern für den Vater noch rezeptionsextern für den Leser/ Hörer Anlaß zu der Annahme, es nicht mehr mit einem Musterring und zwei Imitationen zu tun zu haben. Fiktionsintern kann der Vater mit den Imitationen zunächst einmal sein Problem lösen. In der *iterativen Raffung* einer dreifachen (episch-vermittelten) *Verwechslungskomik* erscheint die Schilderung der Ring-Verteilung an die Söhne in den Versen 435ff. [=1952 ff.] leicht humoristisch getönt, zumal vor dem ‚todernsten' Hintergrund, dem Sterben des Vaters. Die Schilderung beginnt mit einem *alliterierenden, reimformelartigen Hendiadyoin:* „Froh und freudig ruft / Er seine Söhne, jeden ins besondre; / Gibt jedem ins besondre seinen Segen , – / Und seinen Ring, – und stirbt." Die humoristische Leichtigkeit des einleitenden *Hendiadyoins* wird auf der Ebene des Stils im folgenden ergänzt und unterstützend fortgesetzt durch die verzögernde *Epanalepse* (ins besondre / ins besondre) und die *polysyndetische* Reihung (und/und), daneben auf der Ebene der Metrik durch eine *Zäsur-Pointe.* Die metrische Einheit der Verszeile 437 [=1954] wird ja nicht auch syntaktisch mit dem Wort „Segen" abgeschlossen, sondern durch das syntaktisch anknüpfende „Und" schließt sich direkt die Zeile 438 [=1955] an. Auffällig ist gerade vor dem Hintergrund der metrischen, stilistischen, erzähltechnischen und dramentechnischen Struktur dieser Passage die Reihenfolge, in der der sterbende Vater Segen und Ringe verteilt: Die Ringe erscheinen jeweils als das Wichtigste, was der sterbende Vater zu geben hat, weil sie als letzte Gabe des Vaters genannt werden. Selbst die (wenigstens zwei) falschen Ringe werden fiktionsintern also höher eingestuft als der Segen des Vaters. Diese Reihenfolge wirkt vor der analysierten Struktur wie ein zusätzliches humoristisches *Hysteron proteron.* Insgesamt entsteht in dieser Passage durch die Integration stilistischer, metrischer, erzähltechnischer, dramentechnischer und rein inhaltlicher Elemente ein sehr ambivalenter Punkt: Die Ernsthaftigkeit der Sterbesituation in der *story* und die wunderbare Kraft des Opal-Ringes werden im *plot* humoristisch relativiert, beide werden sozusagen textstrukturell ‚auf die leichte Schulter' genommen, beide befinden sich auf dem schmalen Grad zwischen Verehrung und Verlachen. Dramentintern bricht hier, so könnte man sagen, der charakterisierende Schalk des ‚weisen' Nathan durch, der nicht nur Kinder, sondern eben auch Saladin mit einem – in mehrfacher Weise doppelbödigen – ‚Märchen' abspeist.

Die Auseinandersetzung der drei Söhne nach dem Tode des Vaters wird dann anschließend in einem zeitraffend verknappten und stilistisch ausgefeilten *Redebericht* mitgeteilt – „Man untersucht, man zankt, / Man klagt": eine anaphorisch und *parallel* organisierte *Klimax* –, bevor ein ausdrückliches Transfersignal zur ‚Übertragung' der Erzählung auf den einbettenden dramatischen Kontext eingefügt und die Erzählung damit unterbrochen wird: „Fast so unerweislich, als / Uns itzt – der rechte Glaube."

Nach einem kurzen *Dialog*-Einschub zwischen Nathan und Saladin wird die Erzählung berichtend und raffend, mit kurzen einmischenden Erzählerkommentaren („Wie auch wahr!", „Wie nicht minder wahr!") wieder aufgenommen. Der Richter ist die erste Figur der Erzählung, der die *direkte Rede* zugestanden wird. Das dominante *telling* der ersten Hälfte der Erzählung wird somit abgelöst durch ein *neutral* gestaltetes *showing*. Zuvor wird eine vorbereitende Motivation ihrer erzählerischen Gestaltung szenisch präsentiert. Saladin sagt nämlich: „Mich verlangt zu hören, / Was du den Richter sagen lässest. Sprich!" (Verse 492f. [=2008f.]), obwohl Nathan mit seiner berichtenden Erzählweise, in der er bislang keine direkte Rede verwendet hat, durchaus keinen Anlaß zu einer solchen Erwartung gibt. Der Wechsel von zeitraffendem Erzähler-Bericht zu *zeitdeckender* direkter Rede, der Wechsel im *Erzähltempo* entspricht einem erzähl- und gleichzeitig bühnentechnischen Kalkül. Der Zweck dieses Wechsels ist es vor allem, sowohl den epischen als auch den dramatischen Fiktionsrahmen punktuell zu durchbrechen. In der Richterrede kann Lessing nämlich seine sentenzartigen Appelle unterbringen, Appelle, die weder durch die Dramenfiktion noch durch die Erzählfiktion relativiert werden, weil sie durch ihre Allgemeinheit die ästhetische Distanz zu Zuschauer und Leser aufheben. „Es eifre ein jeder seiner unbestochnen / Von Vorurteilen freien Liebe nach!" (Verse 524f. [=2041f.]) – das ist so ein Appell, der als doppeltes Rollensprechen, als direkte Rede des Richters in der Erzählfiktion und als Ausruf Nathans im dramatischen Haupttext rampenüberschreitend Nathans früher geäußertem Wunsch entspricht: „Möcht auch doch / Die ganze Welt uns hören".

Zugleich signalisiert Saladins Aufforderung, Nathan möge nun die Worte des Richter mitteilen, dramenintern eine Wendung in der Beziehung zwischen Nathan und Saladin (und damit eine *implizite Figurencharakterisierung* beider). Diese Wendung wird schon vorher angedeutet, wenn Nathan nach dem Zwischendialog zu Saladin sagt: „Laß' auf unsre Ring' / Uns wieder kommen." Die anfängliche zurückhaltende Skepsis auf beiden Seiten, so deutet die Formulierung „unsre Ring'" an, weicht hier einvernehmlicher Freundlichkeit.

Der Stil der ‚Mündlichkeit'

Die gleichwohl in der Parabel als ganzer dominanten Verknappungstechniken werden dabei auch auf stilistischer Ebene unterstützt. Im Hinblick auf den Stil läßt sich nämlich ein sehr sparsamer, dafür jedoch sehr genau durchkomponierter Gebrauch von *Stilelementen* feststellen. Die redetechnische Anlage der Passage von Vers 375 bis Vers 538 [=1891–2054] folgt insgesamt in ihrer Grundstruktur der *dispositio* einer klassischen Rede. Allerdings wird das *exordium* hier vertreten durch den – die Ringparabel vorbereitenden und zu ihr hinführenden – Dialog zwischen Nathan und Saladin. Der erste Teil der Ringparabel entspricht dann der *narratio* einer klassischen Rede, der Zwischendialog nach dem ausdrücklichen Transfersignal steht in der Position der *argumentatio*. Die verallgemeinernd schließende Rede des Richters im Anschluß an Nathans und Saladins Zwischendialog steht schließlich in der Position der *peroratio*.

Im einzelnen fällt zunächst die Wendung „Vor grauen Jahren" auf: als *Metapher* vom Typus ‚*Konkretisierung des Abstrakten*', hier zugleich deutlich zur Signalisierung des Codewechsels vom Dialog zur (nun argumentativ eingesetzten) Erzählung verwendet. Charakteristisch ist im folgenden jedoch eher die Verwendung formelhafter *Metonymien* (z.B. Vers 404 [=1920]: „bei seinem Hause" und ähnlich Vers 411 [=1927]: „Fürst des Hauses") und formelhafter *Polyptota* (Vers 413 [=1929]: „von Sohn zu Sohn" und Vers 417/18 [=1933/34]: „von Zeit / Zu Zeit"; in der Richterrede dann als zuspitzende *figura etymologica*: „Betrogene Betrieger"). Charakteristisch sind weiterhin schon eingangs erwähnte – oft metrisch bedingte – *Elisionen* im Bereich des Wortmaterials („lebt'"; „Beteu'rte"), zudem *Inversionen* („Die alle drei.../ Sich nicht entbrechen konnte") und *Ellipsen* („Was zu tun?"; „Und hatte die geheime Kraft, vor Gott / Und Menschen angenehm zu machen, wer / In dieser Zuversicht ihn trug.") sowie (besonders in der Rede des Richters) *exclamationes* und (echte sowie *rhetorische*) *Fragen*. Kennzeichnend ist auch die Technik der variierenden oder leicht korrigierenden Aneinanderreihung semantisch weitgehend übereinstimmender Formulierungen in der Nähe von *Tautologie* und *Pleonasmus* (z.B. Vers 511 [=2027]: „Zu bergen, zu ersetzen"). Dabei muß allerdings eine leicht unterschiedliche Gewichtung der beiden Teile der Ringparabel – auktoriale Erzählung und neutrale Rede des Richters – berücksichtigt werden. Während im ersten Teil der Ringparabel noch an einigen (erzählstrategisch wichtigen) Stellen geläufige *Stilelemente*, regelrechte *ornatus*- oder Schmuck-Figuren vorkommen (wie z.B. in den *anaphorisch* organisierten Zeilen 415ff. [=1931ff.]: „Die alle drei ihm gleich gehorsam waren, / Die alle drei er folglich gleich zu lieben / Sich nicht entbrechen konnte"), nehmen mit den Fragen, Ausrufen und unvollständigen Satzkonstruktionen in der Rede des Richters die Signale der Mündlichkeit doch deutlich zu. Gleichwohl wäre auch im ersten Teil (besonders im Hinblick auf die formelhaften Passagen) von Signalen der Mündlichkeit zu sprechen, nur eben nicht von Signalen mündlicher Rede, sondern von Signalen mündlichen Erzählens.

Insgesamt wird man beide Teile der Ringparabel im Hinblick auf die (zeitbezogen verstandene) *Stilebene* dem *genus humile* zuordnen können – einem genus also, das weder durch übertriebenes Pathos noch durch übermäßigen Ornat auffällt und so im Kontext dieser Dramenhandlung durch seine Flexibilität nach oben wie nach unten sehr angemessen ist. Von zusammenhängenden *Stilzügen* kann wegen des sparsamen Einsatzes von Stilelementen kaum oder allenfalls in der für die Rede des Richters ausgeführten Weise gesprochen werden; wohl lassen sich jedoch als *Stilprinzipien* (z.T. humoristisch eingesetzte) Gedrängtheit und Lebhaftigkeit erkennen. Das übergeordnete *Stilregister* ist als ,mündlicher Stil' zu bezeichnen – wenn es auch klar ist, daß hier wegen der punktuellen poetisch-rhetorischen Gestaltung wie auch wegen der metrischen Ordnung des Textes betont von stilisierter Mündlichkeit gesprochen werden muß.

Die ,anschauende Erkenntnis'

Allemal erweist sich die Ringparabel bei genauerem Hinsehen als kunstvoll gestaltete Erzählung, die stilistisch wie erzähltechnisch sehr genau auf den einbettenden dramatischen Kontext abgestimmt ist und deshalb angemessen auch nur im Zusammenhang mit dem dramatischen Kontext analysiert werden kann. Die Einbettung der Ringparabel in den Dramenkontext gehört zu ihren konstitutiven Elementen. Das läßt sich nicht zuletzt am Haupt- und Nebentext in der Umgebung der Erzählung nachweisen. Dort wird nämlich die geplante Wirkung der Parabel, die Provokation zur anschauenden Erkenntnis, ausdrücklich durch die Reaktionen Saladins auf die Erzählung Nathans sichtbar dargestellt. Die Konstruktion der Wirkungsdarstellung wird eingeleitet durch eine kurze Passage im Nebentext des Dramentextes:

„SALADIN. (*der sich betroffen von ihm gewandt*)", heißt es zunächst. Als verzögernde Elemente finden sich etwas später Saladins Bekundungen des Unverständnisses im Haupttext: „SA-LADIN. Wie? das soll / Die Antwort sein auf meine Frage? (...) Die Ringe! – Spiele nicht mit mir! Ich dächte, / Daß die Religionen, die ich dir / Genannt, doch wohl zu unterscheiden wären. / Bis auf die Kleidung; bis auf Speis und Trank!" Die Ungeduld Saladins motiviert einen argumentierenden Exkurs Nathans, in dessen Anschluß Saladin sich (*a parte*) als überzeugt bekennen muß: „SALADIN. (Bei dem Lebendigen! Der Mann hat Recht.)". Nathan fährt in der Erzählung fort, nun unterstützt und angefeuert durch Zwischenrufe Saladins („Herrlich! herrlich!"), bis dann im Anschluß an die Parabel Saladin im Haupttext die Ausrufe „Gott! Gott!" zugeteilt werden; und als Zeichen der nunmehr erfolgten ‚anschauenden Erkenntnis' fährt er gleich mit einer dritten und vierten solcher emphatischen *Epanalepsen* fort:

SALADIN. Nathan, lieber Nathan! -
Die tausend Jahre deines Richters
Sind noch nicht um. – Sein Richterstuhl ist nicht
Der meine. – Geh! – Geh! – Aber sei mein Freund.

Ein wichtiges Fundament für den dramatisierten Mitvollzug der anschauenden Erkenntis ist die Appellstruktur der Uneigentlichkeit der gesamten Ringparabel. Diese Appellstruktur läßt sich analysieren als eine komplexe Verbindung von Transfersignalen, die gemeinsam zu einer ‚Übertragung' des wörtlichen Textsinns, zum Entwurf einer neuen Textsemantik auffordern. So ist erstens auf die kontextuelle Einbettung des ‚Geschichtchens' als Form des Transfersignals hinzuweisen. Saladin fordert Nathan ja zu einer Antwort auf seine theologisch generalisierende Frage auf. Statt aber nun klipp und klar (und ‚eigentlich') zu antworten, möchte Nathan zuvor noch eine individualisierende Geschichte erzählen. Damit aber verstößt Nathan dramenintern gegen wichtige Konventionen (‚Konversationsmaximen'), wie man sie für Sprachverwen-

dung außerhalb literarischer Zusammenhänge als allgemein anerkannt rekonstruieren kann. Insofern erscheint Nathans Geschichtchen (trotz seiner ‚Kürze‘) unnötig weitschweifig und im Hinblick
auf Saladins Frage auch wenig informativ. Ergänzt wird dieses erste
Transfersignal durch Saladins befremdliche Reaktion auf Nathans
Bitte; denn statt auf einer direkten Antwort zu insistieren, erlaubt
Saladin die offenkundige *digressio* durch das ‚Geschichtchen‘.
Durch dieses seltsame Verhalten Saladins als weiteren, dramenintern nicht vorbereiteten Verstoß gegen Konventionen, die bei
‚normalen‘ Gesprächen gelten, wird im Dramentext die ‚Konterde-
terminiertheit‘ der Erzählung Nathans signalisiert und der Rezipient dadurch zu einem Transfer des Erzählten auf einen anderen
Zusammenhang (nämlich auf den im Dialograhmen thematisierten)
aufgefordert.

Im Anschluß an den ersten Teil der Erzählung finden wir als
zweites Transfersignal die ausdrückliche Vergleichsformulierung
der dramatisierten *Erzählinstanz* Nathan:

> Man untersucht, man zankt,
> Man klagt. Umsonst; der rechte Ring war nicht
> Erweislich; -
> *(Nach einer Pause, in welcher er des Sultans*
> *Antwort erwartet)* Fast so unerweislich, als
> Uns izt – der rechte Glaube.

In dieser Vergleichsformulierung wird die Beziehung zwischen der
Erzählung und ihrem einbettenden Kontext explizit angesprochen
und durch ein ‚*tertium comparationis*‘ wenigstens in einem Punkt
fixiert. Dieses ‚tertium comparationis‘ ist die ‚Unerweislichkeit‘
sowohl des Ringes wie auch des rechten Glaubens. Der dramentek-
tonische Ort, die dramenfiktionale Einbettung, die erzähltechnische Knappheit und die stilistische Zweckmäßigkeit bilden gemeinsam die textstrukturelle Voraussetzung für die Funktion der Trans-
fersignale. Diese fordern zu einer ‚Übertragung‘ des Erzählten auf
und ermöglichen gleichzeitig die anschauende Erkenntnis. Insgesamt entwickelt Lessing hier durch die komplexe Verbindung genau
kalkulierter poetischer Elemente eine (integrierte) Parabel, die zu
Recht als Muster ihrer Gattung eingestuft wird und die gewiß einen
Glanzpunkt der deutschen Literatur der Aufklärung darstellt.

Eine Interpretation der Ringparabel erschöpft sich jedoch nicht nur nicht in der Analyse ihrer kunstvollen Konstruktion, sie wird dadurch auch in keiner Weise mechanisch festgelegt. Vielmehr bietet die detaillierte Entfaltung aller Kunstmittel erst die solide Grundlage für Interpretationsmöglichkeiten ganz unterschiedlicher, doch gleichermaßen mit dem Wortlaut des Textes vereinbarer Art. Zunächst ist hier natürlich an diejenigen Interpretationen zu denken, die die Interpretationsgeschichte der Ringparabel weithin beherrschen und deshalb geradezu als traditionelle Interpretationen dieses Textes bezeichnet werden können. Insbesondere zwei Interpretationsmöglichkeiten lassen sich hier gewöhnlich unterscheiden.

Die eine der vorherrschenden traditionellen Interpretationen der Ringparabel betont den Aspekt der historischen Einbettung der Ringparabel. Sie weist darauf hin, daß es sich ja bei dem ‚Geschichtchen' um einen Beitrag Lessings im Rahmen seiner Auseinandersetzungen mit dem Hamburger Hauptpastor Goeze handelt. In dieser Auseinandersetzung vertreten Goeze und andere die Auffassung, daß die Bibel als unmittelbare Offenbarung Gottes zu gelten habe und damit auch das Christentum automatisch den Anspruch auf Wahrheit erheben könne. Dagegen betonen Lessing und andere die Auffassung, daß erstens auch an die Bibel der Maßstab historisch-philologischer Kritik angelegt werden müsse (da die Bibel keineswegs die unantastbare Offenbarung Gottes, sondern bloßes Menschenwerk sei) und daß zweitens aus diesem Grunde die ‚Wahrheit' des Christentums auch nicht beweisbar sei. Im Sinne der Position Lessings läßt sich nun die Rinparabel als ein poetisches Votum verstehen, das sich an die sogenannten ‚Orthodoxen' wie Goeze richtet und zu einem toleranten Christentum auffordert.

Die andere der vorherrschenden traditionellen Interpretationen der Ringparabel betont – gestützt auf die ‚Unerweislichkeit' des rechten Ringes – den Aspekt der Gleichrangigkeit der Religionen im allgemeinen als den Hauptgedanken des ‚Geschichtchens'. Sie betrachtet die Ringparabel als ein poetisches, nicht spezifisch auf das Christentum oder eine andere Religion bezogenes Votum für eine allgemein tolerante und undogmatische Religionsausübung und für allgemeine Denkfreiheit.

Die Ringparabel birgt jedoch auch andere, in der bisherigen Interpretationsgeschichte des Textes nicht recht gesehene Interpretationsmöglichkeiten, zu denen erst die genaue Textanalyse führt. Eine dieser Interpretationen könnte bei inhaltlichen Elementen des Erzähltextes ansetzen, die weiter oben in der Analyse schon teilweise angesprochen worden sind: bei dem Opal, bei dem Künstler und bei der Zahl der Ringe, von denen in der Ringparabel gesprochen wird.

Der Richter nennt die drei Söhne „Betrogene Betrieger", und es ist in der Richterrede nicht mehr bloß (wie noch in der Passage kurz vor dem Tod des Vaters) die Rede von drei Ringen, sondern von vieren: von dem möglicherweise verlorenen Musterring und den drei falschen Ringen der Söhne. Die Ringe der Söhne müssen nach Darlegung des Richters alle falsch sein, weil keiner der Ringe die dem echten Ring zugeschriebene Wunderkraft besitze. Die Erzählung selbst erlaubt auch Annahmen darüber, wie der echte Ring verloren gehen konnte, ja sogar, wer die ,betrogenen Betrüger' betrogen haben könnte. Von dieser Passage der Erzählung aus gesehen nämlich rückt die Formulierung „Betrogene Betrieger" den Künstler in den Mittelpunkt des Interesses. Der ,Künstler' (wohlgemerkt nicht: ,Goldschmied', ,Juwelier' o. ä.) ist eine Figur, die in der Stofftradition der Ringparabel vor der Erzählung Lessings nicht auftaucht. In der Ringparabel hat der (somit schon aus stoffgeschichtlichen Gründen merkwürdige) Künstler fiktionsintern die Aufgabe, zwei Ringe anzufertigen, die dem echten Ring vollkommen gleich sein sollen. Zu diesem Zweck gibt der Vater den echten Ring, an dessen Echtheit zu zweifeln die Erzählung bis dahin keinen Anlaß bietet, aus der Hand. Er erhält von dem Künstler drei Ringe, die sich so gleich sind, daß selbst er, der Vater, der langjährige Besitzer des echten Ringes, den Musterring nicht von den anderen unterscheiden kann. Unzweifelhaft ist jedoch von Anfang der Erzählung an (selbst bis zum Schluß, auch wenn da die ,Unerweislichkeit' des echten Ringes unter den Ringen der Söhne aus redestrategischen Gründen eine wichtige Rolle spielt), daß es einen echten Ring gibt. Aus der Erzählung wissen wir aber auch, daß der Stein des Ringes ein Opal sei. Wie die Figur des Künstlers, so taucht auch der Opal in der Stoffgeschichte der Ringparabel vor Lessings Version nicht auf. Man kann sich deshalb fragen, warum bei Lessing ausgerechnet ein Opal (und nicht bloß ein ,Edelstein') erwähnt wird. Vielleicht, so könnte die Antwort lauten, weil es sich bei dem Opal um einen Edelstein handelt, über den das Lese- und Theaterpublikum Lessings wußte oder in zeitgenössischen Lexika erfahren konnte, daß er als einziger Edelstein nicht künstlich herstellbar sei. Gerade diese unglaubliche Tat, die zweifache Imitation des ,hundert schöne Farben' zeigenden Opals, wird dem Künstler jedoch (raffend und aussparend) unterstellt. Zumindest bringt der Künstler dem Vater drei Ringe, und es stellt sich heraus, daß alle drei falsch sein könnten. Man kann sagen: Das muß sich herausstellen, denn einen Opal kann man gar nicht künstlich nachmachen, und wenn jetzt drei ,Opale' vorgewiesen werden, die sich vollkommen gleich sind, so kann keiner von ihnen echt sein.

Ist also der Künstler der Betrüger, besitzt der Künstler den echten Ring – und nach der Analyse der Uneigentlichkeit der Parabel kann man sich fragen: Besitzt nun der Künstler (und nur der Künstler) den rechten Glauben, die wahre Religion? Die Ringparabel gibt auf diese versteckte Frage keine Antwort; und im einbettenden Dialograhmen der Ringparabel wird diese Frage nicht angesprochen, weil Nathans Überredungskünste den Sultan Saladin über die anschauende Erkenntnis zu einer Art von Antwort führen – nicht jedoch zur einzig möglichen: die Ringparabel schließt die Interpretation eben auch nicht aus, eine poetische und besonders listige Kunst-Apotheose zu sein.

8. ANHANG

8.1 Auflösungen

Die Auflösungen zu den Fragen und Tests gehen wir in verschlüsselter, nämlich in ‚gemorster' Form (damit das ‚Nachgucken' mindestens so aufwendig ist wie das Selberlösen). Kleinbuchstaben werden jeweils durch Einklammerung „()" gekennzeichnet.

Morsecode

A . _	H	O _ _ _	U . . _
B _ . . .	I . .	P . _ _ .	V . . . _
C _ . _ .	J . _ _ _	Q _ _ . _	W . _ _
D _ . .	K _ . _	R . _ .	X _ . . _
E .	L . _ . .	S . . .	Y _ . _ _
F . . _ .	M _ _	T _	Z _ _ . .
G _ _ .	N _ .		

Auflösungshinweise zu Kapitel 2.13:

TEXT (2): Schlag nach bei _ (. . . .) (Punkt) _ _ (. _) (_ .) (_ .)
TEXT (3): Schlag nach bei .... (Punkt)(. . . _)(Punkt)_ . _ (. _ . .) (.)
            (. .) (. . .) (_)

Auflösung zum Terminologie-Test in Kapitel 2.25:

(1) _ . _ .	(14) (. . . .)	(27) (. _)	(40) (. . . _)
(2) (_ _ .)	(15) (_ _ . _)	(28) (_ . . .)	(41) (. . .)
(3) (_ . _)	(16) (_)	(29) _ . _	(42) (_ . .)
(4) _ _ . .	(17) _ . . .	(30) (_ .)	(43) (_ . _ _)
(5) (_ _)	(18) (. .)	(31) (_ . . _)	(44) (_ _ . .)
(6) _ _ .	(19) . _ _ _	(32)	(45) (_ _ _)
(7) (. . _)	(20) _ . .	(33) (. _ _)	(46) . _ _ .
(8) (. _ _ .)	(21) . . _ .	(34) _ _ . _	(47) _ . . _
(9) . . . _	(22) . _	(35) . _ .	(48) (. . _ .)
(10) . _ . .	(23) _ .	(36) . . .	(49) _ . _ _
(11) (.)	(24) . _ _	(37) _	(50) . .
(12) (. _ . .)	(25) (. _ .)	(38) .	(51) _ _
(13) . . _	(26) (_ . _ .)	(39) _ _ _	(52) (. _ _ _)

Auflösung zum Terminologie-Test in Kapitel 3.10.:

(1) (_ . . _)	(14) _ . _ .	(27) _ . . .	(40) (_)
(2) (. . . .)	(15) _ _ . _	(28) _ _ .	(41) . _ .
(3) . _ . .	(16) . _ _ .	(29) _	(42) (_ . _)
(4) (. _)	(17) (. .)	(30) (. _ .)	(43) . . _ .
(5) . .	(18) (_ _)	(31) (_ . . .)	(44) . _ _
(6) . . _	(19) (_ _ . _)	(32) (_ _ . .)	(45) (. . .)
(7) _ _ . .	(20) . _	(33) . _ _ _	(46) (_ . .)
(8) .	(21) . . .	(34) (. . _)	(47) (. . . _)
(9) (.)	(22) _ . . _	(35) _ _ . .	(48) _ . _ _
(10) (. _ _ .)	(23) _ .	(36) (_ .)	(49) . . . .
(11) (_ . _ _)	(24) (_ . _ .)	(37) _ . .	(50) (_ _ _)
(12) (. _ . .)	(25) (. _ _ _)	(38) (. . . _)	(51) (_ _ .)
(13) _ . _	(26) (. _ _)	(39) _ _	(52) _ _ _

Auflösung zum Terminologie-Test in Kapitel 4.10.:

(1) _ . _ _	(8)	(15) . . _ .	(21) _
(2) . _ _	(9) _ _ .	(16) _ . .	(22) . _ .
(3) _ _ . .	(10) . .	(17) _ .	(23) _ _ _
(4) . . . _	(11) _ . _ .	(18) _ _	(24) . . .
(5) . . _	(12) _ . . .	(19) _ _ . _	(25) . _ . .
(6) _ . . _	(13) . _	(20) . _ _ .	(26) _ . _
(7) . _ _ _	(14) .		

Auflösung zum Terminologie-Test in Kapitel 5.10.:

(1) _ . _ .	(8) . . .	(15) _ . . .	(21) _ . _ _
(2) _	(9) . . _ .	(16) _ _ _	(22) . _ . . .
(3) . .	(10) . _ .	(17) _ . . _	(23) . _ _
(4)	(11) .	(18) _ .	(24) . _ _ _
(5) . . . _	(12) _ _ . _	(19) . _	(25) _ _
(6) _ _ .	(13) _ . .	(20) _ _ . .	(26) _ . _
(7) . . _	(14) . _ _ .		

Auflösung zum Argumentationstest in Kapitel 6.10:

(1)
kontradiktorisch: (.) und (_ _ .)
konträr: (_ . . .)
polar: (_ . _ .) und (. , ,)
keines davon: (. . _ .)

(2)
a = (_ . .)
b = (_ . _ .) und (_ _ .) und evtl. (. . _ .)
a und b = (.)
keines davon: (. . . .) und evtl. (. . _ .)

(3) (. . _ .)
(4) (. _ _)
(7) (. . _ .)
(8) (. . _ .)

8.2. Ausgewählte Literaturhinweise

8.2.11 Allgemeine Hilfsmittel

8.2.1.1. Lexika und Handbücher

Arnold, Heinz Ludwig / Detering, Heinrich (Hgg.): Grundzüge der Literaturwissenschaft, München 1996.

dtv-Atlas zur deutschen Literatur. Tafeln und Texte. Zusammengest. v. Horst-Dieter Schlosser, 3. Aufl. München 1987.

Eicher, Thomas / Wiemann, Volker (Hgg.): Arbeitsbuch Literaturwissenschaft, Paderborn 1996.

Frenzel, Elisabeth: Motive der Weltliteratur. Ein Lexikon dichtungsgeschichtlicher Längsschnitte, 3., überarb. u. erw. Aufl. Stuttgart 1988.

Frenzel, Elisabeth, Stoffe der Weltliteratur. Ein Lexikon dichtungsgeschichtlicher Längsschnitte, 8., vollst. überarb. Aufl. Stuttgart 1992.

Frenzel, Herbert A. u. Elisabeth: Daten deutscher Dichtung. Chronologischer Abriß der deutschen Literaturgeschichte, 2 Bde., 29. Aufl. München 1995.

Grimm, Gunter / Max, Frank Rainer (Hgg.): Deutsche Dichter. Leben und Werk deutschsprachiger Autoren, Bde. 1-8, Stuttgart 1989.

Knörrich, Otto (Hg.): Formen der Literatur in Einzeldarstellungen, Stuttgart 1981.

Meyer-Krentler, Eckhardt: Arbeitstechniken Literaturwissenschaft, 4. Aufl. München 1994.

Müller-Dyes, Klaus: Literarische Gattungen. Lyrik, Epik, Dramatik, Freiburg i.Br. 1978.

Raabe, Paul: Einführung in die Bücherkunde zur deutschen Literaturwissenschaft, 11. Aufl. Stuttgart 1994.

Reallexikon der deutschen Literaturwissenschaft. Begr. v. Paul Merker u. Wolfgang Stammler. Neubearbeitung, hrsg. v. Harald Fricke u.a., 3 Bde., Berlin 1996ff.

Ricklefs, Ulfert (Hg.): Fischer Lexikon Literatur, 3 Bde., Frankfurt / M. 1996.

Schweikle, Günther u. Irmgard (Hgg.): Metzler Literatur Lexikon. Begriffe und Definitionen, 2., überarb. Aufl. Stuttgart 1990.

Zelle, Carsten: Kurze Bücherkunde für Literaturwissenschaftler, Tübingen 1998.

8.2.1.2. Zur Theorie der Literatur und zur Praxis der Literaturwissenschaft

Baasner, Rainer: Methoden und Modelle der Literaturwissenschaft, Berlin 1996.

Eagleton, Terry: Einführung in die Literaturtheorie, 3. Aufl. Stuttgart 1994.

Fricke, Harald: Norm und Abweichung. Eine Philosophie der Literatur, München 1981.

Fricke, Harald: Literatur und Literaturwissenschaft. Beiträge zu Grundfragen einer verunsicherten Disziplin, Paderborn 1991.

Fohrmann, Jürgen / Müller, Hans Harro (Hgg.): Literaturwissenschaft, München 1996.

Gabriel, Gottfried: Fiktion und Wahrheit. Eine semantische Theorie der Literatur, Stuttgart 1975.

Gabriel, Gottfried: Zwischen Logik und Literatur. Erkenntnisformen von Dichtung, Philosophie und Wissenschaft, Stuttgart 1991.

Göttner, Heide: Logik der Interpretation, München 1973.

Harth, Dietrich / Gebhardt, Peter (Hgg.): Erkenntnis der Literatur. Theorien, Konzepte, Methoden, Stuttgart 1982.

Hempfer, Klaus W.: Gattungstheorie, München 1973.

von Heydebrand, Renate / Winko, Simone: Einführung in die Wertung von Literatur, Paderborn 1996.

Klotz, Volker: Literaturbeamter auf Lebenszeit. Spielräume der akademischen Verwaltung von Dichtkunst, Darmstadt 1991.

Link, Hannelore: Rezeptionsforschung. Eine Einführung in Methoden und Probleme, 2. Aufl. Stuttgart 1980.

Stocker, Peter: Theorie der intertextuellen Lektüre, Paderborn 1996

Weimar, Klaus: Enzyklopädie der Literaturwissenschaft, 2. Aufl. München 1993.

Wellbery, David E.: Positionen der Literaturwissenschaft, 2., durchges. Aufl., München 1987.

Zeller, Hans / Martens, Gunter (Hgg.): Texte und Varianten. Probleme ihrer Edition und Interpretation, München 1971.

Zymner, Rüdiger: Uneigentlichkeit. Studien zu Semantik und Geschichte der Parabel, Paderborn 1991.

8.2.2. Spezielle Hilfsmittel

8.2.2.1. Zur Stilanalyse

Plett, Heinrich F.: einführung in die rhetorische textanalyse, 4., erg. Aufl. Hamburg 1979.

Michel, Georg u.a.: Einführung in die Methodik der Stiluntersuchung, Berlin (DDR) 1968.

Sowinski, Bernhard: Stilistik. Stiltheorien und Stilanalysen, Stuttgart 1991.

Lausberg, Heinrich: Elemente der literarischen Rhetorik. Eine Einführung für Studierende der klassischen, romanischen, englischen und deutschen Philologie, 9. Aufl. München 1987.

8.2.2.2. Zur Gedichtanalyse

Burdorf, Dieter: Einführung in die Gedichtanalyse, Stuttgart 1995.
Kayser, Wolfgang: Kleine deutsche Versschule, 23. Aufl. Bern 1987.
Knörrich, Otto: Lexikon lyrischer Formen, Stuttgart 1992.
Lamping, Dieter: Das lyrische Gedicht. Definitionen zu Theorie und Geschichte der Gattung, 2., durchges. Aufl. Göttingen 1993.
Lamping, Dieter: Moderne Lyrik. Eine Einführung, Göttingen 1991.
Ludwig, Hans-Werner: Arbeitsbuch Lyrikanalyse, Tübingen 1977.
Wagenknecht, Christian: Deutsche Metrik. Eine historische Einführung, 3., durchges. Aufl. München 1993.

8.2.2.3. Zur Erzählanalyse

Genette, Gérard: Die Erzählung. Aus dem Frz. v. A. Knop, München 1994.
Lämmert, Eberhard: Bauformen des Erzählens, 7. Aufl. Stuttgart 1980.
Ludwig, Hans-Werner (Hg.): Arbeitsbuch Romananalyse, Tübingen 1991.
Stanzel, Franz K.: Theorie des Erzählens, 5. Aufl. Göttingen 1991.
Vogt, Jochen: Aspekte erzählender Prosa, 7., neubearb. Aufl. Opladen 1990.
Weber, Dietrich: Erzählliteratur, Göttingen 1998.

8.2.2.4. Zur Dramenanalyse

Geiger, Heinz / Haarmann, Hermann: Aspekte des Dramas, 2. Aufl. Opladen 1982.
Greiner, Bernhard: Die Komödie, Tübingen 1992.
Pfister, Manfred: Das Drama. Theorie und Analyse, 6. Aufl. München 1989.
Platz-Waury, Elke: Drama und Theater. Eine Einführung, Tübingen 1980.
Vogel, Benedikt: Fiktionskulisse. Poetik und Geschichte des Kabaretts, Paderborn 1993.

8.2.2.5. Zur (literatur-)wissenschaftlichen Argumentation

Fricke, Harald: Die Sprache der Literaturwissenschaft. Textanalytische und philosophische Untersuchungen, München 1977.
Hoyningen-Huene, Paul: Formale Logik, Stuttgart 1998.
Kamlah, Wilhelm / Lorenzen, Paul: Logische Propädeutik. Vorschule des vernünftigen Redens, 2., verb. Aufl. Mannheim 1985.

Kopperschmidt, Josef / Schanze, Helmut (Hgg.): Argumente – Argumentation, Interdisziplinäre Problemzugänge, München 1985.

Savigny, Eike von: Grundkurs im wissenschaftlichen Definieren. Übungen zum Selbststudium, 2., verb. Aufl. München 1972.

Savigny, Eike von: Grundkurs im logischen Schließen. Übungen zum Selbststudium, 2., verb. Aufl. Göttingen 1984.

Spree, Axel: Kritik der Interpretation. Analytische Untersuchungen zu interpretationskritischen Literaturtheorien. Paderborn 1995.

Strube, Werner: Analytische Philosophie der Literaturwissenschaft. Untersuchungen zur Literaturwissenschaftlichen Definition, Klassifikation, Interpretation und Textbewertung, Paderborn 1993.

Wagenknecht, Christian (Hg.): Zur Terminologie der Literaturwissenschaft. Akten des IX. Germanistischen Symposions der Deutschen Forschungsgemeinschaft Würzburg 1986, Stuttgart 1988.

8.2.3. Bücher, die zum Weiterparodieren anregen könnten ...

Ayren, Armin: Der Baden-Badener Fenstersturz. Thema mit achtzig Variationen, Stuttgart 1989.

Fühmann, Franz: Die dampfenden Hälse der Pferde im Turm von Babel. Ein Spielbuch in Sachen Sprache, ein Sachbuch der Sprachspiele, ein Sprachbuch voll Spielsachen, Darmstadt 1984.

Hohler, Franz / Schubiger, Jürg: Hin- und Hergeschichten, 2. Aufl. Zürich 1986.

Knauss, Sibylle: Schule des Erzählens, Frankfurt/M. 1995.

Macheiner, Judith: Das grammatische Varieté oder Die Kunst und das Vergnügen, deutsche Sätze zu bilden, Frankfurt/M. 1991.

Meckling, Ingeborg: Fragespiele mit Literatur. Übungen im produktiven Umgang mit Texten, Frankfurt/M. 1985.

Queneau, Raymond: Stilübungen. Autobus S., Frankfurt/M. 1974.

Scholz, Rüdiger / Hermann, Hans Peter: Literatur und Phantasie. Schöpferischer Umgang mit Kafka-Texten in Schule und Universität, Stuttgart 1990.

Scheidt, Jürgen vom: Kreatives Schreiben. Texte als Wege zu sich selbst und zu anderen, Frankfurt/M. 1989.

Thalmayr, Andreas: Das Wasserzeichen der Poesie oder die Kunst und das Vergnügen, Gedichte zu lesen, 5. Aufl. Nördlingen 1986.

Verweyen, Theodor / Witting, Gunther: Die Parodie in der neueren deutschen Literatur. Eine systematische Einführung, Darmstadt 1979.

Waldmann, Günther: Produktiver Umgang mit Lyrik. Eine systematische Einführung in die Lyrik, ihre produktive Erfahrung und ihr Schreiben, Baltmannsweiler 1988.

284

8.3. Sachregister